Читайте романы
примадонны иронического детектива
Дарьи Донцовой

Дарья Донцова

*И*деальное тело **Пятачка**

роман

ЭКСМО

Москва

2009

Глава 1

Поздно просить на завтрак яичницу, если для вас уже отварили сосиски...

Я остановилась у громадных ажурных ворот и достала из сумочки зеркальце. Так и есть, выгляжу хуже некуда: волосы растрепались, тушь осыпалась, губная помада размазалась. А еще мне категорически не идет сарафан в крупный горох.

Ну зачем я пошла на поводу у продавщицы и купила сей шедевр швейного искусства? Ведь великолепно знаю, если девица за прилавком принимается закатывать глаза и восклицать: «Отлично сидит! Непременно берите! Я сделаю вам скидочку», — нужно насторожиться. А уж если откопаешь «потрясающее» летнее платье из хлопка на самой дальней вешалке в преддверии новогоднего праздника, значит, эта шмотка никому до сих пор не понадобилась. Так, может, она и тебе не нужна? Но я повелась на льстивые речи менеджера и схватила сарафанчик.

В примерочной кабинке, где слегка приглушен свет, а зеркало явно стройнит фигуру, вещь смотрелась, как выражается мой коллега Коробков, «убойно». А вот сейчас, когда сарафан наконец-то дождался тридцатиградусной жары, я с тоской констатировала: глупо было наряжаться в ярко-красный ситчик, усеянный круглыми черными кругами диаметром в пятнадцать сантиметров. Я в нем напоминаю лошадь, которая тащит катафалк. Впрочем, нет, скорее уж слона, участвующего в похоронной процессии, не хватает только плюмажа на башке. Мой гардероб небогат, и для эфиопской жары, неожиданно упавшей на Москву, непригоден. Отхватив злополучный сарафан, я решила, что с проблемой с летними платьями покончено. Теплая погода в столице, как правило, бывает недели две, нет нужды обзаводиться сотней футболок. Поэтому сегодня утром мне пришлось выбирать: ехать на службу в отвратительном сарафане, но зато не плавиться от жары или надеть трикотажный костюм, в котором я буду похожа на тетку, просидевшую в сауне, забыв снять шубу, ушанку и валенки. Рассудив, что первый вариант принесет мне меньше неудобств, я храбро поехала на работу, кожей ощущая удивленные взгляды попутчиков.

Первым в коридоре офиса мне встретился Коробков, который моментально задал вопрос:

— Тань, Винни-Пух свинья или кабан?

Я изумилась:

— Прости, не поняла.

— Экая ты... — укорил меня Димон. — Чего сложного я спросил? Просто ответь: Винни-Пух свинья или кабан?

Сколько годков Коробкову, не знает никто. У него лицо человека, который прожил на свете не менее шести десятков лет, но у Димона глаза яркие, как у подростка. К тому же у нашего хакера сленг девятиклассника, одежда рокера, серьга в ухе, из волос сооружен хаер красно-рыжего цвета, а руки, спина, ноги, шея — короче, все открытые взору части тела украшены татуировками на грани приличия. Даже предположить боюсь, какие картинки у Димона там, куда постороннему человеку не заглянуть. По менталитету Коробкову не дашь и двенадцати, но, с другой стороны, он является гениальным компьютерщиком, хакером, которого не остановят никакие пароли, шифры и охранные программы. Если Димон захочет раздобыть код доступа к ядерной кнопке любой страны, будьте уверены — он его раздобудет. Когда я вижу, как ловко и быстро Коробок «нарывает» любую строго секретную информацию, то всегда радуюсь, что ему не приходит в голову использовать свой талант в преступных целях. Хорошо, что Коробок стоит по другую сторону баррикад, то есть ловит тех, кто нарушил закон.

— Эй, Тань, не зависай! — толкнул меня в бок наш компьютерный гений.

— Винни-Пух кабан, — ответила я.

— И почему ты пришла к такому выводу? — ехидно засмеялся Димон.

— Он мальчик, — пожала я плечами. — Насколько помню, в той сказке почти все герои, так сказать, самцы: ослик, кролик, Пятачок, и только одна сова девица.

В воздухе повеяло духами, потом раздалось звонкое цоканье каблуков, и перед нами возникла Марта Карц во всей своей красе. Кто не знает, сообщаю — она дочь олигарха.

Поверьте, я не самый завистливый человек на свете и никогда не исхожу слюной при виде чужих драгоценностей или шикарных автомобилей. Очень хорошо понимаю: я никогда не смогу приобрести «Майбах». Да он мне и не нужен! Главное, я счастливая жена самого лучшего мужчины на свете и не променяю Гри ни на сумку, полную стокаратных бриллиантов, ни на миллиардный счет в банке. Мало кому из женщин повезло так, как мне. Вернее, так повезло лишь мне одной на свете. Гри существует в единственном экземпляре и принадлежит только мне, остальным дамам достались супруги второго, третьего и прочего сортов. Поэтому я и лишена чувства зависти: рядом с феноменом осознаешь собственную уникальность. Вот скажите, какое количество «Роллс-Ройсов» выпущено в свет? Тысяча, пять, десять? В принципе, любой человек, если поставит перед собой цель приобрести шикарный дом, роскошную машину, стать богатым и знаменитым, может ее достичь — упрется рогом и добьется своего. Но вот Гри ему не купить, он мой. К чему тогда мне кому-то завидовать?

И только Марта Карц, дочь владельца заводов, пароходов, алмазных копий, нефтяных скважин и не знаю чего еще, подчас заставляет меня подавлять тоскливый вздох. Карц очень хороша собой и всегда шикарно одета. Сегодня на ней белое мини-платье с темно-синими карманами, на ногах босоножки, безукоризненный педикюр, в руках большая и явно неприлично дорогая сумка, волосы собраны в небрежный узел и вроде нет ни грамма косметики на лице. Карц выглядит так, словно она, вскочив с постели, быстро приняла душ, выхватила из шкафа первые попавшиеся под руку вещи и понеслась на службу. Но, поверьте мне, это не так. Марта тщательно следит за собой. Отсутствие пудры иллюзия, на самом деле лицо красотки покрыто тональным кремом, глаза оттенены карандашом, а губы блестят от помады. Да и художественный беспорядок на голове — творение рук модного парикмахера.

— Солнышко! — взвизгнула Карц и облобызала Димона. — С днем рождения тебя! Вот, держи небольшой сувенирчик.

— Ты не забыла... — умилился Коробок, развязал бархатный мешочек, полученный от нашей великосветской дивы, и ахнул от восторга: — Где взяла? Я давно такой искал!

Я закусила в досаде губу. Ну вот, опять ты, Сергеева, оказалась в дурах, у Коробка сегодня праздник, а ты запамятовала. Ну почему Марта все помнит?

— Красота! — восхищался тем временем Димон, вытаскивая кожаный ошейник с устрашающими железными шипами. — Мечта моя сбылась!

— Нравится? — обрадовалась Карц.

— До трясучки! — заверил Димон и быстро нацепил на себя подарочек. — Ух, прям по размеру! И где ты его раздобыла?

— В магазине для собак, — без тени смущения призналась Карц. — Я подумала, что у тебя шея как у ротвейлера, и угадала.

Я закашлялась, а Димон с еще большим восторгом заорал:

— Ваще, круто! Можешь ответить на один вопрос?

— Ну? — изогнула искусно накрашенные брови красотка.

Димон выпалил:

— Винни-Пух свинья или кабан?

— Вот уж глупость! — не удержалась я. — Ясное дело, что...

— Действительно, бред, — перебила меня Марта. — Всем известно, что Винни-Пух медведь.

Я поперхнулась и опять закашлялась, а Марта, крутанувшись на каблуках, двинулась в сторону кабинета Чеслава.

— Ты простудилась? — заботливо спросил Димон.

Я справилась с приступом кашля.

— Отлично себя чувствую. Поздравляю тебя с днем варенья!

— Ты помнишь! — незамедлительно обрадовался Коробок.

— Естественно, — лихо соврала я. — Сейчас за подарком схожу, я оставила его в гардеробе, в кармане шубы.

Коробков крякнул, а я расстроилась. Увы, я принадлежу к породе людей, которые сначала лгут, а потом думают: правдоподобна ли ложь. Если учесть, что на календаре начало июля, а температура даже в тени около тридцати градусов, то сообщение про шубу в закрытой на лето раздевалке оказалось весьма кстати. Чтобы хоть как-то исправить положение, я хихикнула и быстро сказала:

— Конечно, Винни-Пух медведь, я просто оговорилась.

— Но из десяти человек только один об этом вспоминает, остальные говорят, что он кабан, — удовлетворенно заметил Димон. — Это тест на сообразительность. Причем вроде простенький, но отнюдь не все его проходят. Сама проверь.

— Димка! С днюхой! — замахал рукой Чеслав, появляясь в конце коридора. — Стой, не шевелись, я несу тебе презент.

Я предпочла улизнуть. Значит, в отличие от Марты я не сумела продемонстрировать свою сообразительность. От осознания собственной глупости остатки моего хорошего отношения к Карц растаяли, как сосулька, брошенная на раскаленную сковородку...

Утреннее совещание Чеслав начал с вопроса:

— Кто-нибудь слышал про Эрику Кнабе?

Я уставилась в пол, надеясь, что начальник сейчас сам все объяснит.

— Эрика Кнабе, дочь Германа Кнабе, — голосом зубрилы завела Марта. — Он по происхождению немец, его отец Вольф Кнабе приехал в начале тридцатых годов в СССР, чтобы, как тогда выражались, «строить социализм во всем мире». Вольф и его жена Матильда были совсем молодыми и крайне активными, они получили советское гражданство и по непонятной причине избежали ареста в печально известном тридцать седьмом году. Тогда же у них родился сын Герман. Когда началась Вторая мировая война, Вольф и Матильда отправились на фронт. Чтобы иметь возможность бороться с фашистами, родители отдали мальчика в детдом. Отец и мать не предполагали, что война затянется на долгие годы. Пропаганда тех лет внушила советским людям: мощь Красной Армии безгранична, врага разобьют за считаные недели. Действительность оказалась иной. Кнабе не участвовали в боях, они ездили по позициям в специальной машине с громкоговорителем и агитировали фашистов сдаться в плен, рассказывали, как хорошо живется в СССР. Кое-кто из солдат вермахта, услышав идеальную немецкую речь, поддавался на уговоры Кнабе и выходил с поднятыми руками. Судьба военнопленных складывалась совсем не радужно, они все попадали в лагеря, и мало кто из них остался в живых. В начале пятидесятых арестовали и самих Кнабе, но им повезло: придя к власти, Никита Хрущев выпустил узников на свободу. Вольфу и Матильде в середине пятидесятых годов удалось воссоединиться с сыном. Герман Кнабе не пропал в детдоме, мальчик обладал немецким трудолюбием, окончил десятилетку с отличным аттестатом. После возвращения Вольфа и Матильды он поступил в институт. Его родители работали на радио, рассказывали жителям ФРГ[1] о райской жизни в СССР и прочих соцстранах.

— Откуда ты взяла эти данные? — удивился Чеслав.

Марта хмыкнула и продолжила:

— У Германа двое детей — Эрика и Миша. Кнабе богат, и его наследники — лакомый кусочек для тех, кто мечтает войти в состоятельную семью. Но ни дочь Кнабе, ни его сын никогда не ходят по тусовкам, не гуляют в клубах, не ездят на модные горнолыжные курорты — у них своя компания. А все же иногда Кнабе видят в публичных местах. Миша дружит с владельцем театра «Карнавал» и часто посещает спектакли. Моя подруга, актриса

---

[1] До 1990 года Германия была разделена на две страны: Германская Демократическая Республика, ГДР, являлась частью лагеря социализма, а Федеративная Республика Германии, ФРГ, принадлежала к капиталистическому сообществу.

Ира Бурова, решила во что бы то ни стало понравиться Мише и стать его женой. Но поскольку Ирка совсем не дура, она действовала не с бухты-барахты, а сначала нарыла побольше информации о Кнабе и только потом открыла на Мишу охоту.

— Удалось ей заарканить парня? — с интересом спросил Димон.

Марта фыркнула.

— Нет! Красавчик на Бурову даже не посмотрел. Она знала, что Миша увлекается искусством и занимается живописью, поэтому прикинулась натурщицей.

— Не самый лучший способ попасть в приличную семью, — высказала я свое мнение. — Навряд ли Герман Кнабе захочет иметь в невестках девицу, которая зарабатывает на жизнь, раздеваясь перед мужчинами.

Карц пожала плечами.

— Натурщица не проститутка и не стриптизерша. Кстати, мне попадались путаны, которые, бросив свое ремесло и выйдя замуж, никогда не изменяли мужьям, становились идеальными женами и матерями. И наоборот, я встречала девушек из богатых семей, которые до свадьбы повсюду разгуливали за ручку с мамами, а став замужними дамами, делались настоящими шлюхами. Но это так, к слову. Ирина Бурова очень красива и надеялась соблазнить Мишу.

— У нее получилось? — снова выказал интерес Коробков.

— Нет, — ответила Марта. — Кнабе ее очень вежливо отшил, сообщив, что сейчас он увлекается пейзажем. Тогда Ирка предположила, что Миша голубой, ведь во время его редких появлений в публичных местах наследничка никогда не видят с женщинами.

Я не удержалась от смешка. Однако у некоторых девиц непомерное самомнение. Если парень не накинулся на нее с рычанием, когда «нимфа» состроила ему глазки, значит, он гомосексуалист. Нет бы взглянуть на проблему с другой стороны: вероятно, твои прелести вовсе не так уж и хороши. Или молодой человек принадлежит к категории людей, которые не затевают интрижки с первой попавшейся красоткой. Встречаются брезгливые парни, им совсем не хочется пользоваться общей зубной щеткой и иметь любовницу с длинным послужным списком.

— Ближе к теме, — приказал Чеслав.

Марта надула губы.

— Но ведь сведения о сексуальной ориентации объекта очень важны. А насчет Михаила ничего сказать не могу — семья Кнабе всегда в тени. Вернее, была в тени до прошлого года...

Марта прирожденная рассказчица, она знает, в какой момент нужно сделать паузу, чтобы заинтриговать слушателей.

— А что случилось в прошлом году? — не выдержала я.

Карц отбросила с лица выбившуюся из прически прядь.

— Эрика Кнабе стала жертвой нападения. Девушку нашли в парке, в укромном месте, с удавкой на шее. Если бы все произошло суровой зимой, дочь Германа наверняка бы умерла, но тогда стояла необычно теплая для Москвы погода. Что делала Эрика одна далеко от дома, до сих пор неизвестно.

— Отчего бы не спросить саму Кнабе? — усмехнулась я.

— Она в коме, — отбила подачу Марта. — Сначала лежала в больнице, потом ее перевезли домой, в подмосковное имение. Преступника не нашли.

— Кнабе изнасиловали? — уточнил Димон.

Марта развела руками и добавила:

— Это был единственный случай, когда Герман пообщался с прессой. Думаю, олигарха достали журналисты, которые в отсутствие информации стали выпускать особенно жирных уток. Старший Кнабе собрал пресс-конференцию, и если Димон пошарит в Рунете, он найдет нужные материалы.

— Плиз, минуточку, — закудахтал Коробок, впившись взглядом в экран своего ноутбука. — Опа! Мда... мда... вот! Слушайте...

Герман Кнабе: «Моя дочь Эрика возвращалась от одной из своих подруг. Очевидно, с ее машиной, белым «Порше», случилась поломка. Предполагаю, что спустило колесо. Дочь вышла из автомобиля, отправилась в парк искать помощь и подверглась там нападению грабителя. «Порше» исчез, Эрика получила тяжелое повреждение мозга, ей сделали несколько операций, но дочь пока не приходит в сознание».

Вопрос журналиста: «Ее изнасиловали?»

Герман: «Нет, всего лишь ограбили. Забрали драгоценности, сумку, часы, ключи от автомобиля, его угнали. Целью подонков была не моя дочь, а «Порше» и деньги».

Журналист: «Неужели Эрика ездила без охраны?»

Герман: «Наша семья ведет обычный образ жизни. Мои дочь и сын не являются светскими персонажами. Эрика студентка, у нее ограниченный круг давних приятелей. Михаил художник. Дети сами водят свои автомобили, шоферов у них нет, а поскольку их лица не растиражированы в прессе, никто их не узнает. Зачем тогда нужны секьюрити?»

Журналист: «Как зовут знакомую, у которой в день нападения гостила Эрика?»

Герман: «Без комментариев. Спасибо, что пришли на пресс-конференцию. Наша семья сейчас переживает тяжелое время, я буду благодарен вам за поддержку и понимание. Если захотите узнать подробности об Эрике, обращайтесь ко мне, получите честные ответы. Не пишите откровенной лжи!»

Димон оторвался от компа.

— Потом Кнабе устроил фуршет, напоил писак, и те настрочили весьма благожелательные статьи. Эрику жалели, а родственникам выражали сочувствие.

— Стервятники! — зло буркнула Карц. — Кто им бутылку водки дал, тот и герой. А почему у нас возник интерес к семье Кнабе?

Чеслав положил на стол две фотографии.

— Смотрите.

Я, чуть не столкнувшись лбом с подбородком Карц, наклонилась над снимками. На одном была запечатлена симпатичная блондинка в простом, но явно очень дорогом костюме с большой сумкой в руке, а на другом не очень привлекательная студентка в малопрезентабельной футболке и джинсах.

— Ну-ка, проявите сообразительность, где, по-вашему, Эрика? — спросил Чеслав.

Марта ткнула пальцем в левое фото.

— Сумка не простая, винтажная. Видите табличку с цифрой «1962», прикрепленную под логотипом фирмы? Такой аксессуар стоит намного дороже обычного. Костюм и туфли, конечно, от известных дизайнеров, прическа явно сделана в модном салоне, на руке швейцарские часы, в ушах бриллиантовые сережки... А на другом снимке сняли дитя рабочих окраин. Джинсы дешевой молодежной марки, сидят плохо, футболка с рынка, волосы девчонка сама феном сушила, а вместо шикарной сумки у нее чудовище из гобелена, напоминающее кошелку, с которой наша домработница шастает на рынок за картошкой.

Чеслав подмигнул Марте.

— Ловко! Однако все наоборот: с гобеленовой торбой дочь олигарха, а в эксклюзивных шмотках студентка Варвара Богданова. Есть человек, сто-процентно уверенный: Герман Кнабе похитил Варю, спрятал в своем имении и сделал из нее секс-рабыню.

Глава 2

— Круто! — гаркнул Димон. — Лучше не встречать по одежке!

Карц метнула в Коробкова испепеляющий взгляд, но промолчала, а Чеслав продолжил:

— Необходимо внедриться к Кнабе и найти Варвару...

— И как же? — поинтересовалась я. — Прислугу хозяин стопроцентно нанимает через агентство, причем проверяет всех под лупой! А всяких торговцев косметикой да пылесосами и на порог не пустит.

Чеслав похлопал ладонью по столу.

— Спокойно. Дослушай до конца. Кнабе живут в огромном поместье, хозяйский дом стоит в парке, переходящем в лесную зону. Но, главное, у них есть зверинец!

— Что? — не понял Коробков.

— Кошки с собаками? — высказала я предположение. — Хомячки и черепашки?

Чеслав начал рыться в ящике стола.

— Нет, у Кнабе настоящий зоопарк. Говорят, даже бегемота ему привезли.

— Прикольно... — протянула Марта. — Хотя идея не нова, в половине домов на Рублевке обитают экзоты. Кого я только у друзей не видела!

— Герман Кнабе обожает животных, — пояснил Чеслав, продолжая копаться в бумагах, — он мечтал стать ветеринаром, но не получилось.

— И приходится бедняге мучиться в олигархах, — заржал Димон, — стоит пожалеть несчастного. Сейчас бы ставил клизмы мартышкам, получал грошовый оклад, а вместо этого вынужден ворочать миллиардами.

Чеслав положил на стол папку.

— В питомник нужен зоопсихолог. Вот, Таня, держи.

Я взяла в руки скоросшиватель, увидела внутри

паспорт, раскрыла его и уставилась на свою фотографию.

— Имя оставили твое, а вот фамилия другая, — бодро пояснил начальник.

— Татьяна Кауфман, — растерянно прочитала я.

— Там еще есть диплом об окончании МГУ, медицинская книжка, рекомендация от академика Перова и других твоих прежних работодателей, — продолжал Чеслав. — Да, еще! Ты этническая немка. Думаю, сей факт сыграл немаловажную роль в том, что Тане Кауфман предложили работу у Кнабе. Если выдержишь испытательный трехмесячный срок, можешь рассчитывать на большой оклад, но и стажерке предлагают весьма выгодные условия. Кормят бесплатно, отпуск двадцать четыре дня.

— Я не владею немецким! Герман моментально раскусит самозванку, — вырвался из моей груди вопль.

— Сомневаюсь, что хозяин лично захочет общаться с наемным работником, — ухмыльнулся Димон.

— Думаю, Коробков прав, — согласился Чеслав, — но ты всегда можешь сказать: «Мои родители давно обрусели, на языке предков дома не говорили».

— Я никогда не имела дела с животными, — промямлила я.

— Да ну? — поразился Димон. — Разве у тебя не жили всякие там Тузики, Бобики, Васьки и прочие Барсики?

— Нет, — сквозь зубы ответила я.

— Даже белые мышки? — не успокаивался хакер.

Я содрогнулась.

— Ненавижу грызунов!

— Совсем никаких живых организмов в квартире? — удивился Коробков. И подвел итог: — У тебя было ужасное детство!

— На кухне бегали тараканы, а в туалете по полу иногда ползали маленькие серые мокрицы, я всегда боялась их раздавить, — зачем-то уточнила я.

— Слезы из глаз катятся, когда слышишь, в каких ужасных условиях кое-кто провел первые годы жизни... — простонала Марта. — Тараканы! Мокрицы!!! Твои родители оборудовали под квартиру землянку? Или вы жили в предбаннике канализационного коллектора?

— Мы жили в обычной московской квартире! — возмутилась я. — Тараканы бывают у всех!

— Боюсь их до дрожи, — передернулась Карц. — Меня из роддома принесли в пентхаус, туда насекомые не добирались.

Мне захотелось схватить ноутбук Димона и запустить им в голову наглой Карц. Она врет! Двадцать пять лет назад, а нашей светской львице никак не меньше четверти века, в Москве никто и понятия не имел, что такое чердак, переделанный под жилье.

— Ну-ка, все замолчали! — приказал Чеслав. — И за работу!

— Но почему я? — вырвался у меня вопль отчаяния. — Я абсолютно не разбираюсь в зверях и никогда достоверно не сыграю роль Айболита!

Марта тоненько засмеялась:

— Я категорически не гожусь на роль человека,

ставящего клистир жирафу. Гри в командировке, а Димон работает в офисе. Кто остается?

К моим щекам прилил жар.

— А я, по твоему мнению, родилась с клизмой в руке...

— Марта, Татьяна, прекратите! — гаркнул Чеслав.

— Иес, босс, — изобразила ужас Карц. Но не удержалась, добавила: — Она первая начала!

— Врет! — подпрыгнула я.

Чеслав поморщился.

— Зоопсихолог не ветеринар. Татьяна, изучи документы и почитай брошюрку, которая приложена к бумагам. Зоопсихология пока не очень востребована, большого количества литературы по данной теме нет, ты запросто справишься с этой ролью.

— И что мне делать в зоопарке? — грустно уточнила я, представив, какой отвратительный запах там стоит.

Марта захлопала в ладоши.

— Расскажешь обезьянкам о комплексах Эдипа и Электры, проведешь с ними курс психотерапии. Ты сама посещала психолога?

— Нет, — призналась я.

— Ничего особенного, — пустилась в пояснения Карц. — Расспросишь мартышек об их детстве, об отношениях с родителями, сексуальном опыте. Запомни главное: девочка всегда ревнует папу к маме, а мальчик наоборот, отсюда все наши беды. Скажем, родители не уделяли детке внимания, вот она и не смогла создать свою семью. Особый смысл имеют сны. Лезешь на гору — значит, хочешь трахаться, открываешь холодильник — испытываешь сексуальный голод, убиваешь врага — высвобождаешь скрытые сексуальные обиды. Одним словом, все от недотраха. Думаю, у мартышек те же проблемы.

Неожиданно Чеслав рассмеялся.

— Марта, ты неподражаема! Учение Зигмунда Фрейда в двух словах!

— Вот пусть она и отправляется к Кнабе, — воспользовалась я моментом.

Карц, придирчиво изучая состояние лака на ногтях, возразила:

— Нет, меня туда запускать опасно. Миша слишком лакомый кусочек, приберу его к рукам, стану госпожой Кнабе, брошу службу, Чеславу придется искать нового человека, а меня заменить трудно. В общем, Танюша, в зооуголке у олигарха тебе работать, госпожу Сергееву можно спокойно внедрить куда угодно, ее не соблазнить, потому что...

Марта на секунду примолкла, а я, великолепно понимая, что сейчас Карц завершит свое выступление словами «она толстая и не умеет хорошо одеваться», вцепилась в сиденье стула. Чеслав прав, коллегам не стоит бурно выяснять отношения, офис не место для склок, но нельзя же разрешать Карц безнаказанно хамить! Пусть начальник сколько угодно злится на меня, но я сейчас дам отпор нахалке...

Однако я не успела даже рот открыть.

Марта улыбнулась и нежно завершила:

— Потому что у нее замечательный муж и никто другой, даже султан Брунея, ей не нужен. А я, старая дева с неустроенной судьбой, постоянно находусь на низком старте в поисках женихов.

От неожиданности я громко икнула, но решила предпринять последнюю попытку отвертеться от роли душеведа крокодилов.

— Вдруг кому-то из зверей действительно понадобится зоопсихолог? Я не смогу оказать помощь животному, оно погибнет.

Чеслав нахмурился, а Марта возразила:

— Тебя же не ветеринаром берут. Думаю, Кнабе зоопсихолога для понта приглашает, чтобы при удобном случае небрежно заявить: «У меня в питомнике с обезьянами гештальттерапией занимаются».

Непонятный термин «гештальттерапия» окончательно выбил меня из седла, а Чеслав забарабанил по столу пальцами и приказал:

— Ну хватит спорить! Пора за работу!

И вот я стою перед ажурными воротами, за которыми простирается широкая въездная аллея, окаймленная кустами роз. Похоже, Герман Кнабе тратит целое состояние на садовников, таких пышных цветов я еще не встречала. Но как попасть внутрь? В поле зрения нет ни домофона, ни калитки, ни камер!

Я еще раз полюбовалась на свое отражение в зеркальце, сунула пудреницу в сумочку и потрясла створку ворот.

— Частное владение, вход закрыт, — сообщил из ниоткуда мужской голос, — периметр под охраной.

Я обрадовалась. Значит, я ничего не перепутала, прибыла в нужное место.

— Меня зовут Татьяна Кауфман, я буду работать у вас зоопсихологом, как пройти в питомник?

— Следуйте вдоль изгороди до калитки с табличкой «Служебный вход», — бесстрастно прозвучало сверху.

— А куда идти — направо или налево? — не поняла я.

— В восточном направлении, — уточнил невидимый собеседник.

— Извините, я не знаю, где восток, — чувствуя себя полной дурой, пробормотала я. — Помню лишь, что там встает солнце, но сейчас, когда оно вовсю сияет в небе, я не могу сориентироваться.

— Вы в курсе, где у вас правая рука? — почти по-человечески поинтересовался охранник.

Поняв, что произвела на секьюрити сногсшибательное впечатление, я усиленно закивала. А страж ворот предложил:

— Поднимите ее.

Я выполнила приказ, и за ним незамедлительно последовал новый:

— Теперь установите руку параллельно поверхности земли.

На секунду я растерялась, но потом опустила руку до уровня плеч.

— Идите туда, куда указывают пальцы. Ясно?

— Так точно, — отрапортовала я и порысила вдоль железной изгороди: нехорошо в первый день опаздывать на службу.

Калитка нашлась метров через сто. Рядом был небольшой кирпичный домик, а в нем парень с автоматом. Он тщательно изучил мой паспорт, выдал бейджик красного цвета и проинструктировал:

— Пропуск нужно носить на груди слева. Вы допущены только в красную зону, не заходите на синюю или желтую.

— А где они? — заикнулась я.

— На месте объяснят, — весьма нелюбезно заткнул меня охранник. — Сейчас шагай по аллее, увидишь дом с вывеской «Зоопарк», там и спрашивай подробности.

Я поспешила в указанном направлении. От запаха роз кружилась голова. Сначала дорожка слегка извивалась, затем сделала резкий поворот влево, и впереди я увидела светлое здание. У меня отлегло от сердца, значит, я не опоздаю, до начала работы осталось еще пятнадцать минут. И тут я заметила внезапно появившееся животное.

Сначала я решила, что это пони, который удрал из конюшни. Но когда существо приблизилось, я поняла: это пес, по сравнению с которым знаменитая собака Баскервилей покажется милым щеночком. Огромное тело, покрытое короткой серо-черной шерстью, несли высоченные лапы, на вытянутой морде, напоминающей комод моей бабушки, сидели маленькие невыразительные глазки, зато зубы в пасти сверкали нешуточные: острые и длинные, они выглядели жутко.

— Ой, мама! — взвизгнула я и тут же сообразила, что совершила глупость.

Если бы я сумела сдержать эмоции, монстр с большой долей вероятности продефилировал бы мимо по своим делам, но звук моего голоса заставил псину замереть. Я хотела удрать, но деваться было решительно некуда: по бокам аллейки розовели цветами и топорщились шипами густо посаженные кусты, а нестись назад к будке охраны пустая затея, собачища легко настигнет и загрызет меня. Да еще от ужаса меня словно парализовало.

Чудовище издало то ли кашель, то ли стон и потрусило в мою сторону. В ту секунду, когда до моего носа долетел его запах, я наконец отмерла и заорала на всю округу:

— Караул! Спасите!

Мохнатое туша вздрогнула, длинные лапы подогнулись, чудовище присело, потом завалилось на бок и притихло. Мне стало еще страшнее! Похоже, эта овчарко-пони решила взять незнакомку измором. Иначе зачем она улеглась поперек аллеи? Чуть поодаль послышался шум, из-за поворота выехала на непонятной тарантайке женщина лет сорока. Она стояла на небольшой платформе, держась обеими руками за длинную, торчавшую вверх, никелированную ручку. Наклонив ее в сторону, тетка остановила аппарат, шагнула на землю и бросилась к монстру с вопросом:

— Емеля! Тебе плохо?

Глава 3

Я удивилась странному поведению служащей, которая вместо того, чтобы помочь испуганной посетительнице, ринулась к псине. А потом тетка стала наскакивать на меня, тупо повторяя один и тот же вопрос:

— Что вы сделали с Емелей?

Я разозлилась и резко ответила:

— Ничего!

— От ничего он никогда в обморок не падает! — гневно топнула ногой женщина.

Я покосилась на красный бейджик с именем «Валерия», прикрепленный к ее блузке, и, взяв себя в руки, приветливо сказала:

— Здравствуйте, меня зовут Татьяна, я ваш новый зоопсихолог. А кто такой Емеля?

— Зоопсихолог? — переспросила Валерия. — Ух ты! Мне о вас говорили! Емеля — ирландский волкодав. Вы его напугали, вот бедняжка и лишился чувств.

— Хотите сказать, что пес размером с бетономешалку рухнул в обморок при виде меня? — с недоверием уточнила я.

— Так ведь здесь больше никого нет, — пояснила Валерия. — Наш Емеля невероятно чувствительный. Раньше постоянно терял сознание при виде кузнечиков, лягушек или мышей, а теперь слегка успокоился, грохается в обморок лишь тогда, когда видит нечто по-настоящему ужасное...

Я молча слушала Валерию. Интересно, с кем перепутал меня нежный волкодав? Кого я ему напомнила — крысу-мутанта? Жену человека-пингвина? Дочь всех гоблинов? Или, учитывая расцветку моего сарафана, божью коровку размера кинг-сайз?

Валерия вдруг замолчала, потом хихикнула.

— Давай знакомиться. Лера, ветеринар. Я вовсе не хотела сказать, что Емеля перетрухал, увидев тебя. Я иногда ляпну глупость, а потом оцениваю ее по достоинству, и мне становится неудобно.

— Со мной часто такое случается, — улыбнулась я.

— Ты не кричала? — прищурилась Лера.

— Было дело, — призналась я, — звала на помощь.

— Это все объясняет, — кивнула Валерия. — Емеля не переносит громкого голоса, сразу с копыт валится. Можешь объяснить сей факт как зоопсихолог? С точки зрения ветеринарии здоровью волкодава можно позавидовать.

На секунду я растерялась, но потом вспомнила Марту и заявила:

— Вероятные причины кроются в детстве Емели, когда он, возможно, был лишен родительской заботы и испытывал ревность по отношению к отцу. Но за секунду диагноз трудно поставить, предстоит кропотливая работа.

Валерия восхищенно зацокала языком.

— Здорово. А где обучают на зоопсихолога?

— В МГУ, — прогундосила я.

— У тебя насморк? — встрепенулась Валерия. — Тогда быстро иди домой, не дай бог занесешь нам заразу.

— Я абсолютно здорова, — успокоила я Леру.

— Почему тогда в нос говоришь? — подозрительно спросила ветеринар.

— Емеля сильно потом пахнет, — призналась я, — вот я и задерживаю дыхание.

Валерия звонко чихнула.

— Собаки не потеют. Волкодав, похоже, купался в пруду, это запашок от мокрой шерсти.

Я поспешила оправдать свою безграмотность.

— Я изучала только характер животных, совершенно не знакома с их физиологией.

Емеля приподнял голову и тихонечко тявкнул.

— Вставай, солнышко, — засюсюкала Лера, — не бойся, лапуля, это Таня, она своя, тебя не тронет.

Волкодав встал, его здоровенная голова оказалась на уровне моей груди.

— Чего стоишь? Погладь мальчика, — приказала мне Лера.

— Он не укусит? — предусмотрительно поинтересовалась я.

— Скорей ты его цапнешь, — прошептала Валерия. — Ну, давай, Емеля ждет, не обижай его.

Мои родители не держали животных. Мама была уверена, что у всех собак есть блохи, а кошки могут напасть ночью на спящих хозяев и расцарапать их до смерти. Всякие мыши, крыски, хомяки и морские свинки даже не рассматривались, при одном упоминании о грызунах у матери начиналась истерика. Да и я, кстати, не испытывала желания заводить четвероногого друга. Это может показаться странным, но к собакам я до сегодняшнего дня практически никогда не прикасалась.

— Эй, не спи! — снова окликнула меня Лера. — Неужели зоопсихолог боится животных?

Я поняла, что моя легенда под угрозой, и быстро нашла объяснение своему поведению.

— Я ехала в метро, а потом в маршрутке, руки не мыла. Разве можно трогать Емелю? Не дай бог занесу ему вирус.

— Очень приятно иметь дело с понимающим и

аккуратным специалистом, — обрадовалась Лера. — Ну, пошли!

Через час, влив в себя пятую чашку отдающего сеном чая, я была посвящена в местные порядки. Служащих в поместье много, но охрана сделала все, чтобы они не пересекались, для чего и была введена система цветных бейджей. Красные имеют сотрудники зооцентра, им разрешено ходить только по своей территории, синие карточки носят садовники и дворники, эти товарищи свободно перемещаются по поместью, но не имеют права доступа в хозяйский дом. А вот обладатели желтых пропусков являются белой костью — это горничные, шоферы, кухарки, короче говоря, персонал, соприкасающийся непосредственно с семьей Кнабе. Элита задирает нос, с «синими» и «красными» не общается. Охрана ходит исключительно в форме, и подчиняться ей следует беспрекословно. Прикажет секьюрити стоять или лечь в лужу, нужно молча повиноваться, иначе моментально лишишься работы. На службу предписано являться за полчаса до звонка, дабы успеть переодеться в униформу. Без спецодежды и пропусков ходят хозяева и узкий круг их приближенных.

Еще Валерия меня предупредила:

— Не дай бог налетишь на господ! Случится такое — замри на месте, опусти глаза и стой, не шевелясь. Если к тебе обратятся, отвечай вежливо. Но упаси тебя господь первой разговор завести, вылетишь вон, как пробка из бутылки с шампанским. Год назад отсюда Зину Кравчук выперли, хотя она отличный ветеринар, хирург, гомеопат, животных обожала. Ее даже Лаура Карловна, экономка, любила, по имени-отчеству величала, к остальным-то она «Машка, Петька, Ванька» обращается, а к ней: Зинаида Львовна. Знаешь почему Зину турнули?

Я пожала плечами.

— Конечно, нет.

Лера понизила голос.

— Она случайно с самим старшим Кнабе столкнулась и попросила его маршрутку для рабочих к автобусной остановке отправлять. Машины не у всех имеются, большинство на автобусе ездит, а потом семь километров от деревни до поместья пехом тащится. Летом еще ничего, а зимой страшно! Герман Вольфович ничего не сказал, даже не моргнул, но на следующее утро Зины в зоопарке уже не было, приехал другой доктор. За ночь вопрос решили. Самое смешное, что Зинаиду-то Кнабе выпер, а через неделю маршрутку пустил, она теперь утром-вечером ходит, безлошадный народ до рейсового автобуса подвозит. Здорово?

— Похоже на концлагерь, — резюмировала я.

— Ни на секундочку, — не согласилась Лера. — Подумаешь, не разрешают по всей территории шастать и в дом лезть. Мне бы тоже не понравились посторонние в гостиной или в саду. Оклады здесь хорошие, есть социальный пакет, отпуск оплачивают, на Новый год и ко дню рождения премию дают. А то, что Кнабе с нами не обнимаются, так и не надо, мы на разных полюсах живем. Чем меньше соприкасаемся, тем лучше. Хватит, слишком много информации для первого дня, ты тут погуляй, осмотрись, а около часа приходи в столовую, я тебя с нашими познакомлю.

— Спасибо, — кивнула я. — А где она находится?

Лера попыталась объяснить дорогу, потом отказалась от этой затеи и попросила:

— Говори свой мобильный!

Я вынула из сумки блокнот, пролистнула странички, продиктовала номер и решила объяснить свое поведение:

— Вечно забываю собственной номер! Глупо, конечно, но приходится лезть в записи.

— Ничего странного, — не удивилась Валерия, — сама-то себе ведь не звонишь.

На самом деле я не жалуюсь на память, да только Чеслав выдал мне новую сим-карту. Номер зарегистрирован на Татьяну Кауфман, и, если кто пожелает проверить, никаких проблем не возникнет, но я пока не выучила наизусть комбинацию цифр.

Получив временную свободу, я пошла осматривать зоопарк и обнаружила на территории несколько обезьянок, павлина, страуса, непонятное животное, напоминающее свинку, но с очень длинным носом, небольшого бегемота, который сидел по морду в воде в просторном бассейне, большое количество птиц, зебру. Все звери находились в больших вольерах и сразу оживлялись при виде человека. Вероятно, братьев меньших здесь любили и хорошо кормили, все питомцы выглядели здоровыми и упитанными, и от клеток ничем противным не пахло.

Перестал вонять и увязавшийся за мной Емеля. Не могу сказать, что я пришла в восторг, когда волкодав решил сопровождать меня, но цыкнуть на нервную псину побоялась.

Обойдя часть территории, я наткнулась на ограду с табличкой «Внимание. Хищники. Посторонним вход строго воспрещен» и сочла за благо быстро ретироваться. Мне хотелось вернуться к зданию администрации, но я заблудилась и очутилась совсем в другом месте, около крутого оврага.

— Эй, — повернулась я к Емеле, — ты не знаешь дорогу домой?

Ирландский волкодав чихнул и попытался сунуть свою голову под мою ладонь, он явно хотел приласкаться. Ссориться с псом в отсутствие людей показалось мне опрометчивым, и я, подавив противную дрожь, провела рукой между ушами монстра. Шерсть кобеля оказалась жесткой, сухой и совсем не противной на ощупь.

Емеля довольно фыркнул, и в ту же секунду из моего кармана раздался гудок паровоза. Волкодав завалился на бок — лишился чувств, испугавшись громкого звука. Я сама чуть не рухнула на гравий, но вовремя сообразила: ожил новый телефон. Наверное, Лера горит желанием объяснить мне дорогу в столовую, пока больше никому из местных мой номер неизвестен. Сев возле отключившегося Емели, я уже без всякого страха начала гладить его по загривку, сказав в трубку:

— Слушаю.

— Где можно купить отпугиватель от дивана? — заорал визгливый голос.

Вопрос был настолько странным, что я растерянно спросила:

— Кого?

— Отпугиватель от дивана! Че непонятного?

Хочу его опрыскать, штоб не приближался. А то развалится и пачкает подушки, — зачастила женщина.

— Хотите облить диван, чтобы к нему не приближалась кошка? — осенило меня.

— Нет у нас котов, — прозвучало в ответ, — мужа хочу отвадить. Соседка приобрела отпугиватель для крупных собак, обпшикала софу, теперь ее Николай перед теликом не лежит, обивку не царапает. Ну, давайте телефон! Эй, справочная!

— Простите, — отмерла я, — вы не туда попали.

— Так какого черта ты попусту трепалась? — взвыла баба и отсоединилась.

Я положила трубку в карман. Надо же, отпугиватель от дивана! Первый раз слышу о подобной штуке. Но почему супруг этой женщины царапает ногтями подушки? Вероятно, дама уже приобрела отпугиватель от холодильника и бедный муж корчится в голодных судорогах. Ей не приходило в голову накормить несчастного, а потом отправить его сделать маникюр?

Емеля приоткрыл один глаз и грозно рыкнул, потом щелкнул зубами... Я, испугавшись, отдернула руку, потеряла равновесие, упала и покатилась по склону оврага, безуспешно пытаясь уцепиться за попадающиеся по дороге кусты...

По лицу текла вода, я села, открыла глаза и не поняла, где нахожусь. Слева стоит садовая скамейка, на ней лежат спицы с вязаньем, а надо мной с открытой бутылкой минералки наклонилась девушка в светло-сером платье.

— Вам лучше? — заботливо спросила она. — Я хотела вас поднять, чтобы вы не простудились, но...

Незнакомка деликатно замолчала, я закончила фразу за нее:

— Но я слишком толстая, а подъемного крана под рукой не нашлось.

— Типа того, — кивнула девушка.

— Зато не переломала кости, — закряхтела я, вставая на ноги, — во всем есть польза. Можно посижу с вами пару минут, приду в себя?

— Конечно, — согласилась незнакомка. — А что случилось?

Я рассказала про странное поведение Емели и свой испуг.

— Наверное, пес очнулся и не сообразил, что с ним, — вздохнула девушка, — а вы кто?

— Таня Кауфман, зоопсихолог, сегодня мой первый рабочий день, — представилась я.

Девушка улыбнулась.

— Майя, горничная.

— У вас нет бейджика, — удивилась я.

— Он мне не нужен, — спокойно ответила прислуга, — я везде хожу беспрепятственно. Сейчас у меня свободное время, вот и решила отдохнуть.

— И тут я в прямом смысле слова свалилась вам на голову!

Майя засмеялась.

— Сначала я испугалась, подумала, что вы умерли. Так сопели, когда катились! А потом легли и не встаете...

— Вообще-то трупы тихие, не издают никаких звуков, — уточнила я.

— Ну да, — согласилась Майя, — так ведь это уже когда человек умер!

— Вы здорово вяжете, — перевела я разговор на другую тему.

— Просто балуюсь, — отмела комплимент Майя. — Вот Лаура Карловна, та просто художественные вещи крючком делает, кружева. И быстро так!

Новая знакомая начала вязать, демонстрируя скорость Лауры Карловны. На пальце девушки ярко вспыхнул камень в тоненьком колечке, на которое попал луч солнца, больше никаких украшений на Майе не было.

Я обрадовалась неожиданной удаче.

— Вы служите в доме у господина Кнабе?

Майя кивнула. Она явно не хотела продолжать беседу, но я горела желанием получить информацию.

— Говорят, Эрика лежит в коме...

Майя сложила рукоделие в корзинку, буркнула коротко:

— Я пойду.

— Извините за назойливое любопытство, — попыталась я исправить положение.

Майя поморщилась.

— Нам запрещено говорить о хозяевах. Ой! — вдруг вскрикнула она.

— Что с вами? — насторожилась я.

— Тошнит, — прошептала девушка и согнулась пополам.

Глава 4

— Может, ты беременна? — предположила я, когда Майя, переведя дух, схватила бутылку с водой.

— Исключено, — отмела предположение горничная.

— Отравилась некачественной едой? — выдвинула я иную версию.

— Маловероятно, — покачала головой Майя. — У Кнабе отличная повариха, продукты свежие, я ем то же, что и хозяева. Наверное, грипп подцепила, говорят, он внезапно начинается.

— Нужно срочно обратиться к врачу! Сделать анализы, рентген легких, мало ли какая зараза вокруг витает... Хочешь, дам тебе координаты отличного доктора? — забеспокоилась я.

— Да ладно, и так пройдет, — не согласилась Майя. — Побегу на службу.

— Проводить тебя? — предложила я.

— Спасибо, сама дойду, — ответила Майя. — К тому же у тебя красный пропуск.

— Совсем забыла, — пробормотала я.

Горничная сделала пару шагов и схватилась за дерево, я бросилась к ней.

— Тебя плохо?

— Земля и небо местами меняются, — еле слышно прошептала девушка, — меня просто штормит.

— Давай забудем про цвет бейджей и пойдем в сторону хозяйского дома! — воскликнула я. — Куда идти? Надо подняться из оврага на дорожку?

— Нет, — простонала Майя, безуспешно пытаясь выпрямиться, — сейчас налево... там сосна... потом вниз... ой... не могу пошевелиться... каждый шаг в желудке отдается...

Я окинула субтильную фигурку девушки оценивающим взглядом и поняла: хоть Майя и весит вполовину меньше меня, но я не смогу нести девушку. Кто-то толкнул меня в спину, от неожиданности я вскрикнула, обернулась и увидела стремительно падающего на траву Емелю. В голове моментально родилась идея.

— Сейчас пес очнется, и ты попытаешься сесть на него, а я буду тебя держать. Не боишься собак?

— Емелю... нет... — с трудом выдавила из себя Майя.

Когда пес вскочил на лапы, я предприняла попытку устроить на его спине Майю, но из этого ничего не вышло.

— Давай на тебя обопрусь, — уже чуть более бодрым голосом предложила горничная.

— Тебе лучше? — обрадовалась я.

— Да, — кивнула Майя.

Очень медленно мы доплелись до большого дома, украшенного колоннадой из белого камня, и тут Майя упала на лужайку. Перепугавшись, я бросилась в особняк, распахнула незапертую дверь и закричала:

— Помогите! Кто-нибудь! Подойдите сюда!

Послышался пронзительный визг, из-за мраморных фигур у подножия широкой лестницы, ведущей наверх, вылетел крохотный комок серо-черной шерсти. Не успела я ахнуть, как это существо подпрыгнуло, вцепилось в мою юбку, ловко вскарабкалось до пояса, затем, слегка царапая меня острыми коготками, взобралось по блузке и прижалось к шее. Я чуть не исполнила любимый трюк Емели, ноги уже подломились в коленях, но в тот момент, когда я была готова завалиться на бок, послышался возмущенный женский голос:

— Безобразие! Кто разрешил орать тут сиреной?

Я схватила ком из шерсти с когтями, но оторвать неведомое животное от кофты не удалось, зато я удержалась в вертикальном положении.

— Как вы сюда попали? — спросил низкий голос.

Я обернулась и увидела худую девушку, одетую в обтягивающее платье из тонкого черного трикотажа. Впервые в жизни мне пришло в голову, что худоба может быть некрасивой. Незнакомка походила на ручку от швабры, — там, где у нормального человека находится живот, у нее выпирали острые кости, а ребра просвечивали сквозь одежду.

— Как вы сюда попали? — уже с меньшим раздражением повторила девчонка. — Ведь, судя по цвету пропуска, вы работаете в зоопарке.

— Горничной Майе стало дурно в саду. Я довела ее до дома, но она упала на лужайке. Простите, что нарушила правила, ей очень плохо, — забормотала я.

Девица, не тратя времени на лишние слова, побежала во двор, я последовала за ней, пытаясь на ходу избавиться от комка шерсти, вцепившегося в мою блузку.

Майя лежала, свернувшись клубочком, из носа и рта у нее текла кровь, а лоб, щеки и шея приобрели бордово-синюшный оттенок.

— Что с ней? — прошептала я.

«Швабра» взяла висевшую у нее на поясе трубку и коротко приказала:

— Немедленно пришли на Жасминовую лужайку Константина. А ты сядь на скамейку и приклейся!

Последняя фраза адресовалась мне. Ошалев от неожиданного развития событий, я плюхнулась на деревянную лавку, стоявшую в паре метров от неподвижно лежавшей Майи. Комок шерсти у основания моей шеи неожиданно заурчал, я попробовала снять его, вновь потерпела неудачу и решила покориться судьбе.

Минут через пять на газоне появился стройный парень в светлой рубашке с короткими рукавами. «Швабра» явно не была хозяйкой дома, потому что сейчас отчитывалась перед кем-то по телефону и одновременно пыталась беседовать с мачо.

— Костя, глянь, куда сел Гензя! — крикнула вдруг она.

Парень окинул меня цепким взглядом и поманил пальцем.

— Эй, шлепай в дом, да поаккуратней, не разбей чего в холле. Тебе надо войти в первую дверь налево после прихожей. Подожди в малой гостиной.

Обижаться на хамское обращение показалось мне бессмысленным, я покорно потрусила в здание, добралась до «малой гостиной», которая оказалась пятидесятиметровым залом, заставленным вычурной позолоченной мебелью. Посмотрела на стулья, диваны, кресла, обитые белым бархатом с золотым шнуром, и, не рискнув осквернить своим задом помпезные сиденья, осталась стоять. Нервы были натянуты, как леска, на которой повисла акула, поэтому, когда из кармана неожиданно завыл паровоз, я дернулась и случайно уронила на пол вазу. Слава богу, та не разбилась, угодила на толстый ковер и осталась цела.

Быстро вернув ее на прежнее место, я схватила трубку и услышала каркающий мужской голос:

— Можно заказать билет на поезд Москва — Нью-Йорк?

— Нет, — ответила я.

— Почему?

— Вы ошиблись номером, — объяснила я.

— Вот блин! — с чувством произнес дядька и отсоединился.

Я не успела положить телефон на его законное место, как он вновь ожил и из него понеслось то же карканье:

— Мне нужен билет Москва — Нью-Йорк, нижняя полка, желательно по ходу движения поезда.

— Вы опять попали ко мне, — устало ответила я.

— А на фиг трубку хватать? — обозлился звонивший. — Позови нормального менеджера!

— Здесь его нет, — мрачно уточнила я.

— Что, все психи? — заржал дядька. — Эй, очнись!

«Самый большой идиот тот, кто хочет добраться от столицы России до Америки поездом», — хотела было съязвить я, но не стала озвучивать фразу. Похоже, на мой номер позвонил сумасшедший, надо спокойно от него отделаться.

— Вам нужно воспользоваться самолетом, это

намного быстрее будет, — ответила я, — позвоните в другую кассу.

— Никогда! — взвизгнул собеседник. — Я болею аэрографией!

— Какое отношение нанесение рисунков на машины имеет к полету на самолете? — удивилась я.

— Ты дура? Я аэрограф, — прокаркал мужик, — поэтому ищи мне билет на поезд.

— У вас аэрофобия! — осенило меня. — Вы перепутали слова.

— Не выжучивайся, а делай свою работу, — повысил голос безумный турист. — Я не брошу трубку, пока не получу билет.

И ведь действительно не отстанет...

— Вам на какое число? — прикинулась я кассиршей.

— Хочу уехать завтра.

Нет, дядя точно больной на голову! Все россияне прекрасно знают: как только начинается лето, билеты исчезают из продажи. Заботиться о проездном документе надо за сорок пять суток до поездки.

— Увы, завтра не получится, — возразила я.

— А на когда есть? — не сдавал идиот.

Очевидно, он сидит один дома, его не выпускают на улицу, а телефон у безумца не отняли. Надо сделать так, чтобы он ко мне больше не приставал.

— Хорошо, раз вы страдаете аэрофобией, я выпишу вам билет из резервного фонда, — лихо соврала я.

— Отлично! — возликовал псих.

— Ваши имя, фамилия, отчество... — продолжала я играть роль кассира.

— Юрий Алексеевич Гагарин, — донеслось из трубки.

— Вот чудеса! — выпала я из роли. — Когда же у вас аэрофобия началась?

— Совсем не смешно! — заухал психопат. — Поюмори еще, без работы останешься.

Окончательно убедившись в ненормальности звонившего, я быстро извинилась:

— Простите. Я выписала вам билет на имя Юрия Алексеевича Гагарина, поезд Москва — Нью-Йорк, нижняя полка. Ждите, билет доставят с курьером.

— Ромка! Триста баксов мои! — завопил вдруг мужчина. — Девушка, вас как зовут?

— Татьяна, — ответила я, ничего не понимая.

— Танюшечка! Киска! Чмок-чмок! — завизжал в полном восторге идиот. — Умница! Красавица! Я выиграл три сотняшки гринов! Мы с Ромкой поспорили. Он сказал: «Нет на свете дуры, которая продаст билет на поезд от Москвы до Нью-Йорка, да еще выпишет его на имя Юрия Гагарина». А я утверждал, что есть. И теперь баксики-шмаксики мои! Эй, Танюха, ты тут? Справочная, ку-ку!

— Да, — сквозь зубы ответила я. — Ваш номер телефона определился и уже передается в милицию.

— А мы звоним из автомата. — Шутник заржал и отсоединился.

Кипя от негодования, я запихнула мобильный в карман. Попала в дурацкую ситуацию исключительно из-за своей деликатности! Не решилась обидеть психа, хотела избавиться от него не травмирующим его кривое сознание способом, и вот

результат! Если кретин еще раз позвонит, я не стану
его щадить. Кстати, сегодня второй раз люди ошибаются номером и обращаются ко мне, как к сотруднице справочной службы. Почему вдруг?

Дверь в комнату распахнулась, в гостиную вошла пожилая дама, одетая в шелковую темно-сиреневую блузку, клетчатую юбку и лодочки на небольшом каблуке.

— Вы Таня Кауфман? — приветливо улыбаясь,
спросила она.

Я кивнула.

— Лаура Карловна, — представилась дама. —
Вижу, Гензa нашел себе наконец маму! Вы, как зоопсихолог, должны понимать проблемы рукохвоста.

Боясь быть разоблаченной, я поцокала языком
и постаралась изобразить озабоченность.

— О да, у рукохвоста много проблем!

— Наш Гензa чуть не умер, — подхватила Лаура
Карловна, — и тут появились вы. Невероятная удача! Честно говоря, я боялась, что мы его потеряем.

Дверь скрипнула, в гостиную заглянул мужчина.

— Простите. Лаура Карловна, без вас никак!

Дама встала.

— Танечка, побудьте здесь еще немного. Хотите чаю? Печенье? Кекс?

— Огромное спасибо, но я пытаюсь похудеть, — призналась я.

— Ни в коем случае не садитесь на диету, — почему-то испугалась Лаура, — вы изумительно выглядите, правда, Юра?

— Как скажете, Лаура Карловна, — ответила
голова и исчезла.

— Сейчас вернусь, — подмигнула мне дама, —

и сделаю вам предложение, от которого вы не сможете отказаться. Оно связано с Гензой. Вы же любите рукохвостов?

Вопрос прозвучал риторически, Лауре Карловне не требовалось ответа, уверенной походкой дама вышла за дверь, и я услышала ее командный удаляющийся голос.

— Безобразие! Позовите еще Никиту!

Я схватила телефон и соединилась с Коробковым.

— Слушаю, — непривычно серьезно ответил хакер.

— Немедленно скажи, кто такой рукохвост! — потребовала я.

— Таняш, ты?

— А кто еще? Быстро лезь в Интернет.

— Номер незнакомый определился, — забубнил Коробков.

— У меня телефон на имя Кауфман, для работы, — пояснила я. — Лучше нарой что-нибудь про животное, а то сейчас Лаура вернется, и я провалю задание.

— Рукохвост большеглазый[1], вымирающий вид, обитает исключительно в малодоступных местах, на берегах Амазонки, ведет скрытный образ жизни...

— Найди про его мать! — перебила я Димона. — Быстрее! Его мать!

— Не знал, что ты умеешь ругаться, — укоризненно сказал Коробок.

---

[1] Животное придумано автором, который не исключает возможности, что на земном шаре все же водится некто, похожий на Гензу.

Я начала закипать.

— Необходимо выяснить...

Но Коробков, не слушая меня, продолжал вываливать информацию:

— Как правило, у рукохвоста появляется один детеныш, которого самка оставляет в укромном месте. Новорожденный спит около месяца и во время спячки не пьет, не ест. Когда малышу исполняется четыре недели, он начинает искать мать. Найдя самку, рукохвост прикрепляется у нее на груди, и та кормит ребенка плодами, кореньями, зернами. Причем родственные связи не имеют никакого значения. Рукохвостиха примет любого детеныша. До сих пор неизвестно, каким образом месячная особь отличает самок от самцов. Известны случаи, когда малышей выкармливали обезьяны. Если детеныш в течение двух недель после пробуждения не находит мать или его отвергает женская часть стаи, он погибает. Это необъяснимый факт, но до достижения четырехлетнего возраста особь, способная самостоятельно есть и не нуждающаяся в материнском молоке, не может существовать автономно. Очевидно, контакт с матерью необходим для социализации и служит не столько этапом вскармливания, сколько методом воспитания. Не известно ни одного случая рождения рукохвоста в неволе. Среди зоопарков мира только московский может похвастаться семьями рукохвостов. Экземпляры, обитающие в частных питомниках, не учтены. Предполагается, что сейчас на земном шаре существует не более двухсот рукохвостов, их отлов запрещен. А зачем тебе знать про зверушку? — полюбопытствовал хакер.

Дверь в гостиную открылась, я быстро сунула телефон в карман и навесила на лицо скучающее выражение.

— Все же я прихватила чаёк, — закурлыкала Лаура Карловна, ставя на стол поднос с кружками. — Вам зеленый? Черный?

— Лучше обычный, — улыбнулась я.

Лаура Карловна округлила глаза и зачем-то пояснила:

— Лично мне зеленый напоминает раствор мыла. Очень уж пахучий и вкус специфический. Сахар?

Пощебетав минуту на тему излишней калорийности сладких напитков, мы с Лаурой уставились друг на друга. Светские церемонии исчерпали себя, настала пора конкретного разговора.

Лаура Карловна вынула из нагрудного кармана блузки симпатичную брошь: в середине перламутр, по краям темно-красные гранаты.

— Надеюсь, вы примете наше предложение, поэтому я сразу захватила пропуск.

— Пропуск? — не сдержала я удивления. — Я думала, это ювелирное украшение!

Лаура Карловна подперла подбородок кулаком.

— Вы правы, такая брошь украсит любое платье и будет уместна и на работе, и на вечеринке. Дизайн придумал сам Герман Вольфович, а у него безупречный вкус. Но тем не менее это особый пропуск. Их всего два, один у меня, другой теперь будет у вас.

Я машинально посмотрела на шелковую блузу собеседницы, та моментально отследила мой взгляд.

— Конечно, мне нет необходимости подтверждать свое право на перемещение по поместью, но я знакома с каждым человеком из обслуги и охраны. А вы новое лицо. Значит, так: едва служащий заметит брошь, он обязан оказать вам почет и уважение, а также выполнить любую, даже самую абсурдную вашу просьбу. Отныне, Татьяна, вы дорогой гость в любом помещении! Госпоже Кауфман предоставят лучшую комнату. Не во флигеле!

Наверное, в моих глазах промелькнуло недоумение, потому что Лаура Карловна пустилась в более пространные объяснения:

— Дом состоит из центральной части, где обитают Герман Вольфович, Михаил и ваша покорная слуга, еще есть два флигеля, правый для прислуги, левый для охраны. Вы не обслуживающий персонал, можете питаться с нами в столовой, если вас это смущает, еду доставят в вашу комнату. Теперь о размере зарплаты...

Изящная рука Лауры Карловны, украшенная кольцом с большим бриллиантом, пододвинула к себе блокнот, лежавший на столе, и написала цифру.

Я была ошеломлена.

— Кажется, вы приписали лишний ноль!

— Нет, — протянула пожилая дама, — за честный труд — достойный оклад, такова позиция Германа Вольфовича. Поэтому люди у нас работают по многу лет.

— Чем я заслужила столь значимые привилегии? — потупила я взор.

Лаура склонила голову к плечу.

— Герман Вольфович обожает животных. Он с

юности мечтал стать ветеринаром, основать собственный зоопарк, поддерживать исчезающие виды, вести научную работу. Но его отец, Вольф Кнабе, не одобрял мечты сына и пожелал, чтобы он стал экономистом, защитил кандидатскую диссертацию. В советские времена научная карьера считалась престижной и денежной. Герман не мог ослушаться отца. И тот оказался прав, в начале девяностых младшему Кнабе очень пригодились полученные в институте знания. Герман заработал большой капитал и с тех пор только увеличивал свое состояние. Сейчас хозяин ворочает огромным бизнесом, но в отличие от многих богачей, которые снимают стресс при помощи алкоголя, наркотиков или беспорядочных связей, господин Кнабе отводит душу в своем зоопарке. Он воплотил в жизнь детскую мечту, устроил питомник, в котором ведется научно-исследовательская работа. Еще Герман Вольфович снаряжает экспедиции. Некоторое время назад ему привезли самку рукохвоста с детенышем. Хозяин ждал этого, как пятилетний малыш подарка от Деда Мороза. Еще не видя подопечных, он назвал их Гензель и Гретель. Вы, как девочка из порядочной немецкой семьи, конечно же, слышали об этих персонажах.

Я быстро кивнула. Слава богу, у меня филологическое образование, а в детстве я очень любила читать сказки народов мира, поэтому отлично помню историю про мальчика Гензеля и девочку Гретель, которые попали к злой колдунье, но сумели выбраться от нее живыми.

Рассказчица понизила голос:

— К сожалению, Гретель умерла на третий день

пребывания в имении. Никто не смог определить причину ее смерти. Гензель остался один, ему необходимо было в кратчайший срок найти маму.

Я решила блеснуть эрудицией.

— Детеныши рукохвоста погибают без родительского присмотра.

— Великолепно! — похвалила меня Лаура Карловна. — Герман Вольфович действовал решительно. Лучшей воспитательницей для рукохвоста является обезьяна. Но... К кому мы только не пытались подсадить Гензеля, все было бесполезно. Мартышки выражали желание пригреть сироту, но Генза не шел к ним в руки. Он не ел, не пил, не спал, только кричал так жалобно-пронзительно, что весь дом лишился покоя. Гензу жалел даже наш начальник охраны, а я всегда считала, что у полковника Рыбалко вместо сердца автомат Калашникова. Страдания Гензы могли заставить плакать камни. Герман Вольфович приказал не останавливаться ни перед какими расходами и найти подходящую обезьяну. Но, увы, увы, увы...

Глаза дамы увлажнились слезами.

— Несчастного Гензу ждала судьба Гретель, ведь в столь юном возрасте рукохвост принимает пищу только из лап матери. Генза умирал от голода, а нам никак не удавалось найти мартышку, макаку, шимпанзе, орангутана... В конце концов Валерия, наш главный ветеринар, сказала, что раз Гретель отличалась полнотой, вероятно, Гензель хочет породниться с толстой обезьяной. Герман Вольфович отдал приказ искать ожиревшую особь, и тут, на наше счастье, появились вы. Генза сразу принял вас за маму! Похоже, он сейчас счастлив, мирно спит. Бедняжка настрадался в сиротстве!

У меня отвисла челюсть. Ну как, скажите, отнестись мне к словам о том, что я явилась для рукохвоста эталоном матери, толстой до безобразия мартышки? Или макаки. Простите, я не разбираюсь в приматах, для меня они все на одно лицо... то есть морду. Нет, кошку от собаки и жирафа от ежа я отличить смогу, но, кто гиббон, а кто орангутан, никогда не скажу.

— Вы абсолютно не похожи на обезьяну, — заюлила Лаура Карловна, заметив мою оторопь. — Ну ничего общего! Хотя человекообразные милейшие, умнейшие, чудеснейшие существа.

— Угу, — кивнула я, постепенно приходя в себя.

— От вас исходит доброта, нежность, — чирикала дама, — Генза увидел светлую душу. Вы ведь не бросите его? Работа не покажется вам обременительной — надо просто кормить Гензу и говорить ему ласковые слова. За это у вас будет оклад, премия, еда, подарки, лучшая комната. Поймите, Гензель господину Кнабе буквально как сын... Дорогая! Солнышко! Живите у нас, как у себя дома!

Я насторожилась.

— Мне нельзя будет выезжать в город?

— А Гензель? Он же теперь с вас не слезет, — «утешила» меня Лаура Карловна. — Но вам здесь понравится! И зачем ездить в Москву? Детей у вас нет, мужа тоже...

Я отвела глаза в сторону. Похоже, милейшая дама ходила не по хозяйственным делам, она поторопилась навести о зоопсихологе справки.

— Мы непременно с вами подружимся, —

убаюкивала экономка новоиспеченную «мать», — вас воспитывали немцы, считайте, что мы родственники. Кстати, на ужин будет кухен мит ербзен. Наверное, ваша матушка его тоже готовила?

— Мои родители обрусели, они даже не обучили меня языку предков, — вспомнила я инструкции Чеслава.

— Это название блюда — пирог с зеленым горошком, — всплеснула руками Лаура Карловна. — Жаль, что вы растеряли традиции. Но ничего, я передам вам свой опыт. Ну как? Вы согласны?

Я попыталась быстро просчитать в уме все «за» и «против». Явным плюсом является получение брошки, дарующей возможность беспрепятственно перемещаться по дому и поместью. Простому сотруднику зоопарка не выйти из красной зоны, в новой же роли я смогу тщательно изучить особняк, засуну нос во все норки и щели. Хорошее отношение к «маме» Гензеля со стороны хозяина и экономки гарантирует мне свободу действий. А любые свои поступки, даже самые странные, я буду объяснять капризами воспитанника. Отчего до двух ночи я бродила по парку? Это было желание рукохвоста, который пинал маменьку до тех пор, пока та не скумекала: сыночек хочет подышать свежим воздухом.

К сожалению, минусов больше. Придется сидеть в поместье, таскать на груди Гензеля, заботиться о нем и...

— Если рукохвост начнет активно питаться, то куда он будет девать отходы жизнедеятельности? — с испугом спросила я.

— Не волнуйтесь, — тошнотворно сладким,

словно мед с вареньем, голосом сказала Лаура Карловна, — у него есть замечательные маленькие памперсы, сделанные по заказу самого Германа Вольфовича. Ну? Да? Подписываетесь?

Я продолжала колебаться. С одной стороны, так плотно внедриться в семью Кнабе Чеслав и не мечтал, с другой — непонятно сколько времени мне придется провести в имении. Навряд ли таинственно пропавшую Варвару Богданову приведут в столовую к завтраку. Дом огромен, парк, переходящий в лес, кажется бескрайним, не один день пройдет, пока все там обшаришь!

— Солнышко, — тихо и уже без излишней сладости в голосе сказала Лаура Карловна, — заставить вас я не могу, но, если вы покинете Гензеля, он умрет.

В ту же секунду кучка меха пошевелилась, я невольно опустила взгляд на свою грудь и увидела крохотную мордочку с огромными печальными карими глазами, окаймленными густыми длинными ресницами, и у меня помимо воли вырвалось:

— Согласна.

— Лапочка! — засверкала улыбкой Лаура Карловна. — Спасительница!

Глава 5

Сказать, что меня окружили заботой и вниманием, это значит не сказать ничего. Лаура Карловна долго водила новоиспеченную мать Гензеля по дому, объясняя:

— Слева библиотека, справа каминная, впереди зимний сад, за поворотом столовая, гостиная

для членов семьи, гостиная для людей, куритель-
ная...

Наверное, следовало бы уточнить, чем члены
семьи отличаются от людей и зачем им отдельная
гостиная, но я предпочла не задавать лишних вопросов. Потом мне устроили экскурсию по парку.
Обедать вместе с Кнабе я отказалась, сославшись
на усталость.

— Как хотите, солнышко, — кивнула экономка, — Надя принесет вам еду в спальню.

Когда Лаура Карловна ушла, я наконец-то осталась одна в отведенных мне палатах размером не
меньше ста квадратных метров. Здесь было все не-
обходимое: кровать под балдахином, напротив
нее — плазменная панель, рядом две тумбочки с
настольными лампами, а чуть поодаль три кресла,
два дивана, письменный стол, торшер, парочка
консолей, комодов и дверь, ведущая в ванную.

Санузел поразил меня роскошью — утопленная
в пол чаша, скорее даже мини-бассейн, гигантский
мойдодыр, зеркала, душевая кабинка, два кресла,
несколько халатов, гора полотенец разного размера,
домашние тапочки персикового цвета, запечатан-
ная в пакет зубная щетка, розовый пипифакс, ис-
точавший аромат клубники, унитаз, смахивающий
на трон, и невероятное количество пузырьков, фла-
конов, баночек, тюбиков и пластиковых емкостей
с косметикой и парфюмерией.

Не в силах сдержать любопытства, я начала изучать ассортимент и поняла, что до сих пор мылась,
как неандерталец, выдавливая на губку простой
гель. А тут! «Бархатное мыло для шеи», «Очищаю-
щий мусс для груди», «Пенка для живота и спины»,

«Скраб со вкусом корицы»! Последний прибамбас меня удивил, я же не собираюсь лакомиться, так сказать, полировочным средством, на этикетке лучше было бы написать «с ароматом корицы».

Неожиданно мне захотелось спать. Долгое пребывание на свежем воздухе утомило. Я вернулась в комнату и легла на кровать. Отдохну полчасика, а потом обдумаю свои дальнейшие действия...

— Можно войти? — донесся издалека звонкий голос.

— Да, конечно, — крикнула я и села.

Посмотрела на часы — десять вечера. Ну и ну! Хотела подремать чуток, а продрыхла допоздна. Вот так на меня повлиял деревенский кислород.

Дверь распахнулась, на пороге появилась та самая «швабра» с подносом в руках.

— Велено вам еду подать, — кланяясь, сказала она. — Если что не так, звоните по местному телефону на кухню, номер двенадцать. Меня зовут Надя, я старшая горничная.

— Огромное спасибо, — откликнулась я. — Да тут ужин на роту солдат и чая ведро! Присаживайся за компанию.

Надя отступила к двери.

— Нам запрещено мешать гостям. Извините, но правила строгие.

— В комнате, кроме нас, никого нет, — начала я соблазнять горничную.

— Все равно, — не поддалась девушка, — не положено.

— Я хотела задать тебе пару вопросов, — призналась я.

— Отвечу, если сумею, — кивнула Надя.

— Лаура Карловна здесь экономка, да? — приступила я к допросу.

Надя одернула черное платье.

— Она тут вместо хозяйки. Сначала служила няней у Михаила Германовича, а когда жена господина Кнабе умерла, стала всем бытом командовать. Без Лауры Карловны по дому даже мышь не пробежит, у нее сто глаз и по десять пар рук и ног. Думаешь, что она в библиотеке, глядь, из каминной вылетает.

— Извини за назойливое любопытство, — продолжала я, — но я никого здесь не знаю и не хочу совершить оплошность. Давно умерла жена хозяина?

Наденька сложила руки под белым передником.

— Точно не скажу, если хотите узнать историю Кнабе, они ничего не скрывают, в библиотеке на пюпитре лежит рисунок... дерево... э... э...

— Генеалогическое древо, — пришла я на помощь девушке.

Та улыбнулась.

— Точно.

— В доме есть места, куда нельзя заходить?

Наденька вздернула брови.

— Наверное, в котельную соваться не надо: там бойлер, котлы, фильтры для воды, электрогенераторы на случай отключения света. Да и Павел Михайлович никого туда не пустит. Это наш механик, он по технике главный.

— Я имела в виду жилые помещения, — уточнила я. — Не дай бог влезу куда, еще отругают!

— Мы везде моем, убираем, чистим, — покачала головой Надя, — в дверях ключи торчат, но никто их не запирает. Ходите куда заблагорассудится. Хотите совет?

— С удовольствием приму его.

Горничная переступила с ноги на ногу.

— Имейте в виду, что Герман Вольфович не любит, если к нему с пустыми вопросами лезут. Мы его половину убираем, когда он уезжает. Еще Михаил Германович в мастерской посторонних не терпит, вон не прогонит, но такую рожу скорчит, что сама уйдешь. Мы у него даже полов не моем. Там грязи! Краски размазаны, кисти валяются... И всегда ласково гладьте животных. Их здесь много шастает, собаки, кошки. Попугаи в зимнем саду живут, по дому не летают. Главный в стае Емеля. Он хозяйский любимчик. Правда, сейчас Кнабе больше о Гензеле волнуется. Рукохвост очень редкий вид!

Я испытала разочарование. Если Варвару держат в доме, то запрет на вход в одно из помещений сразу указал бы, где искать девушку. А тут полная свобода, даже в хозяйские покои можно заглянуть, надо лишь дождаться, когда Герман уедет на службу, — и в добрый путь!

— Значит, путь везде открыт? — на всякий случай переспросила я.

— Ага, — по-детски подтвердила Надя. — По первости вы в коридорах путаться будете, но потом привыкнете.

— А подвал? Здесь есть цокольный этаж?

— В нем бильярдная, баня, бассейн, — перечислила девушка. — Прислуге плавать нельзя, а вам можно. Еще есть зал для фитнеса, но там только Михаил Германович занимается, запрется и бегает по дорожке.

— Наверное, и гараж устроен? — предположила я.

Надя снисходительно улыбнулась.

— Конечно. Парковок несколько: хозяйская, наша, для зоопарка и гостевая. На автомобилях по имению передвигаться нельзя, все машины, кроме господских, у ворот остаются.

— Территория парка огромная, — вздохнула я. — Дом стоит в центре участка, далековато туда-сюда бегать.

Горничная поправила аккуратно заколотые волосы.

— Мы на велосипедах или на электроплатформах разъезжаем, это очень удобно и для здоровья полезно. А еще есть короткий путь к воротам, по боковой аллейке за три минуты дойдешь.

— Ясно, — в глубоком разочаровании протянула я, — спасибо, ты очень мне помогла.

Надя улыбнулась.

— Можно теперь мне спросить?

— Конечно, что угодно.

— У Анны Степановны, поварихи, Кузьма идиотничает. Не посмотрите? Может, он заболел? — просительно взглянула на меня прислуга.

— Я зоопсихолог, пытаюсь корректировать поведение животных, — объяснила я, — лечить людей не умею.

— Так Кузьма собака, — уточнила Надя. — Между нами говоря, полный идиот, но Анна Степановна его обожает. Она, как узнала, что в дом профессора по зверским мозгам наняли, прямо размечталась Кузю вам показать. Тетя Аня готова за визит заплатить.

Если хочешь узнать домашние тайны, лучше всего подружиться с прислугой. Как правило, люди не обращают внимания на домработниц, официантов, доставщиков пиццы и разных мастеров, чинящих телевизоры, кондиционеры или розетки. Человек в спецовке превращается в невидимку. Сколько раз мне приходилось задавать свидетелям вопрос:

— Кто приходил в квартиру?

И столько же раз я слышала в ответ:

— Никого не видел.

Но если продолжить допрос, то в конце концов выяснишь, что приходил слесарь или почтальон.

Едва начав работать в группе у Чеслава, я возмущалась и выговаривала людям:

— Ну почему вы сразу не сообщили про сантехника?

Но теперь знаю: не сказали о визите сотрудника жэка потому, что он рабочий, его не воспринимают как постороннего. И это огромная ошибка! Говорят, что даже стены имеют уши, а тихие девушки, подающие вам чай, обладают еще и длинными языками. Вот угадайте, какое любимое занятие у горничных? Сплетничать о хозяевах! И хорошо, если своей страсти они предаются только в своем коллективе, не выносят сор из избы за ворота.

Я встала.

— Пошли.

— Ой, какая вы милая! — восхитилась Надя.

Когда Анна Степановна, дородная тетка, облаченная, несмотря на душный вечер, в платье из тонкой шерсти, сообразила, что видит перед собой

зоопсихолога, ее толстые щеки приобрели бордо-
вый оттенок.

— Уж извините, я беспокоюсь за Кузю, — забормотала повариха, — гляньте на него, пока спит.
Тут он, в кладовочке, в холодке пристроился.

В моей душе шевельнулось беспокойство.

— Пес агрессивен?

— Ласковый, как теленочек, — засмеялась Анна Степановна, — нежный, лижется с каждым.

Но я не теряла бдительности.

— Почему тогда надо смотреть на собаку во
время отдыха?

Анна Степановна вытерла мокрые руки о полотенце.

— Так Кузя во сне блажит. Словами не объяснить... Вон там дверка со стеклом, и если вы по-
стоите немного, непременно увидите.

Я покорно подошла к створке, средняя часть
которой была выполнена из стекла, и стала изучать
внутренность небольшого чулана. Вдоль стен тя-
нутся стеллажи, на полках стоят пакеты и банки, а
посреди помещения на боку лежит длинный пес
рыжего цвета с короткими лапами и массивной головой, украшенной круглыми ушами-локаторами.
Отдельного описания требовал хвост, более похожий на опахало, он как бы жил своей жизнью: Кузя мирно спал, даже через закрытую дверь было
слышно упоенное похрапывание, а пушистый от-
росток двигался из стороны в сторону, иногда под-
нимаясь и застывая торчком.

— Никогда не видела подобную собаку, — призналась я. — Это что за порода?

Анна Степановна гордо вскинула подбородок:

— Асфальтовая эскимосская борзая. Очень редкая, уникальная.

— И где вы откопали данный экземпляр? — сдерживая смех, спросила я.

— На Птичке, — спокойно пояснила повариха. — Хозяева отдали щеночка в хорошие руки за сто баксов. Во, смотрите, начинается!

Я сосредоточила внимание на Кузе. Короткие, чуть ли не десятисантиметровые лапы «борзой» начали подрагивать, потом зашевелились, задергались...

— Чего это с ним? — схватила меня за плечо повариха.

— Сон дурной приснился, — предположила я.

Крошечные лапки Кузи заторопились, теперь в движение пришла спина, из горла собаки стали вырываться повизгивание, потявкивание, поскуливание.

— Ой, плохо ему! — запричитала Надя. — Весь извелся!

Я решила утешить горничную.

— Вероятно, он объелся на ночь.

— Только мисочку каши с мясом употребил, — всхлипнула Анна Степановна, — кефирчиком запил. С такого желудку не тяжело.

— Я дала ему творогу со сметаной, — неохотно призналась Надя. — А еще он коробку пастилы спер и съел.

— Ночные кошмары — удел обжор, — резюмировала я.

В ту же секунду пес вскочил на лапы, ринулся вперед и протаранил головой стеллаж с продуктами. Несколько пакетов разорвалось, и «асфальтовую борзую» осыпало дождем из риса, гречки, макаронных перьев. Кузя сел и открыл глаза, в его взоре явно читалось здоровое недоумение: где я? Что случилось?

— Видели? — всхлипнула Анна Степановна.

Я откашлялась. Нельзя сейчас ударить в грязь лицом, если я не смогу успокоить повариху, она за завтрашний день разнесет по поместью весть: зоопсихолог — плохой специалист. Напустив на себя ученый вид, я ровным голосом завела:

— Кузьма сирота, он был рано оторван от матери. Его эго не успело сформироваться с достаточной зрелостью. Сон пробуждает подсознание, дает толчок мечтам Кузи, он пытается поймать мать, чтобы получить заряд эмоций, но не достигает цели, отсюда и неконтролируемые движения.

— Вау! — прошептала Надя. — Я таких понятиев не знаю!

Анна Степановна покосилась на девушку.

— Где бы тебе, двоечнице, их услышать? Слово «корова» неправильно пишешь, вот и убираешь за другими грязь. А как Кузе помочь? — спросила она у меня.

Я наморщила лоб.

— Необходимо понаблюдать за объектом. Пока я могу лишь посоветовать укладывать пса спать в другом месте. Думаю, вам неудобно вычесывать из его шерсти крупу и макаронные изделия.

— Чайку попьете? — засуетилась кухарка.

С поварихой и горничной мы расстались друзьями около полуночи. Я пообещала провести с Кузей в свободное время сеансы психотерапии, а Анна Степановна пригласила меня в любое время заглядывать на кухню.

В свою комнату я решила идти без провожатых, надо же учиться ориентироваться в лабиринтах особняка. Довольно быстро я дошла, как мне показалось, до двери в спальню, толкнула ее, вошла внутрь и тут же поняла, что ошиблась: вместо собственной комнаты я очутилась в бельевой кладовой. Я собралась выйти в коридор, но вдруг за дверью послышался тихий голос:

— Лучше взять мешок для химчистки, он плотный.

Испугавшись непонятно чего, я юркнула в глубь узкого помещения и спряталась за огромные тюки, приготовленные к отправке в прачечную.

Глава 6

Вошедшие, судя по голосам, явно мужчины, не стали включать верхний свет. Я не видела их лиц, унюхала лишь сильный запах весьма специфического мужского одеколона, въедливого, тяжелого, и услышала диалог:

— Где эти чертовы мешки?

— Слева вроде.

— Ни фига тут нет.

— Смотри внимательно.

— Не вижу! А, вон наверху...

— Нет, там пластиковые.

— И че?

— Брезентуха нужна.

— Какая разница, она мелкая.

— Слушай, у нас не своевольничают и мои приказы выполняют.

— И глупые тоже?

— Вот, блин, взялся на мою голову. Приказ есть приказ.

Послышался шум и сочный шлепок.

— Тише! — шикнул более густой бас. — Не дай бог разбудишь кого.

— Тупо все устроено, — не замедлил возразить другой парень. — Почему мешка нет в бельевой?

— Заткнись!

— Просто интересно.

— Откуда ты такой взялся? — повторил другой.

— Из училища, — бойко прозвучало в ответ. — Влад Карпухин, лучший выпускник, красный диплом. Надо бы все здесь переделать, не по уму устроено. Не по логике!

— Тебя спросить забыли, — огрызнулся бас. — Во, нашел, хватай!

— Давай два возьмем.

— Велено один.

— Какого хрена!

— Если еще раз выругаешься, штрафану!

— Ты — меня?

— Конечно.

— Своего товарища?

— Правила существуют для всех, и то, что ты Влад Карпухин с красным дипломом, тебе не поможет. К тому же мы не приятели, я твой начальник.

— Понял, молчу, — обиженно засопел выпускник училища.

До моих ушей донеслись шуршание, сопение, тяжелый звук шагов и хлопок двери. Я вылезла из-за тюков, отряхнулась, вышла из кладовки и двинулась вперед. Через несколько шагов коридор закончился окном, я посмотрела в него и замерла.

Передо мной находилась небольшая лужайка, посреди которой стояло странное устройство: большие колеса, платформа с рулем и одним сиденьем. Около повозки суетились две темные фигуры. Они наклонялись, копошились и в конце концов подняли с земли и бросили на машину мешок. Один сел за руль, другой устроился около тюка, и парни бесшумно покатили по аллее в сторону леса.

Мне отчего-то стало страшно, и я побежала назад, тщетно пытаясь найти путь на кухню. Вроде вот тут я сворачивала налево, значит, теперь нужно взять правее. Я ринулась в этом направлении, но внезапно поняла, что забрела туда, куда раньше не заглядывала. Мягкая ковровая дорожка элегантного бежевого цвета оборвалась, я шлепала по полу, выложенному дешевой плиткой, а дубовые резные двери сменили белые из дешевого пластика. На каждой имелся номер и табличка с фамилией. Вероятно, я попала во флигель, где жили горничные — на всех табличках стояли женские фамилии и имена.

Поняв, что окончательно заблудилась, я загрустила и решила, наплевав на приличия, попросить помощи у кого-то из аборигенов, надо лишь сообразить, кто еще не спит. Как это определить? Да очень просто!

Я наклонилась и стала изучать щели под дверями. Темно, темно, темно, а вот и тонкий луч света. Надпись на табличке гласила: «Майя Лобачева», и я обрадовалась. «Майя» не очень распространенное имя, совершенно случайно мне удалось набрести на комнату знакомой девушки. Надеюсь, ей стало лучше. Сначала я поскреблась в филенку, потом осторожно постучала, затем приоткрыла дверь и прошептала:

— Майя, не пугайся, это Таня, зоопсихолог. Как ты себя чувствуешь?

Ответа не последовало, я вошла в небольшую спаленку. Герман Вольфович явно пожмотничал, обставляя помещение для прислуги, здесь была самая простая мебель из дешевого сетевого магазина. Никаких излишеств: узкая кровать, тумбочка, стул, шкаф и небольшой столик. Ни ковра, ни телевизора, ни полки с книгами, ни мягких игрушек, ничего из того, чем любят окружать себя девушки. Комнатушка походила на номер дешевого отеля, а не на женскую спальню. И Майи здесь не оказалось. Я в растерянности огляделась по сторонам.

Постель не смята, на стуле аккуратно висит халат, туфли стоят на подставке у двери, на тумбочке с крохотным ночником лежат две сережки с синими камешками, небольшой медальон и простенькие электронные часы.

— Майя... — прошептал кто-то за моей спиной, — ты тут разве? Нам сказали, что тебя в больницу увезли!

От неожиданности я с размаху села на кровать. В спальню ввинтилась крепко сбитая блондинка в сером халате.

— Ты не Майя! — ахнула она и зажала рот ладонью.

— Меня зовут Таня, — поспешила я представиться. — Извините, если вас напугала. Меня только сегодня взяли на работу, вот я и заплутала в коридорах. Зашла сюда, хотела спросить у Майи дорогу.

Незнакомка шумно выдохнула и убрала руку с лица.

— Если ты только нанялась, откуда про Майю знаешь?

— Мы встретились на лужайке. Ей плохо стало, я помогла Майе дойти до особняка, — ответила я, но собеседница не потеряла бдительности.

— Во флигеле нет пустых комнат, куда тебя поселили?

— В центральной части дома, в гостевой, — пояснила я.

Девушка скорчила гримаску.

— Не бреши! Наши живут в пристройке.

— Ты про Гензу слышала? — задала я вопрос.

Горничная поежилась.

— Он так орет! А еще говорят, зверушка страшная.

Я неожиданно обиделась.

— Генза вовсе не урод! Он милый, тихий. Хочешь посмотреть? Меня наняли его мамой.

— А-а-а, — протянула служанка, — ты зоопсихиатр.

— Психолог, — поправила я. — А как тебя зовут?

— Роза, — представилась девица. — Понятно, почему тебя в гостевой устроили. Для Лауры Генза внучок родной, своих-то у нее не будет.

— Как мне попасть в центральную часть здания? — спросила я.

— Иди в главный коридор, затем налево, через два поворота направо...

— Будь добра, проводи меня, — попросила я.

— Нет, не хочу, — замотала головой девчонка, — лень.

Я показала на брошку, прикрепленную к блузке.

— Лаура Карловна предупредила, что мне все обязаны помогать.

Роза изменилась в лице.

— Да, пойдемте.

Я отметила, что невоспитанная девушка сразу позабыла о бесцеремонном «ты», и поняла, что совершила ошибку. Роза сообщит товаркам о конфликтном характере зоопсихолога и никто не захочет водить со мной дружбу. А мне нужны добрые отношения со всеми, проживающими в имении.

— Впрочем, если ты устала, то ложись спать, — попыталась я исправить положение.

Роза насупилась.

— Вы пожалуетесь Лауре Карловне, и мне влетит.

— Я не стукачка!

Горничная прищурилась.

— Вы...

Не договорив, девушка замерла.

— Тебе плохо? — насторожилась я.

— Ш-ш-ш, — прошипела Роза.

— Что такое? — заволновалась я.

— Звук! Слышишь?

— Где? — не поняла я.

— В воздухе, — еле слышно пролепетала Роза. — Бежим! Скорей! Он пришел!

Паника заразительна, как зевота. Не понимая, кто куда пришел и почему нужно спешно улепетывать, я бросилась следом за Розой, которая неслась по коридору, почти не касаясь ногами пола. В тишине мы достигли туалета, влетели в кабинку и заперлись на щеколду. Роза обвалилась на унитаз.

— Объясни, что происходит, — потребовала я.

Девушка дернула меня за рукав, потом одними губами произнесла:

— Блямканье!

Я попыталась уловить означенный звук и спустя пару мгновений поняла, что откуда-то исходит мелодичный звон.

— У страха глаза велики, — погладила я Розу по плечу. — От сквозняка колышутся китайские колокольчики, их часто вешают в проеме двери. Неужели ты не видела такую феньку в магазинах?

— Шаги, — добавила Роза, — и барабан.

— Бум-бум-бум... — мерно разнеслось по коридору, — бум-бум-бум...

Меня охватило беспокойство.

— Что происходит?

— Клаус... — еле дыша ответила Роза. — Клаус пришел! Отче наш... спаси и сохрани... Если Клаус меня не тронет, обещаю никогда больше не брать у Ленки духи без спроса! Не стану пинать Емелю! Буду лучше всех! Милый боженька, уведи Клауса!

Я вжалась в стену кабинки. Можно было бы посчитать Розу ненормальной, но колокольчик в коридоре звенел отчетливо, барабанная дробь не утихала, и за тонкой створкой явно кто-то двигался.

Роза закрыла лицо руками и скрючилась на

унитазе, я присела на корточки и обняла девушку. Гензя, уютно устроившийся у меня на груди, начал ерзать под кофтой, очевидно, рукохвосту пришлись не по вкусу резкие духи горничной.

Не могу сказать, сколько времени мы провели в сортире. В конце концов я опомнилась, с трудом встала и приказала Розе:

— Пошли!

— Куда? — прошелестела та.

— В спальню, ты в свою, а я в свою.

— Нет! — вцепилась в стульчак девушка. — Не сдвинусь с места. У тебя часы есть? Шесть уже пробило?

— Думаю, сейчас около двух или того меньше, — вздохнула я.

— До рассвета нельзя выходить, — тряслась Роза. — Клаус исчезнет лишь после восхода солнца.

— Да кто он такой? — разозлилась я и услышала восхитительный ответ:

— Клаус — это Клаус.

— Ладно, ты здесь ночуй, а я хочу провести время в удобной кровати, — заявила я.

— Клаус убивает людей, — прошептала Роза, — насмерть.

— Навряд ли мужчина тронет мать Гензеля, — сдерживая нервный смех, ответила я. — Лауре Карловне это не понравится, думаю, она быстро расправится с Клаусом.

— Он не мужчина, он Клаус, — глядя в одну точку, бормотала Роза. — Нельзя даже высовываться! Смерть идет!

Я потрясла головой, приказав себе сохранять

хладнокровие. Звон исходил от колокольчиков, а дробь, похожую на барабанную, скорей всего производили пластиковые тапки. Кто-то шел из душа и шлепал по плитке: тук-тук, бум-бум. Слабо верится в таинственное существо, убивающее встречных. Думаю, Роза увлекается романами Стивена Кинга, фильмами про Фредди Крюгера, отсюда и ее экзальтированность. Но я-то здравомыслящий человек!

Когда я распахнула дверь кабинки, Роза судорожно задышала, но я все равно ушла, решив завтра непременно найти Надю и посоветовать ей отправить горничную к невропатологу. Совсем необязательно накачивать дурочку сильнодействующими таблетками, достаточно настойки валерьянки или пустырника.

Безо всяких приключений я вернулась к двери Майи, обнаружила, что через щель по-прежнему пробивается луч света, и со словами:

— Прости за бесцеремонный поздний визит, — вошла в спаленку.

Комната по-прежнему была пуста, но в ней произошли изменения. За то время, что я тряслась в компании с Розой в сортире, кто-то унес одежду и украшения горничной. Уборщик не забыл и туфли. Никакого следа пребывания Майи Лобачевой не осталось и в помине. Лишь тусклая лампочка, которую, уходя, забыли погасить, напоминала о том, что недавно здесь кто-то жил.

Я машинально погладила рукохвоста, поняла, что этот жест неожиданно успокоил меня, и быстро направилась в центральную часть дома.

Глава 7

Генза разбудил «маму» в семь: начал ворочаться и попискивать. Я села на кровати и попыталась отцепить малыша от груди. Куда там! Крошка держался лапами словно приклеенный.

— Хочу принять душ! — категорично сказала я. Генза издал странный звук.

— Будем считать, что ты меня понял, — одобрила я, — посидишь на кровати, я скоро вернусь.

Но очередная попытка временно избавиться от сыночка не принесла успеха.

Я схватила телефон и соединилась с Коробковым.

— Нас утро встречает прохладой, нас солнцем встречает прибой, — заорал Димон, — любимая, что ж ты, зараза, трезвонишь, нарушив покой?

— Как купаются обезьяны? — спросила я.

— В смысле? — оторопел Коробков. — Наверное, в воде!

— И где они ее берут?

— Понятия не имею. Может, в луже? — предположил Коробок.

— Так поинтересуйся! — рявкнула я.

— Йес, мэм! Не убивайте, босс! Нашел, цитирую: «Общей бедой обезьян являются паразиты, и, чтобы избавиться от них, члены стаи катаются в песке или принимают грязевые ванны».

Перспектива натираться жидкой грязью не вызвала у меня энтузиазма, барахтаться в песке тоже не хотелось.

— Формулирую вопрос иначе: если я пойду в душ, Генза не заболеет?

— Оставь пацана в комнате, — посоветовал Димон.

— Он не отлипает, — пояснила я и, так и не добившись от Коробкова полезного совета, рискнула залезть под теплую струю вместе с рукохвостом.

Генза вел себя безупречно во время водной процедуры, он смешно фыркал, жмурился, но ни на секунду не отпустил меня. Когда я, закутавшись в халат, вернулась в комнату, на столе уже был сервирован завтрак. На подносе блестел кофейник, стояли блюдце с тостами и масленка, на серебряной тарелке розовели сосиски, горничная не забыла мюсли, творог, сметану, мед, джем. В доме Кнабе явно не соблюдали диету. Особняком стояла вазочка с мелко нарезанными овощами — корм для рукохвоста.

Я предложила Гензелю морковку, капусту, сладкий перец, сельдерей, но он не открыл рта.

— Думаешь, я стану тебя упрашивать слопать ложечку за маму-папу-бабушку? Никогда в жизни! Проголодаешься, сам попросишь, — объявила я и взяла сосиску.

Но не успела поднести ее ко рту, как из халата высунулась крохотная мохнатая лапка и в долю секунды отщипнула от сосиски приличный кусок.

— Стой! — испугалась я. — Эта еда вредна, она состоит из крахмала, консервантов и генноизмененной сои! Животным нельзя даже нюхать ее, сосиски предназначены исключительно для людей! — Но Генза снова выпростал из-под моего халата лапу с трогательно крошечными розовыми пальчиками и ловко оторвал новый кусок.

— Ладно, — сдалась я, — это будет наш общий секрет. Вот только объясни мне, откуда ты узнал, что сосиски съедобны? Сильно сомневаюсь, что на твоей родине растет дерево, плодоносящее сардельками, шпикачками и прочей гастрономией! Или...

Завершить глубокомысленную беседу с Гензой мне не удалось. В дверь деликатно постучали, и я услышала голос Лауры Карловны:

— Танечка, вы проснулись? Можно войти?

— Секундочку, халат накину, — крикнула я в ответ. Схватила мисочку с нарубленными овощами, быстро вытряхнула ее содержимое под подушку и, шепнув Гензе: — Если хочешь в дальнейшем есть вкусную, но вредную пищу, изволь сидеть тихо и улыбаться, — распахнула дверь.

— Как вам спалось? — спросила Лаура Карловна.

Очевидно, главнокомандующая имения встает до рассвета, сейчас она была уже с легким макияжем, в безукоризненно отглаженном, элегантном темно-бордовом платье и с идеальной прической. Может, пожилая дама спит, как японка, подложив под затылок полено, чтобы не помять укладку? Или вскакивает ни свет ни заря и бежит к парикмахеру? Лично я смотрюсь сейчас халдой, на голове прямо-таки воронье гнездо, и мне придется натягивать мятую одежду. Кстати, где она? Только сейчас я сообразила, что оставленные вчера в кресле вещи таинственным образом исчезли.

— Как почивали? — повторила вопрос Лаура Карловна. — Никаких проблем?

— Дела обстоят отлично! — бойко соврала я.

— Правда? — чуть изогнув бровь, поинтересовалась управляющая.

Внутренний голос посоветовал мне не лгать, и я изменила ответ.

— Нет.

— Что случилось? — с хорошо разыгранным изумлением поинтересовалась дама.

— Вчера вечером я запуталась в коридорах, — начала я перечислять свои приключения, — случайно очутилась во флигеле для горничных и... Кто такой Клаус?

Лаура Карловна всплеснула руками.

— Вам уже рассказали? Вот сороки! Надеюсь, вы не верите в эти глупости? Когда Герман Вольфович искал участок под застройку, он мечтал жить в лесу. Целый год господин Кнабе не мог найти хорошее место, но вдруг наткнулся на умершую деревню Харитоновку и понял: поместье будет здесь. Из прежних жителей оставался один Степан, который наотрез отказался куда-либо переезжать. Что только Герман не предлагал ему: и квартиру в Москве в любом районе, хоть на Тверской, и дом в Подмосковье... Нет, мужик уперся рогом: останусь в Харитоновке, здесь, мол, мои предки жили, тут я и помру. Одним словом, вредный дед создал проблему. Но семья Кнабе не привыкла отступать! Герман нанял адвокатов, те подняли документы, выяснили точные границы участка Степана и оформили сделку. Мерзкий старик оказался в конечном итоге в наших ближайших соседях и задумал мстить. Он, видите ли, был недоволен, что Харитоновку продали, мечтал в ней отшельником куковать, а тут люди приехали. И ведь мы с ним хотели подружиться! Герман попытался ему продукты посылать из элементарной человеческой жалости, ведь огород Степан не сажает, скотину не держит, пенсия у него наверняка грошовая. Но старик консервы назад принес, заявив: «В подаянии я не нуждаюсь!» Тогда Кнабе предложил конфликтному соседу работу в питомнике, но дед не захотел иметь с ним ничего общего. А потом по имению пополз слух о Клаусе...

Лаура Карловна была самокритична и признала: сообрази она сразу, откуда ветер дует, мигом бы исправила ситуацию. Но экономка не обращала внимания на то, чем занимается прислуга в момент отдыха, а когда выяснилось, что большинство глупых девчонок бегает к Степану, который гадает им и привораживает женихов, было уже поздно, легенда начала передаваться из уст в уста, обрастать немыслимыми подробностями, стала частью местного фольклора.

Степан с самым честным видом всех уверял, будто раньше на месте Харитоновки было поселение немцев. Якобы во времена своего правления Петр Первый разместил здесь родственников своей любовницы Анны Монс. А когда она наставила самодержцу рога, он приказал казнить всех, кто имел к дрянной бабе отношение. Стрельцы пытались выполнить приказ царя, но каждый раз при набеге на деревню находили ее пустой. Все дело в том, что у крестьян был сторож по имени Клаус, он постоянно следил за округой, а когда замечал вдалеке группу всадников, начинал бить в барабан и звенеть в колокольчики. Поняв, что Клаус всегда начеку, враги подкупили самую красивую девушку

Харитоновки Марту, пообещав ей много золота, если та усыпит бдительность Клауса. Жадная Марта прикинулась влюбленной в сторожа и напоила его каким-то зельем. Село осталось без охраны, явились стрельцы и убили всех крестьян, а Марта уехала в неизвестном направлении. Вот с той поры душа Клауса не знает покоя, бродит в том месте, где была Харитоновка. Сторож ищет предательницу Марту. Но Клаус плохо видит, поэтому любую попавшуюся ему на глаза женщину считает изменщицей и убивает, а мужчин он принимает за стрельцов и тоже лишает жизни. Клаус безжалостен и непредсказуем, нельзя узнать заранее, когда призрак появится на территории поместья.

— Похоже, он идиот, раз сообщает о своем прибытии звоном колокольчиков и стуком барабана, — не выдержала я. — Наверное, ему надо купить очки, тогда мститель перестанет нападать на невиновных. И странно, что царь заслал в такую глушь близких Анны Монс, во времена Петра в Харитоновку было долго ехать. Впрочем, чем дальше, тем роднее...

Лаура Карловна расхохоталась.

— В общем, дичайшая история. Но Степан добился своего: наши девицы верят в легенду и, когда нужно пойти в ту часть парка, где, по словам деда, находилась хижина Клауса, падают передо мной на колени и умоляют: «Все, что угодно, сделаю, но туда не посылайте!» Впрочем, парни не лучше, хотя наши бравые охранники изо всех сил скрывают, что побаиваются Клауса. Я и сама порой вздрагиваю, вот до чего довели! Думаю, вдруг это правда?

— Вчера девушка по имени Роза чуть не лишилась сознания от страха, — сказала я. — Так тряслась в туалете!

— Роза, Роза... — пробормотала Лаура. — Ах, Роза! Она младшая горничная, неловкая и косорукая. Я ее в доме дальше коридоров и лестниц не пускаю, если послать в комнаты, непременно что-нибудь разобьет или на место не поставит.

— Я готова поклясться, что отлично слышала звон колокольчиков, барабанную дробь и шаги, — вздохнула я. — Признаюсь, тоже слегка испугалась.

— Безобразие, опять он за свое взялся! Ну на этот раз он легко не отделается! — Возмущенная Лаура Карловна выхватила из кармана нечто, похожее на маленькую рацию, и зачастила в нее: — Костя, немедленно иди сюда! Куда-куда, в Золотую гостевую. Мне плевать, в чем ты, хоть голый, изволь явиться через минуту!

Экономка резко щелкнула крышкой передатчика, шумно выдохнула и с прежним раздражением воскликнула:

— Ладно, ладно, шутничок, погоди!

В дверь деликатно поцарапались, потом из коридора донесся мужской голос.

— Разрешите?

Вероятно, Костя умеет телепортироваться, раз смог за считаные секунды примчаться на зов Лауры Карловны.

Дверь открылась, и сначала в комнату проник запах. Я невольно вздрогнула, уловив аромат парфюма, который впервые унюхала вчера ночью, когда пряталась в бельевой. Затем увидела на пороге того самого парня, который прибежал на лужайку к упавшей Майе. Сегодня он был одет в брезентовый комбинезон, усеянный масляными пятнами.

— Простите, Лаура Карловна, — забасил он, — вы велели бежать в чем есть, поэтому в гостиную я грязным приперся. Батарея потекла? Сейчас инструмент принесу!

Мне стало тревожно, знакомым оказался не только запах, но и голос, это он пытался обучить вчера в кладовой уму-разуму матерившегося Влада Карпухина.

— Хорошее предположение насчет испорченной батареи, — ехидно заметила Лаура. — В июле месяце, в особенности таком жарком, как нынешний, мы всегда топим по полной!

— Не, — помотал головой Костя, — вы, Лаура Карловна, напутали, простите, конечно. Мы в доме котел в мае вырубаем и до сентября не трогаем, если холод не ударит.

— Шутка, — каменным голосом пояснила экономка.

— А-а-а... — облегченно протянул служащий, — здорово, ха-ха-ха! Я про батарею просто так ляпнул, не подумав.

— Я, как и ты, люблю шутить, — тоном, не предвещающим ничего хорошего, сказала пожилая дама. — Где ты вчера был около полуночи?

— Спал, — с самым честным видом соврал Константин.

— Правда? — потемнела лицом Лаура. — Отвечать, глядя мне в глаза! Ну!!!

Даже у меня, ничем не провинившейся перед симпатичной во всех отношениях дамой, затряслись поджилки. Костя с шумом сглотнул слюну.

— Чес-слово! Спросите Владика Карпухина! Мы с ним вместе телик в общей комнате глядели! Фильм про вампиров! У-у-у! — Костя выкатил глаза, оскалил зубы и попытался изобразить графа Дракулу.

По лицу Лауры Карловны скользнуло подобие улыбки.

— Перестань! Вчера ночью по женскому флигелю ходил Клаус.

— О майн готт![1] — закатил глаза парень.

— Звенел, бил в барабан и перепугал девочек, — продолжала экономка. — Так вот, предупреждаю: если он еще раз появится, его накажут.

— Так точно! — отрапортовал Костя. — Увижу Клауса, сразу ему передам!

Я втянула голову в плечи и попыталась стать невидимкой, что для женщины с немалым весом весьма трудно. С детства боюсь скандалов, и то, что отношения будут бурно выяснять не со мной, никакой роли не играло.

Но Лаура Карловна неожиданно рассмеялась.

— Да уж, сделай одолжение, посоветуй Клаусу не высовываться.

— Йес, босс! — вытянулся в струнку Костя. — Разрешите отбыть?

— Ступай, — махнула она рукой.

Костя сделал поворот через левое плечо и, чеканя шаг, потопал в коридор.

— Безобразник, — покачала головой Лаура Карловна. — Это ведь он горничных пугает. Хохмач!

---

[1] О, мой бог (*нем.*).

Вечно розыгрыши придумывает, не одно, так другое затеет. Клаус — это его работа.

— Хулиган, — резюмировала я.

Экономка вздернула брови.

— Константин великолепный работник, мастер на все руки, ему одинаково легко что котел починить, что мотор перебрать, что ножи наточить. И он очень честный, преданный семье Кнабе человек, но... молодой, отсюда и озорство. Ничего, повзрослеет — успокоится. Как Генза?

— Замечательно, — сказала я.

Пожилая дама умоляюще сложила руки:

— Можно на него взглянуть? Понимаю все неприличие этой просьбы, но так хочется!

— Любуйтесь на здоровье, — разрешила я.

Старушка сунула нос за оттопыренный ворот моего халата и засюсюкала:

— Ой, он вырос! Мусенька... Солнышко... Чмок-чмок!

Лицо Лауры Карловны приобрело умильное выражение, она протянула руку и попыталась погладить Гензу. В ту же секунду раздался неприличный звук и вскрик старушки. По комнате поплыл ужасный запах. Зажав нос, я бросилась открывать окно, потом обернулась, увидела, что экономка держит на весу окровавленную руку, и кинулась к ней.

— Что случилось?

— Генза меня укусил, — пояснила та. — Никогда не думала, что он способен сделать так больно. А уж вонь!

Я попыталась оправдать «сыночка»:

— Он не нарочно. И такому маленькому пока трудно внушить правила приличного поведения.

— Это инстинкт самосохранения, — кивнула Лаура Карловна. — Рукохвосты ведь сродни скунсам и в минуту опасности испускают смрад.

Я постаралась не измениться в лице. Милая подробность! Надеюсь, мне в воспитанники досталась особь с устойчивой нервной системой, иначе есть риск задохнуться. Может, я зря угостила малыша сосисками? Вероятно, если кормить его овощами и фруктами, он не будет работать химической бомбой.

— И рукохвосты всегда защищают мать, — продолжала Лаура Карловна. — Раз Генза напал на меня, значит, действительно признал вас родительницей. Танечка, вы гений! Может, хотите чего-нибудь особенного?

— Мне нужна одежда и всякие мелочи. Можно их привезет моя подруга? — попросила я.

— Ну, конечно, солнышко, — протянула экономка, — никаких проблем. Звоните приятельнице.

В комнату снова постучали.

— Да! — крикнула Лаура Карловна. — Что надо?

Дверь слегка приоткрылась, и в щелку протиснулась худенькая Надя.

— Простите, извините... — чуть ли не стуча лбом о паркет, начала кланяться старшая горничная. — Я постирала одежду Татьяны, разрешите повесить в шкаф?

— Ну вы тут разбирайтесь, а я пошла, — царственно кивнула экономка и выплыла в коридор.

— Большое спасибо, — улыбнулась я Наде, — право, не стоило беспокоиться!

— Это моя работа, — приветливо отозвалась горничная, — мне совсем не трудно.

— Вы изумительно гладите, — польстила я девушке, — мне ни разу не удавалось привести в порядок «фонарики» на рукавах.

Надя смутилась.

— Пустяки! У нас суперутюг, с поддувом. Лаура Карловна не экономит на приборах, покупает лучшее.

— Вас сегодня ночью не испугал Клаус? — перевела я разговор на интересующую меня тему.

Горничная перекрестилась.

— Вы слышали звон? Ужас!

— Вероятно, кто-то из парней подшучивает над девушками, — улыбнулась я.

Но Надя осталась серьезной.

— Нет, он настоящий!

— Надюша, вы же не верите в сказки, — укорила я прислугу, поглаживая тихо сопящего Гензеля. — Никакого Клауса на самом деле нет. Это все выдумки.

— Ага, в особенности для убитой Нинки, — встрепенулась Надя и тут же захлопнула рот.

Глава 8

— Для убитой Нинки? — переспросила я. — В доме произошло преступление? Кто такая Нина?

Девушка опустила глаза, прошептала:

— Лучше не спрашивайте. О Кондратьевой запрещено говорить.

Я схватила горничную за рукав.

— Мне можно, я тебя не выдам. Все равно узнаю о том, что случилось, и лучше уж ты расскажешь, чем другие соврут!

Надя огляделась по сторонам и вдруг зачастила громко:

— Сейчас вам ванну приготовлю! Любите погорячей? Массажные форсунки включить? Могу спинку потереть, сами до лопаток не дотянетесь...

Продолжая щебетать, горничная поманила меня, и мы вошли в санузел. Надя плотно закрыла дверь, включила душ и села в кресло.

— Тут сплошные доносчики, верить никому нельзя, — горько сказала она. — Все хотят старшей горничной стать и мигом Лауре Карловне про нашу беседу настучат. Видишь, какие у нас тапки? Чуни на войлочной подошве. Специально такие покупают, чтобы мы не топали, хозяевам не мешали. Здесь целая система штрафов, если нарушаешь правила, очки снимают, могут вон выгнать без выходного пособия и рекомендации. Раньше, когда Эрика нормальной была, девчонки могли ее отловить в парке и поплакаться ей. Эрика единственная, кто с Лаурой спорил, остальные старуху боятся, даже сам Герман Вольфович предпочитает с ней не связываться, Михаила я в расчет не беру. Здесь Лаура главная, но она Эрику очень сильно обожает.

— Погоди! — перебила я Надю. — Слишком много сведений, они в моей голове смешались в винегрет. Я не очень сообразительная.

Надя по-свойски похлопала меня по коленке.

— Ничего, разберешься.

— Михаил и Эрика — дети Германа?

— Да, — подтвердила Надежда.

— Девочек всегда любят больше, — улыбнулась я.

Горничная протяжно вздохнула.

— С Эрикой беда приключилась, она теперь другая. Лаура Карловна думает, что никто не догадывается, но все знают. С медсестрами мы практически не общаемся, они посменно работают. Да только у наших и уши есть, и глаза, иногда Эрику видели. Мне жалко ее, говорят, она... Ой, всего так сразу и не перескажешь!

— А ты попробуй. Помоги мне, пожалуйста, — заныла я. — Видишь ли, зоопсихология интересная наука, но работу найти тяжело, наш народ своей-то душой заниматься не желает, а уж о настроении собак-кошек единицы думают. Ветеринары к нам относятся с недоверием, считают шарлатанами. Признаюсь честно, я счастлива, что очутилась здесь, и потрясена своим удивительным везением: вместо питомника живу в доме, в шикарной комнате, получила исключительные привилегии, ты за мной ухаживаешь... Просто рай! Вот только страх меня берет: Гензеля выхаживать надо несколько месяцев, а что потом со мной будет? Вытурят в питомник? Или совсем выставят? У меня богатых спонсоров нет, и внешность я имею не модельную, надо самой вертеться...

— Очень хорошо тебя понимаю, — кивнула Надя.

— Поэтому я хочу понравиться Лауре, — заговорщицки зашептала я. — Боюсь совершить неверный шаг, обидеть старушку, сказать глупость. Сейчас она мне улыбается, хочет спасти Гензу, но едва рукохвост подрастет, припомнит «мамочке» все оплошности, и пакуй, Танечка, чемодан. А где еще такую службу найти? Давай дружить, Надюша! Ты мне поможешь, расскажешь об обстановке в доме, а я постараюсь закрепиться при Кнабе, и непременно настанет момент, когда я защищу тебя. Я не стукачка, не сволочь, вместе нам будет легче!

Горничная расправила на коленях платье.

— Идет! Сейчас сориентирую тебя. У меня есть сорок минут до начала уборки.

Я затаила дыхание, и девушка тихо заговорила.

Лаура Карловна нанялась к Кнабе домработницей, еще когда Герман учился в институте. Вольф и Матильда были не богатыми людьми, поэтому Лаура управлялась по хозяйству одна. Когда супруги скончались (а Кнабе ушли на тот свет друг за другом), прислуга не бросила их сына. У Лауры никогда не было ни мужа, ни детей, зато в избытке хватало порядочности и благородства, поэтому она заменила Герману родителей. Ясное дело, юноша не мог платить домработнице, и Лаура Карловна трудилась бесплатно. Очень скоро люди стали считать ее тетей молодого Кнабе.

Потом Герман женился, на свет появился Михаил, затем Эрика. Материальное положение семьи упрочилось, к Кнабе нанялась новая домработница, а Лаура переключилась на воспитание малышей, не забывая держать под контролем прислугу. Супруга Германа забеременела в третий раз, но во время родов что-то пошло не так, и женщина скончалась.

Герман более не женился, ушел с головой в работу, Мишу и Эрику воспитывала Лаура. Благосос-

тояние Кнабе росло, был построен дом в Харитоновке. Лаура Карловна получила в свое распоря-
жение армию прислуги и дивизион охраны, Эрика
училась на экономиста, Михаил стал художником.
Ничто не предвещало несчастья. И вот год назад
дочь Германа попала в руки серийного маньяка.

Надя примолкла, а потом, приблизив свое лицо
почти вплотную к моему, зашептала:

— Газеты читаешь? Помнишь, писали про урода, который убил двух девушек в парке, а третья
жива осталась?

— Нет, — расстроилась я, — не обратила внимания на это сообщение.

— Короче, — зачастила Надюша, — подонок
нападал на женщин, душил их кожаным шнурком.
Явный садист с отклонениями! Он удавку мочил
водой, а потом затягивал на шее несчастных. Со-
ображаешь?

Я вздрогнула:

— Кожа, высыхая, сжималась. Петля медленно
сокращалась, девушки умирали долго и мучитель-
но, не имея возможности позвать на помощь!

— Мерзавец! — забыв об осторожности, воскликнула горничная. — Среди его жертв оказалась
и Эрика.

Я пришла в ужас.

— С ума сойти...

Надюша кивнула.

— И не говори! Я отлично помню тот день.
Эрика с утра дома была, уехала во второй половине
дня. Ничего необычного, все нормально, у нее иногда занятия после трех начинались. Потом Костя из
усадьбы куда-то отвалил. Лаура Карловна позвала

меня белье пересчитать, и мы возились в кладовке. Вдруг у хозяйки телефон зазвонил. Она трубку к уху поднесла и посерела, ничего сказать не может. Я за водой побежала, возвращаюсь, Лаура сидит на полу, плачет. Уж потом нам Костя рассказал: Эрику нашли в парке. Ей повезло — маньяка спугнули, он дочь Кнабе придушил, но руки-ноги связать не успел, убежал. Эрику обнаружила влюбленная парочка. Парень с девчонкой искали укромное местечко, забрели в заброшенную часть лесопарка, увидели тело, услышали, как кто-то удирает сквозь кусты, но в погоню не кинулись, бросились к жертве...

Похоже, у младшей Кнабе было сразу два ангела-хранителя, никогда не выпускавших подопечную из вида. Мало того, что жаждавшие уединения влюбленные спугнули убийцу, так еще они оказались новоиспеченными медэкспертами, стажерами судебного морга, и действовали грамотно: освободили Эрику от удавки, вызвали специалистов и до приезда «Скорой помощи» делали пострадавшей искусственное дыхание.

Эрика выжила, но почти месяц провела в коме. Герман собрал у постели дочери лучших медиков, врачи, отводя глаза, говорили:

— Делаем, что можем, надежда умирает последней.

Лаура Карловна переселилась в палату. Она разговаривала с девушкой, пела ей песни, читала книги, и в конце концов Эрика пришла в себя.

Это только в кино человек, пролежавший в коме десять лет, вдруг открывает глаза и с воплем «Мама!» бросается на шею той, что плачет у его постели. На самом деле возвращение из небытия тяжелый процесс.

Эрику пришлось обучать всему заново. В дом толпой ходили логопеды, психологи, невропатологи, гипнотизеры, экстрасенсы, массажисты, фитнес-тренеры. Герман оборудовал спортзал, оснастил его тренажерами, на которых дочь заново училась ходить.

Сейчас, когда с момента трагедии прошло более года, Эрика стала похожа на человека. Она гуляет в саду, вспомнила членов семьи, узнает прислугу, которая много лет служит в доме. Эрика не растеряла любви к животным, по-прежнему обожает собак-кошек и прочих четвероногих, часто заглядывает в зоопарк. Выезжать в город ей пока не разрешают врачи, но не так давно Герман Вольфович нашел преподавателей, которые проходят с девушкой школьный курс наук. Отец надеется, что упорная и трудолюбивая Эрика, некогда круглая отличница, сможет вернуть прежние знания и вновь станет студенткой.

И действительно, память возвращается к дочери Кнабе. Единственное, что она начисто выбросила из головы, так это день, когда с ней случилось несчастье, ужасное происшествие полностью вытеснено из ее сознания. Эрике кажется, что она легла спать и очнулась в больнице, в окружении медицинских аппаратов. Врачи объяснили: подобная амнезия характерна для людей, испытавших серьезное потрясение, а в случае с Эрикой еще имела место асфиксия. Вообще чудо, что девушка оклемалась, ей не стоит напоминать о маньяке. Вероятно, события того страшного дня когда-нибудь всплывут из мрака подсознания, но чем позже это случится, тем лучше, неокрепшая психика может не выдержать нового испытания.

Узнав это, Лаура Карловна уволила из поместья всех, кто еще не успел доказать свою верность Кнабе, оставила только проверенных людей и строго-настрого предупредила:

— Если Эрика будет задавать вопросы, отвечайте ей одинаково: «Вы утром, собираясь в институт, споткнулись на лестнице, упали, скатились со второго этажа и сильно повредили голову. Шрам на шее от кожаного шнурка с медальоном, он вас чуть не задушил, когда вы падали».

Новым работникам сообщали то же самое. Этой версии все до сих пор и придерживаются. Правда, Эрика у прислуги ничего не спрашивает. Она ведет себя тихо, полюбила сидеть в одиночестве. Если к ней обратиться, девушка ответит, но сама затевать беседы не любит...

— Жуткая история, — поежилась я.

Надя кивнула:

— Ага. Герман Вольфович себя винит. Он, в отличие от других богатеев, детей не баловал. Михаила и Эрику воспитывали строго, отец с ними не сюсюкал, не разрешал им бездельничать. Весной я в библиотеке пыль сметала, стояла в самом темном углу, вдруг слышу голос хозяина, они с Лаурой под открытым окном проходили, Герман Вольфович говорит: «Я виноват! Только я один!» А Лаура ему отвечает: «Нет, милый, не взваливай такую ношу на свои плечи, ты сделал все, что мог». Герман ей ответ: «Ну почему я не приставил к Эрике охрану? Не приказал за ней присматривать? За что мне такие ужас, горе и страх? Вдруг к дочке память вернется, что нам тогда делать? Как жить?» Потом они ушли, а я никак опомниться не могла. В голосе хозяина звучала настоящая мука! Я считала его холодным человеком, но, выходит, ошибалась. Герман Вольфович при посторонних маску носит, а сам жутко переживает. Боится, что дочь вспомнит нападение маньяка и ей хуже станет.

— Поняла, — кивнула я, — никаких вопросов об Эрике не задаю. А что за история с убитой Ниной?

Собеседница передернулась.

— Клаус! Он ее жизни лишил!

Я с легкой укоризной глянула на старшую горничную.

— Ты веришь в глупые сказки?

Надя нахмурилась.

— Не знаешь, не говори. Ей Степан смерть напророчил. Нинке очень Костя нравился. Ну да это неудивительно, за ним почти все девки бегают. Нинка решила парня захомутать и рванула к Степану.

— Зачем? — заморгала я.

Горничная усмехнулась.

— Дед умеет женихов привораживать, но он с придурью. Одной сразу поможет, другой прикажет по сто раз ходить, а третьей вообще от ворот поворот. Хоть испросись, даже пальцем не шевельнет. Нинке Степан сказал: «Костя не для тебя. Его другая судьба ждет, я людям карму не ломаю».

Нине бы уйти, а она пристала к колдуну, давай ныть, мол, расскажи, дедушка, кого Костик полюбит! Степан ее вон вытурил. Любая поняла бы — не надо больше Костику глазки строить, дед будущее видит. Он, кстати, всем, кто на нашего красавчика зарится, говорит: «Не про вашу честь принц, его настоящая царевна поджидает, ищите других парней». Ленка Липатова деда послушалась, так он ей пообещал, что за свой покладистый характер она награду получит, в пятницу жениха встретит. И точно! В имение приехал адвокат Германа Вольфовича, и завязалась у его водителя с Еленой любовь. Свете Пономаревой Степан тоже верно нагадал, пообещал ей интересное путешествие. Зимой Лаура Карловна в Милан полетела, когда мебель на втором этаже поменять решила. Так кого она с собой прихватила?

— Светлану, — уверенно ответила я.

Надя засмеялась:

— Угадала. Степан даже Павла Михайловича поразил, нашего главного механика. Его дочь Аська в доме отвечает за белье, и она повадилась к Степану бегать, то конфет ему принесет, то сигарет, советовалась с ним по любому поводу. А какому ж отцу понравится, что чужой дед своим для доченьки стал? Павел Михайлович к Степану приперся и по-простому ему врубил: «Не смей мою Аську контролировать!» В общем, поругались они, механик старика мошенником назвал, а тот ему заявил: «Вижу будущее: тебе сегодня обед в железной миске подадут, как собаке. Много чего еще про вас с дочкой вижу, но не открою, хватит с тебя и этого».

И представляешь! Садится Павел Михайлович в рабочей столовой есть, а ему суп не в тарелке, а в эмалированной плошке несут! Кухарка извиняется, говорит, Лаура Карловна велела посуду сменить.

— Забавная история, — остановила я рассказчицу. — Но что там с Ниной дальше было?

— Деду нервы она издергала, каждый день притаскивалась, просила Костика приворожить. Совсем с ума съехала! Сказала поварихе: «Костик на меня не смотрит, значит, у него другая есть. Прослежу за ним, поймаю с бабой и пригрожу: либо он ее бросит и со мной жить будет, либо я Лауре Карловне про его похождения доложу».

— Оригинальный способ заполучить мужчину, — отметила я.

Надя положила ногу на ногу.

— Говорю же, дура! Наверное, она своими планами со Степаном поделилась, потому что дед ей сказал: «Ступай домой и не высовывайся из комнаты. Ох, чую, ночью Клаус придет и тебя из окна вышвырнет. Он таких скандалисток не любит». Нинка во флигель порысила и всем девкам о пророчестве деда натрепала. А в полночь...

Горничная вытаращила глаза и подняла руки.

— Как зазвенит, застучит, завоет... Не обманул Степан, Клаус пришел! Мне всю эту историю повариха Анна Степановна разболтала. Я тогда у Кнабе еще не работала.

— Что случилось с Ниной? — поинтересовалась я.

— Разве я не сказала? — удивилась Надя. — Она из окна вывалилась, позвоночник сломала, на месте померла. Ее утром нашла охрана.

Глава 9

Я подскочила на крышке унитаза.

— Сама упала? Милицию вызывали?

Надя закивала.

— Анна Степановна говорила: приезжали парни в форме, вопросы задавали. А потом Лаура Карловна собрание устроила и разгон народу учинила. Вот уж никто не думал, что она так ругаться умеет, чуть не матом всех крыла. Требовала перестать к Степану бегать и его хрень слушать. Мол, дед владеет цыганским гипнозом, всем в голову дурь вколачивает, а никакого Клауса и в помине нет. Нинка наслушалась его сказок, у нее ум помутился, вот и сиганула из окна. Короче, это несчастный случай.

— Несчастный случай... — эхом отозвалась я.

Надя закивала.

— Так все решили. Но звон колокольчиков и стук барабана Анна Степановна слышала. Нет, нет, Клаус существует, единственный способ защиты от него — спрятаться и не высовываться, пока он не уйдет. Нельзя призраку на глаза попадаться.

— И часто он тут шастает? — Я постаралась изобразить сильный испуг.

Надежда успокоила меня:

— Не очень.

— А что случилось с Майей Лобачевой? — сменила я тему.

— Тихая девочка, — одобрительно охарактеризовала мою знакомую старшая горничная, — у нас тут все хотят Лауре Карловне понравиться, надеются, что их из простых поломоек элитой сделают, разрешат хозяйские покои мыть. Но старуха подлиз не выносит. Майя к ней не подходила, свободное время в одиночестве проводила в саду, вязать по книжке училась. Сама-то Лаура Карловна здорово крючком орудует, вот сначала Майю на этой почве и выделила. Потом присмотрелась к ней, поняла: Лобачева не треплива, со всеми в хороших отношениях, но ни с кем не приятельствует, работящая, волосы по-старомодному в косички заплетает. Ну и повысила Майку, велела той комнату Эрики мыть. Лобачева карьеру сделала! Ясное дело, девки обзавидовались и стали ей по мелочи пакостить. Пойдет Майя вечером в душ, а ей воду горячую внезапно перекроют. У нас стояки, чтобы избежать потопа, специальными отсекателями оборудованы, если где труба лопнет, повернем кран и отрубим только место протечки, полностью здание не обезводим.

— Понятно, — вздохнула я. — Неприятно мыло под ледяной струей смывать.

— Кнопки ей на матрас подкладывали, зубную щетку мылили, каблук у туфли подпиливали, — загибала пальцы Надя.

— Какие-то мелкие, детские пакости, похоже на работу подростка, — отметила я.

Надежда встала и посмотрелась в зеркало.

— Говорила я ей: перемелется, перестанут девки подличать, наоборот, начнут в приятельницы лезть, ведь ты теперь легко можешь Эрику о чем угодно попросить, потерпи до осени, и увидишь — я права. Но Лобачева нервничала, и в результате у нее язва открылась. Вчера ей совсем плохо стало.

Хорошо, что ты ее привела, иначе Майка могла помереть, а так ее в больницу увезли.

— Не слышала сирену «Скорой», — возразила я.

— Так разве Лаура разрешит шуметь? И на территорию посторонних не пустят, Лобачеву к воротам отнесли, — сообщила Надя. — Ну, мне пора.

Я удержала старшую горничную.

— Последний вопрос!

Девушка покосилась на часы, кивнула:

— Ладно, задавай.

— Вечером, когда я заблудилась в коридорах, случайно налетела на девушку. Она несла поднос с чаем и уронила его. Очень неудобно получилось, — бойко врала я. — Прислугу зовут Варвара Богданова. Подскажи, где ее комната, хочу еще раз извиниться.

— Варвара Богданова? — без малейшей фальши поразилась Надя. — Такой у нас нет.

— Ты уверена? — не успокаивалась я.

Наденька вздернула подбородок.

— Старшая горничная знает в лицо весь персонал. У нас шесть поломоек, две официантки, повариха, три помощницы на кухне, кастелянша, медсестры, ухаживающие за Эрикой. Правда, последние мне не подчиняются, но я их много раз видела — еду им носим, комнаты их убираем. Никаких Варвар и в помине нет!

— Может, она цветочки на клумбе сажает? — предположила я.

— Садовники — мужчины, охрана и водители тоже, — покачала головой Надя. — Женщины работают в зоопарке, но их сюда даже на Новый год не пускают. А как девчонка выглядела?

— Стройная, блондинка, платье не помню, вроде темное, лицо круглое, помада розовая, в ушах дорогие сережки, нос небольшой, глаза голубые, чуть раскосые, — я попыталась описать внешность Варвары, которую видела на снимке у Чеслава.

— Она точно не из моей команды, — отрезала Надя. — Девкам запрещено губы мазать, и из украшений можно лишь скромное колечко, без камней, носить. Надо охране сообщить! Ты видела в доме чужого человека! Хотя... твоя таинственная Варвара похожа на Эрику. Во сколько дело было?

— За полночь.

Из груди Нади вырвался вздох облегчения.

— Понятно. Вчера дежурила медсестра Алина, а та заснет — не добудишься. Эрике захотелось чайку, и она сама на кухню потопала. Вы столкнулись на какой половине?

Я притворилась дурой.

— Не помню.

Но Надя не отставала.

— На полу ковер лежал или плитка простая?

— Вроде дорожка бежевая, — солгала я.

— Во! Ты налетела на Эрику, а она деликатная, вот и назвалась чужим именем, — засмеялась Надежда. — Это ее стиль, не хочет никого беспокоить. Раньше Эрика еще и очень скромно одевалась, но теперь Лаура на нее шикарные вещи натягивает и брюлики навешивает.

— Надюша, — улыбнулась я, — хочешь загадку?

— Ну? — оживилась горничная. — Я их ловко щелкаю. Давай.

— Винни-Пух свинья или кабан?

Надя на секунду подняла брови, потом тихонечко засмеялась.

— Медведь! Меня трудно подцепить, я на такие штуки не попадаюсь!

Когда Наденька убежала по своим делам, я вышла из дома, отошла подальше и хотела соединиться с Коробковым. Но телефон зазвонил сам.

— Девушка, алло... эй, девушка, вы слушаете? — зачастил мужской голос. — Нашему коту вчера удалили нарыв на лапе, делаем ему уколы антибиотика. Еще пришлось сменить наполнитель в лотке, потому что «кэтпис-пис» из-за кризиса больше не поставляют, и он чешется!

— Кризис? — ошалело переспросила я.

— Кот! — возмутился незнакомец. — Девушка, алло, девушка, слушайте! Вы поняли расклад? Коту удалили нарыв на лапе, колем антибиотики, в лотке, увы, отечественные гранулы, он чешется. Теперь вопрос: можно ли его печень сырой есть или ее надо кипятком обдать?

На секунду я потеряла дар речи, потом решила заступиться за несчастное животное.

— Ни в коем случае не ешьте его печень!

— Да? А нам сказали: печенка необходима для здоровья, в ней полно незаменимых витаминов! Не объяснили только способ употребления. Очень хочется соблюсти указание врача, а он, как назло, не отвечает. Вот мы и решили к вам обратиться. Девушка, эй, девушка!

Я проглотила вопрос о том, какой живодер прописал человеку кошачью печень, и решила отговорить незнакомца от ужасного шага.

— Ни в коем случае не делайте этого! Ну посудите сами! Антибиотики, операция и наполнитель плохой! Вам нужна такая печень? Лучше купите витамины.

— Какие?

— Любые, спросите в аптеке.

— Значит, печень нельзя?

— Нет! Категорически!!! — крикнула я и сообразила прикрыть голову Гензеля ладонью. Рукохвост, слава богу, не понимает человеческую речь, но все равно не следует малышу слышать разговор о несчастном коте.

— Понял, — отрапортовал дядька. — А что ему дать на обед?

— Кому? — не сообразила я.

— Печень нельзя есть, так?

— Верно.

— Но не одними ж витаминами питаться! — возмутился владелец кота. — Этак живо лапы с голодухи отбросишь!

Тупость вопроса меня поразила.

— Сейчас огромное разнообразие продуктов. Вы что любите?

— Я?

— Вы.

— Селедку с картошкой, — признался мужик. — Сверху еще лучку накрошить да ароматным подсолнечным маслицем полить... Лепота!

— Ну и пожалуйста, — разрешила я, — отличный выбор.

— Сельдь?

— Да.

— С картошкой???

— Замечательная идея, — одобрила я.

— Кастратам рыбу нельзя!

Я опять прикрыла Гензеля ладонью и потеряла на время дар речи. Однако редкий мужчина столь радостно признается в своей неполноценности...

— Девушка, эй, девушка! — снова донеслось из трубки. — Слышите, чем же кота кормить, если ему печень нельзя?

— Вы хотели угостить печенкой кота? — подпрыгнула я.

— Ваще! Че за справочная? — завозмущался дядька. — Сто раз говорил! Соперировали коту нарыв, колем антибиотики, сменили из-за кризиса наполнитель в лотке, сплошной стресс! Учитывая обстоятельства, можно его печень сырой жрать? А вы спрашиваете: «Вы хотели угостить печенкой кота?» Нет, сам решил ее сырьем лопать! Отвечай по-человечески, за справку деньги плочены!

— Прежде чем нападать на других, научитесь правильно изъясняться на русском языке, — возмутилась я. — Вам следовало спросить: «Коту можно дать сырую печенку?».

— Хорош придираться! Я так и сказал: «Можно его печень жрать?»

— Не «его», а «ему».

— Почему? — в рифму поинтересовался мужик.

— Потому! — нашла я замечательный ответ. — «Кому — ему!» А не «кому — его!».

— Ну-ка, отвечай, если кот жрет печень, она чья?

— Говяжья, — терпеливо пояснила я, — или свиная.

— Фиг тебе! Котовая.

— В смысле, кошачья? — уточнила я.

— Уж не собачачья, — заржал мужчина. — Кот съел, значит, его печень.

— Нет, — ввязалась я в идиотский спор, — животное не может полакомиться собственной печенкой!

— Что сожрал, то твое! — возразил владелец котика.

— По вашей логике, если я съем куриную ногу, то это моя нога? — не удержалась я от ехидства.

— А чья же?

— Курячья. То есть цыплиная, — запуталась я в прилагательных. — Опять неправильно. Несушечья! Короче говоря, окорочок — он и есть окорочок. А мои ноги — мои ноги. Ясно и логично. Кот не ест свою печень!

— Юра, хватит с дурой беседовать, — послышался издалека женский голос.

— Точно, гадская справочная! — воскликнул мой собеседник.

— Стойте! — закричала я. — Какой номер вы набрали и куда звонили?

— Частная служба «Ответ за секунду», — неожиданно мирно сообщил Юрий и, продиктовав цифры, не удержался от критики: — Вы обещали за наши деньги круглосуточно отвечать на вопросы. И хрень получилась.

— Вы попали к частному лицу, — пояснила я, — мой телефон заканчивается на «семь», а у вашей справочной на «шесть». Не туда пальцем ткнули. Попробуйте набрать еще раз.

— Я никогда не ошибаюсь и во все места правильно тыкаю! — опять вскипел мужик. — Если дура, не работай ответом, сиди дома, хавай пиво!

В ухо понеслись частые гудки.

Интересно, Чеслава предупредили, что полученный для меня номер только на одну цифру отличается от номера платной справки? Думаю, нет, начальник знает, какое количество невнимательных людей проживает в Москве, и не стал бы покупать такую симку. Ну теперь ясно, почему меня постоянно дергают разные идиоты.

И я набрала телефон Коробкова.

Глава 10

— Мон ами, бонжур, твой Луис Альфонсо измучился в ожидании, — промурлыкал Димон. — Нас разлучили злые люди, но в конце длинной, наполненной страданиями жизни мы непременно встретимся...

— Немедленно узнай о маньяке все подробности! — перебила я хакера.

— Прикажешь начать с Джека-потрошителя? — абсолютно серьезно спросил Димон.

— Извини, дяденька с печенью у меня весь мозг выел, — пожаловалась я.

Коробков тихонечко присвистнул.

— Не сиди долго на солнце, от него ум мутится. Прости за уточнение, но все знакомые мне живые дядечки непременно имеют печень. Ты о ком?

— Неважно. Вернемся к маньяку. Он орудовал пару лет назад, одной из его жертв стала Эрика Кнабе.

— Уже подготовил такую справку, — невозмутимо сказал Димон, — у меня экстрасенсорные способности. Ну, где овации?

— Не дождешься, — ответила я, — любому ясно: если на дочь Германа совершили нападение, значит, рано или поздно понадобятся подробности того дела.

— Ты черствая, как корка, завалившаяся в прошлом веке за диван, — простонал Коробков. — Ну, слушай. Два года назад в Битцевском лесу был обнаружен труп молодой женщины, Галины Крафт. Несчастную задушили при помощи тонкого кожаного ремня, но сначала предусмотрительно лишили сознания электрошокером. Галина Крафт была спортсменкой, она получила звание мастера спорта по художественной гимнастике, но на международную арену так и не вышла. В восемнадцать лет Галя перестала мечтать об олимпийской медали и осталась не у дел. У нее не было приличного образования, девушка практически ничего не умела, зато обладала редкой красотой, гибким телом и умением грациозно двигаться. Крафт решила использовать свои незаурядные внешние данные и попыталась стать манекенщицей. Но ей живо объяснили: карьеру на подиуме начинают с четырнадцати, вам, пожилая девушка, лучше заняться эскорт-сопровождением. Вот только Галина не хотела идти в проститутки, пусть даже и элитные. Она впала в депрессию, но все равно постоянно бегала на кастинги. За пару дней до смерти Крафт рассказала своей лучшей подруге об удаче: она нашла творческую работу с солидным окладом, но пока ее берут на испытательный срок. Все. Вскоре тело Крафт нашли в парке.

Вторая жертва — Зоя Караваева, воздушная гимнастка. Девятнадцать лет, красавица, с явным артистическим талантом. После гибели одной из своих коллег она не захотела больше выступать в цирке. Дальше все как у Крафт. Поступить в вуз не могла, пыталась найти работу. Обнаружена в лесу, в том же месте. На тело случайно наткнулся собачник, у него пес удрал. Почерк совпадает — шокер, удавка.

Третья пострадавшая — Эрика Кнабе. Ей повезло — маньяка спугнули. Но жертва впала в кому, а выйдя из нее, ничего не помнила о происшествии. Для девушки амнезия в данных обстоятельствах удача, но следствие зашло в тупик. На месте преступления не осталось никаких следов — когда Эрику нашли, полил дождь. Ливни были и в предыдущих случаях, поэтому улик нет и в делах Галины Крафт и Зои Караваевой. Далее. Очевидно, преступник боялся, что девушки дадут ему отпор, и «выключал» их шокером. Но Эрику он не оглушил. К сожалению, стажеры, оказавшие помощь Кнабе, хоть и закончили институт, настоящими профи пока не стали. Парень, который разрезал перочинным ножом удавку на шее бедняжки, очень хотел поскорее освободить девушку. Но он побоялся поранить горло Эрики, ведь кожаный шнурок сильно врезался в кожу, поэтому он отпилил узел и испортил улику — эксперт не смог подтвердить, что его завязал убийца Крафт и Караваевой. Кстати говоря, следователь долго колебался, прежде чем решил завести речь о серийном маньяке. У жертв было мало общего, ну разве что почти совпадал возраст. Крафт — брюнетка, у Караваевой волосы выкрашены в рыжий цвет, Кнабе — блондинка. Галина и Зоя спортивные, с почти идеальными фигурами. Эрика никогда не ходила в спортзал, даже в школе пропускала физкультуру, ее фигура далека от совершенства. Первые жертвы практически без образования, но красавицы, третья — студентка-отличница, редкостная умница, вот только внешность у нее самая простая: милая девочка, но не более того.

— Эрика выбивается из ряда, — отметила я.

— Маньяк никого не насиловал, — продолжил Димон.

— Импотент? — предположила я.

Коробков фыркнул.

— На этот вопрос ответа нет. Может, у него просто крыша съехала. Хотя, думаю, любого маньяка нельзя считать нормальным. Этот ничего у первых двух девушек не взял: ни сумочки, ни украшения, ни телефоны, зато у Эрики прихватил драгоценности и кошелек. А еще исчез ее автомобиль.

— Зачем он ему?

— Отличный вопрос. Но точного ответа нет. Наверное, хотел продать. Кнабе многократно подчеркивал: я детей не балую. Но у Эрики был «Порше» — дорогая тачка. Может, говоря о строгости воспитания, Герман имел в виду, что не купил дочери «Майбах»? Вероятно, в его системе координат «Порше» сущая ерунда.

— Что еще?

— Ничего. На коже жертв отпечатков не нашли, со шнурков снять не сумели. Аккуратный гад! На Эрике ни чужих волос, ни волокон, ни капель слюны, ни кожных частиц не найдено. Как я уже говорил, их смыл ливень. И повторю для лучшего усвоения материала: Крафт с Караваевой обнаружили не сразу. Первая пролежала в лесу около трех дней, вторая больше недели, опять же шел дождь, следы утекли в прямом смысле слова.

— Преступника, конечно, не нашли, — подвела я итог.

— Нет, — пробурчал Димон. — После нападения на Кнабе он затаился, исчез. Все.

— Ты же знаешь, что маньяк не может остановиться. Если начал убивать, то продолжит. Почему же этот пропал? — резонно усомнилась я.

Коробков чихнул, как всегда, прямо в трубку, и в моей голове словно взорвалась петарда.

— Он мог попасть за решетку по другому делу, — запыхтел Димон, — мог тяжело заболеть, умереть, уехать из страны...

Мне пришлось признать правоту хакера:

— Да, исключить такие варианты нельзя.

А Коробков продолжил:

— Общее в трех случаях следующее: нападения были совершены в Битцевском парке, все жертвы — девушки примерно одного возраста, и их фамилии начинались на букву «К»: Крафт, Караваева, Кнабе. Дальше сплошные «не». Между собой бедняжки не были связаны, нигде не пересекались, не имели общих друзей, не посещали один фитнес-клуб или салон красоты, не имели сходных хобби...

— И все же что-то их объединяло, если они очутились в руках преступника, — протянула я. — Ладно, теперь другие вопросы, мелкие, но важные. Проверь, в какую больницу вчера из дома Кнабе доставили Майю Лобачеву, узнай, в котором часу в имение приезжала «Скорая помощь» и какой диагноз у горничной.

— Записано, приступаю к выполнению, — отбарабанил Димон.

— Эй, погоди! — остановила я его. — Мне нужны одежда, зубная щетка и прочие мелочи. Местная начальница разрешила, чтобы все это привезла мне подруга. Желательно получить вещи сегодня.

— Как прикажете, о великий зоодушевед всех времен и народов! — заунывно пропел Коробков. — Ваша лучшая подруга притащит в зубах то, без чего порядочной барышне не обойтись: бальные платья-с, шляпки с вуалями, корсеты, чулочки фильдеперсовые, накладные букли...

Я не стала слушать бред Димона, сунула трубку в карман и медленно пошла в глубь парка.

Чеслав сказал, что Варвара Богданова находится на территории имения Кнабе, значит, она здесь. Работа в отделе приучила меня не задавать вслух вопросы вроде: «А откуда вы знаете, где Варя?» или интересоваться, достоверна ли информация. Если Чеслав указал местонахождение Богдановой, так оно и есть. Наш босс ни за что не скажет, коим образом разузнал про Кнабе, и никогда не назовет имя человека, разыскивающего Варвару, если только, конечно, знание о клиенте не приблизит нас к решению проблемы.

Итак, имеем условие задачи: Богданова в поместье, осталось лишь ее обнаружить. Где она может быть? Либо в здании, либо в укрытии на территории. Зоопарк отпадает, там слишком много не приближенных к семье людей. А вот особняк обслуживает преданный персонал, готовый ради хозяев на многое. Чеслав уверен, что Варвару удерживают здесь силой, следовательно, она не может шнырять по коридорам в образе горничной. Я побывала во флигеле, где живут девушки, внимательно прочитала таблички с фамилиями на дверях и удостоверилась: никакой Богдановой там нет. Да и глупо прятать похищенную среди прислуги. Значит, про помещения, где отдыхают от трудов поломойки и охрана, надо забыть. Полагаю, вам не нужно объяснять, почему я вычеркнула из списка возможного места пребывания Богдановой общежитие секьюрити? Идем далее. Если хочешь спрятать человека, держи его подальше от людных мест. Похоже, Варвара находится либо в хозяйской части здания, либо в парке. Судя по тому, что мне, абсолютно постороннему человеку, разрешили ходить по всем этажам и засовывать нос в любые помещения, Лаура Карловна не боится, что зоопсихолог наткнется на нечто подозрительное. Почему я считаю экономку замешанной в историю с пропажей Богдановой? Думается, в семье Кнабе все происходит с согласия старухи, это она, а не Герман Вольфович рулит всеми делами в поместье. Значит, мне следует сначала сосредоточиться на парке, поискать там маленький домик, сарайчик, накат из бревен. Погода отличная, дня за три я изучу округу. А по ночам продолжу осматривать дом.

Пару часов я бродила по аллеям и лужайкам, рассматривая идеально постриженные газоны и клумбы с буйно разросшимися цветами. Вначале территория показалась мне безлюдной, но вскоре я стала натыкаться на садовников или охранников. Первые самозабвенно орудовали граблями, секаторами и тяпками, вторые выныривали из самых неожиданных мест или проносились мимо на велосипедах. Все мужчины вежливо здоровались. Уж не знаю, вышколила ли их Лаура Карловна, видели ли они у меня брошку-пропуск или просто были воспитанными людьми.

Никаких построек, кроме двух фонтанов, я не обнаружила. В процессе прогулки я набрела на Емелю, который принимал солнечные ванны около садовой скульптуры, бездарно прикидывавшейся статуей Венеры Милосской. Я приняла было тушу пса за кучу мусора и, приближаясь к нему, самозабвенно чихнула. Волкодав подпрыгнул, встал на лапы, незамедлительно рухнул без чувств, но довольно быстро пришел в себя и решил сопровождать меня с Гензой.

Так приятной компанией мы доплюхали до зарослей сирени и замерли на месте. Дорожка закончилась, я решила повернуть влево, но тут ирландский охотник на хищников нырнул в глубь кустарника и с грацией боевой машины пехоты начал ломать ветки.

— Немедленно прекрати! — приказала я.

Емеля не послушался, наоборот, лишь сильнее засопел. А потом внезапно взвизгнул.

— Получил? — с явным злорадством произнес вдруг мужской голос. — Попался?

Я подскочила и оглянулась по сторонам. Вокруг никого, стою одна. Вернее, с Гензой, но рукохвост не умеет говорить.

Емеля издал жалобное постанывание.

— Сейчас тебе мало не покажется, — пообещал баритон. — Не задирай Македонского!

Сообразив, что звук несется из-за сирени, я пригнулась, раздвинула ветки руками, протиснулась сквозь кусты и очутилась на... огороде.

Вскопанные грядки зеленели укропом, петрушкой и салатом, чуть поодаль из земли торчали большие листья, похожие на лопухи. Но вряд ли человек станет сажать то, что беспрепятственно растет в любом овраге, значит, я вижу не сорняк, а неизвестную мне сельскохозяйственную культуру.

Узкая дорожка, окаймленная битым кирпичом, вела к лубочной избе, покрашенной в небесно-голубой цвет. На секунду мне показалось, будто я попала в сказку. У домика было резное крылечко, на котором восседал огромный черный кот, и ставни с прорезанными посередине отверстиями в виде сердечек, из распахнутых окон вывешивались белые кружевные занавески. На скамеечке, стоявшей около небольшой клумбы, сидел дед с длинной лопатообразной седой бородой. Определенно передо мной был тот самый Степан, пугавший горничных историями про Клауса!

Старик носил одежду, будто созданную для героя голливудской ленты, посвященной России. На нем была красная косоворотка, подпоясанная золотым шнуром, и бежево-серые льняные брюки. На какую-то секунду мне показалось, что на ногах у него лапти, но я присмотрелась и поняла: нет, это вполне современные кроссовки с белыми махровыми носками.

У крыльца, причитая на разные лады, тряс головой Емеля.

— Что вы сделали с собакой? — возмутилась я. — Немедленно прекратите!

Степан повернул голову.

— Коли пришла на чужой двор, не кидайся пантерой на хозяина, поздоровайся вежливо, а уж потом свару затевай. Собаку я никогда не трону, даже такую бестолковую, как Емеля. Он на Македонского блажит, на кота моего, у них вечное выяснение отношений. Ну, знакомиться будем?

— Добрый день, — опомнилась я.

— И тебе, Татьяна, хорошей погоды, — не остался в долгу пенсионер.

— Откуда вы знаете мое имя? — вырвался у меня вопрос.

— Так на лбу у тебя огромными буквищами написано: Татьяна, — без всякой агрессии объяснил Степан.

— А что еще вы видите? — прищурилась я.

Колдун кашлянул.

— Все. Мужа не имеешь, детей тоже, нанялась к ироду за живностью ухаживать. Хочешь похудеть, думаешь, если килограммы уйдут, жизнь наладится, счастье придет. Это ошибка. Сначала надо внутренность менять, тогда и внешность перелицуется.

Я изобразила восхищение его банальным прогнозом.

— Ой! Здорово! Вы не пробовали в телешоу участвовать? Ну там, где экстрасенсы соревнуются...

Степан кашлянул в кулак.

— Не смотрю телевизор, не обзавелся.

Я обвела взглядом избушку и потупилась.

— Что-нибудь еще скажете?

Дед встал.

— Охо-хо, грехи наши тяжкие. Погадать пришла? Так я не раскидываю картишки, цыганским ремеслом не владею. Да я о тебе и без королей с дамами правду скажу. Училась много, психологом стала, но не людским, а для животных. Родителей рано схоронила, живешь в маленькой квартире на шумной улице. Судьба тебе, как всем, подбрасывала шансы, да ты ими не воспользовалась. Знаешь закон ступенек?

— Нет, — быстро ответила я.

— Иди в избу, — велел колдун. — Только тапки сними, нельзя в чистую комнату грязь нести.

Мне пришлось послушаться. Степан пошел за мной, не прекращая говорить:

— Человек разом счастья ждет, хочет во вторник больным да бедным заснуть, а в среду здоровым и богатым проснуться. А вот когда десять лет деньги тяжелым трудом зарабатывал, то это и не радость вовсе, а рутина. Но ведь если получил капитал, так радуйся! Однако надобно все одним махом получить, вот тогда сладко. Сказки почитай, в них все народные мечты: щука, которая желания выполняет, фея, дарящая богатство, кот, помогающий хозяину. А где собственные усилия? В жизни все иначе — судьба подставляет первую ступеньку: поступи в институт и учись отлично. Потом идет вторая — работай хорошо. Ну и дальше, пока в президенты не вышел. Нет такого, чтобы в двадцать лет и царь! Иди по ступеням, благодари, что они есть, старайся, и воплотишь мечту. А то прибегут, заноют: «Дедушка, примани жениха! Хочу богатого, молодого, красивого, чтоб на курорты возил, колечки дарил, меня обожал, на руках носил, ноги целовал». Во какого им надо и ни на пылинку меньше! Спросишь у девки, сама-то она что для своего счастья делает, а та глазья вылупит и блеет: «Муж меня обеспечит, раз женился, то обязан и от всех забот избавить».

Ладно, посиди тут, поскучай пару минут.

Степан вышел за дверь, а я стала осматриваться. Мебель «времен Очакова и покоренья Крыма», на книжных полках толстые старинные книги. Стол покрыт скатертью, поверх лежат газеты и стоит фарфоровая тарелка с синим узором, на ней крошки от пирога. Стулья с чехлами, на диван наброшено протертое гобеленовое покрывало, под потолком оранжевый абажур с бахромой. Пол из крашенных в темно-коричневый цвет досок кое-где прикрывают домотканые половики.

Я постаралась бесшумно встать, на цыпочках подошла к неплотно закрытой двери и заглянула в щель. Да, в соседней комнате другой пейзаж: хорошая мягкая мебель, пушистый ковер и плазменная панель на стене. Может, намекнуть Степану на прорехи в его легенде, мол, если громогласно заявляешь о том, что не имеешь в доме телевизора, зачем тебе антенна на крыше?

Глава 11

Я могу совершить глупость, и чаще всего это происходит, если оказываюсь в неожиданной ситуации. До сих пор я не в состоянии забыть, как в школьные годы ездила с классом в Ленинград на экскурсию. Красоты города я не заметила, потому что всю неделю смотрела на Ваню Романкина, в которого влюбилась по уши. Ваня считался королем класса и не обращал ни малейшего внимания на толстуху с последней парты. Пять лет я мечтала очутиться с Романкиным на необитаемом острове, выжить, например, после авиакатастрофы и остаться с Ванькой там, где нет ни одного человека. Сейчас я понимаю, что избалованный девичьим вниманием Иван не снизошел бы до дружбы с уродиной Сергеевой, даже очутившись на Марсе. Но в юные годы нам свойственны иллюзии, и я думала: вот бы случайно оказаться с ним наедине...

И судьба неожиданно предоставила мне такой шанс. В один из дней нас повезли на экскурсию в Ленинградскую область, привели в очередной дворец и начали гонять по комнатам, набитым пыльной мебелью. Я, конечно же, смотрела не на экскурсовода, а следила за Ваней, который внезапно отделился от толпы и метнулся в коридор. Я побежала за своим любимым и нашла его в полуподвале, перед дверью с прозаической табличкой «Туалет». Справа от нее сидела на стуле старуха с вязаньем, слева на веревочке висел рулон бумаги.

— Ну тетенька, — ныл Романкин, — мне туда очень надо.

— У нас за деньги, — меланхолично отвечала бабка. — Три копейки малое дело, пятачок большое, если то и другое, то выйдет восемь. Гривенник не приму, сдачи нет.

— Бабушка, — плаксиво тянул Ваня, — в тубзик всегда бесплатно пускают!

Напомню вам, что речь идет о моем детстве, тогда никто не слышал об отправлении естественной нужды за деньги.

— Нам бюджета на ремонт не дают, — окрысилась пенсионерка, — райотдел культуры разрешил туристов за плату обслуживать. Давай монетки и заходи.

— У меня нету денег, — застонал Романкин, — я купил стаканчик с мороженым, мама больше не дала.

— Нет наличных — нет толчка, — философски ответила служащая.

Ванька засопел, и тут настал мой час. Я вынула из кошелька восемь копеек, бросила их на фарфоровое блюдечко со щербинкой и воскликнула:

— Здесь за все, за малое и большое. Иди, Вань, угощаю от чистого сердца.

Романкин обернулся, увидел меня, покраснел, как свекла, и растерялся. Я сообразила, что совершила бестактность, попятилась и налетела на двух прыскающих в кулак одноклассниц: Лену и Олю, самых отвязных сплетниц и врушек. Старуха заржала, как пьяная лошадь:

— Иди, женишок, невеста тебя пожалела!

Романкин кинулся в сортир, Лена и Оля от хохота сползли по стене, я предпочла удрать. А вскоре вся школа знала, что Сергеева совсем потеряла голову от любви к Романкину. Народная молва сильно исказила факты, одни уверяли, что мы целовались, сидя на унитазе, другие сообщали, будто обнимались у рукомойника, а потом я ему заплатила.

Смешно, но мой рейтинг сильно повысился, Ванькин же, наоборот, упал. Но интересно другое:

мое горячее чувство к Романкину испарилось без следа в тот момент, когда я, провожаемая повизгиванием девчонок и гоготанием старухи, летела вверх по лестнице, мечтая очутиться за тридевять земель от туалетного подвала.

Вот какая хрупкая вещь любовь, никогда не предлагайте кавалеру денег для посещения сортира, последствия могут быть непредсказуемыми.

Я улыбнулась своим воспоминаниям и посмотрела на стол. Однако, симпатичная посуда у деда! Я взяла тарелочку и перевернула ее. Она была изготовлена в Германии на всемирно известном заводе, специализирующемся на производстве дорогой столовой посуды, а крошки, упавшие на клеенку, похоже, ранее принадлежали песочному пирогу с черникой, вон лежит одна смятая ягодка.

— Так чего ты хотела? — спросил Степан, входя в комнату.

— Говорят, по дому привидение ходит, — прошептала я.

Колдун не стал меня успокаивать.

— Верно, его Клаусом зовут.

— Он опасный?

— Запросто убить может.

— Ой! — взвизгнула я. — Дедушка, а за что?

Степан погладил бороду и весьма складно изложил сказку. Она практически ничем не отличалось от историй, услышанных мною ранее. Но надо отдать деду должное: он был великолепным рассказчиком, в нужных местах делал драматические паузы, то повышал голос до визга, то понижал до баса, сопровождая повествование живой мимикой. После того как Степан умолк, я спросила:

— А днем, при белом свете, Клаус не появляется?

— Нет, — усмехнулся дед, — если в развалины не пойдешь, жива останешься. А вот как только стемнеет, сиди тихо!

— О каких развалинах вы говорите? — заинтересовалась я.

Степан положил на стол тяжелые руки с натруженными работой пальцами.

— Раньше здесь деревня была, в Харитоновке много народа жило, имелась и церковь, знаменитая, даже в Москве про нее известно было. В ней на Рождество чудо случалось, являлся народу ангел белый с крыльями. Я сам этого не видел, храм большевики разрушили, иконы сожгли, а здание под зернохранилище приспособили. Но мама моя лицезрела божьего посланника.

Сообразив, что Степан завел новую историю, я решила не перебивать старика. И скоро узнала еще одну местную легенду.

Здешний батюшка, увидев, как бывшие прихожане разносят церковь в щепки, попытался усовестить мужиков, но те, озлобившись, убили священника. Ночью к зачинщику безобразий Пантелеймону Фролову явился дух казненного и печально сказал:

— Я вас простил, а Господь не хочет. Пропала Харитоновка.

И с той поры обрушились на деревню несчастья: здесь рано умирали взрослые, не рождались дети, плохо росли овощи на огородах, яблони, сливы и вишни вечно съедал червь. Если по всей области светило солнце, то в Харитоновке лил дождь.

В конце концов тут остался один Степан да развалины той самой церкви.

— Когда новый барин землю покупал, — талдычил дед, — я его предупредил: «Лучше не связывайтесь с проклятым местом, найдите другой участок». Но разве богач нищету послушает? Вот он и получил Клауса! Тот из церкви на охоту выходит, я видел его много раз. Не шастай туда, можешь пропасть. Гиблое место. Там всегда скотина пропадала, зайдет в развалины коза или корова, ан нет ее потом. Клаус ее забьет и сожрет! Из-под земли иногда жуткие звуки несутся — крик, вой, рычание. Это черти с Клаусом играют. Хочешь в живых остаться?

Я старательно заклацала зубами.

— Да, дедушка.

— Тогда послушай меня, не приближайся к останкам храма.

— Да, дедушка!

— Лучше туда не заглядывать.

— Да, дедушка, — шептала я. — Ой! Страшно-то как! А вы один живете?

— Как перст, — подтвердил Степан.

— Можно у вас комнатку снять? — заныла я. — Коленки трясутся от жути, теперь ни за какую зарплату не хочу в хозяйском доме ночевать. Вдруг Клаус решит в мою спальню зайти?

Степан сообразил, что перегнул палку, и дал задний ход.

— Неприлично молодой женщине с мужчиной в одном доме жить, это лишь родственникам положено.

— Вы старик, — схамила я, — ни одна душа дурного не заподозрит.

Дед крякнул.

— Я не сдаю комнат, их здесь всего две. Эта и спальня. Запомни: Клаус только по коридорам бродит. Услышишь звон и барабанную дробь, сиди тихо. И он нечасто вылезает.

— Значит, можно в недействующую церковь заглянуть? — захлопала я в ладоши, изображая инфантильную крошку килограммов на восемьдесят.

Дед быстро погасил вспыхнувшую в глазах досаду. Наверное, он уже возненавидел дурочку, свалившуюся ему на голову. Остальные-то горничные быстро пугались Клауса и, поджав хвост, убегали в особняк, а я то трясусь от ужаса, то собираюсь на экскурсию в разгромленный храм. Ну как справиться с такой идиоткой?

Степан потер руки, дунул на них, сжал пальцы в кулаки, поднес их к моему лицу и раскрыл ладони. Я невольно отшатнулась.

Дедушка ласково улыбнулся.

— Не бойся. Я подселил к тебе охрану, в случае чего она отвернет беду. Но на рожон не лезь, к храму не приближайся, там силы Сатаны орудуют. Помнишь, как я о тебе всю правду рассказал, сразу твое прошлое увидел?

— Да, дедушка, — ответила я смиренно.

— Значит, мне можно верить?

— Да, дедушка.

— Слушай меня, милая! — торжественно объявил колдун. — Работай похвально, и радость придет — через полгода замуж выйдешь.

— Ой, правда, дедушка? — запрыгала я на отчаянно скрипящем стуле. — Ой, а вы не врете?

— Зачем бы мне лгать? — серьезно спросил Степан. — Иди в дом, ничего не бойся!

— И как вы один живете?.. — запричитала я, надевая обувь.

— С божьей помощью и молитвой, — назидательно произнес ведьмак.

— Может, вам еды принести? — приставала я.

— Нет необходимости, — отмахнулся Степан, — я постоянно пощусь, а кашу сварить легко.

— Хотите, полы вам помою?

— Ступай с миром, — заскрипел зубами Степан.

— Совесть мне не позволяет так уйти, — плаксиво завела я. — Денег вы не берете, помощи не принимаете... Помогли хорошим советом, долг теперь повис на мне камнем.

— От взялась на мою голову! — гаркнул дед.

Стоявший чуть поодаль Емеля всхлипнул и повалился на бок.

— Ладно, выброси помойку, — распорядился Степан. — Вынь пакет, завяжи его да отнеси к бачкам. В парке у барина не кидай, мусорить грех. Хоть и чужая территория, да земля у людей одна. Сделаешь кому гадость, она к тебе сторицей вернется.

Я бросилась к ведру, стоявшему у крыльца, успевший очнуться Емеля побрел за мной.

— До свидания, дедушка! — помахала я Степану.

— Иди, иди, — едва сдержал раздражение старик, — авось больше не встретимся.

Пакет с отбросами оказался тяжелым. Я, преодолев брезгливость, отошла подальше от владений Степана, развязала тесемочки и стала изучать мусор. Дед хитер, ловко прикидывается лешим и колдуном в одном стакане, твердит о своем отшельничестве, о постоянном соблюдении поста, ненависти к телевизору и наверняка производит на не очень умных местных служащих жуткое впечатление. Но Таню Сергееву Чеслав принял в группу за умение видеть мелочи, и у меня возникла масса вопросов.

Оставим в покое антенну и плазменную панель, многие пожилые люди, с пеной у рта осуждая политику телеканалов, втихаря смотрят и «Дом-2», и криминальные сериалы, и «Секс в большом городе». Ну стыдно им признаться, что они засыпают, включив кнопку «Культура», и оживают, наблюдая за молодежными разборками, погонями со стрельбой и эротическими приключениями веселых дамочек. Но откуда у отшельника пластиковый мешок для мусора? Пенсионеры предпочитают по старинке выстелить ведро газетой или засунуть в него бесплатный пакет из супермаркета. Полиэтилен для мусора стоит денег, которые, в прямом смысле слова, уйдут на выброс. С крошечной пенсией надо экономить, а у Степана дорогой мешок с завязками. Где его наш отшельник приобрел? Он вызывает на дом службу, доставляющую товары?

На столе у деда я видела фарфоровую тарелку, белую с синим рисунком, на ней остались крошки. Ничего особенного, да? Но вчера к ужину в особняке подавали пирог с черникой, и стопку точь-вточь таких же белых тарелочек с синим орнаментом я заметила на кухне, когда приходила посмотреть на дергающегося во сне пса поварихи. Кто-то из прислуги отрезал кусок от пирога и принес деду? Но ведь в песочное тесто щедро положены сливочное масло и яйца. Хорош постник!

А еще меня удивил мусор. Бедный старичок питается совсем не по-пенсионерски. Вот пустая упаковка из-под коричневого тростникового сахара. Не так давно я прочитала в одном журнале о крайней вредности рафинада и решила заменить его более полезным темным сахаром. В магазине я потянулась к нужной полке, но меня тут же затошнило, когда я увидела стоимость песка. Поверьте, это не тот продукт, который охотно берут пенсионеры. Что у нас дальше? Стеклянная бутылка из-под оливкового масла и порожняя коробка из-под швейцарского шоколада. Дед Степан, вы тайный лакомка и мерзкий врунишка!

Дальше копаться в отбросах я не стала, для выводов хватит и увиденного. Если сложить вместе цену сахара, масла и конфет, уже получится сумма, которая человеку, живущему на социальное пособие по старости, не по карману. Увы, наше государство не может достойно обеспечить пожилых людей, и хорошо живут те, кто имеет заботливых детей. Сын или дочь принесут родителям вкуснятину, купят лекарства, от себя оторвут, а стариков побалуют. Но Степан утверждает, что одинок. Тогда откуда у него столь дорогие продукты? Напрашивается лишь один ответ: в особняке Кнабе у колдуна есть близкий друг, который разбойничает в хозяйской кладовке.

И последнее по счету, но не по важности соображение. Милый дедуля меня ждал! Он предполагал, что «мамочка» Гензы заглянет к ведьмаку на огонек, не сдержит любопытства, и специально подготовился к моему визиту. Некто, предполагаю, что все та же, приносящая колдуну вкусные пироги, особа, рассказал старику подробности биографии зоопсихолога. И Степан прямо с порога ошеломил посетительницу, изобразив умение читать чужие мысли, абсолютно верно перечислил вехи биографии новой работницы, которая носит на груди рукохвоста: одинока, мечтает о семье, училась на психолога. Любая женщина опешит, услыхав о себе достоверные подробности. Но случился косяк. Я услышала биографию Татьяны Кауфман, а не историю жизни Танечки Сергеевой. Я, как вы знаете, счастлива замужем за Гри[1] и никогда даже не приближалась к факультету психологии. Степан никакой не экстрасенс, он мелкий жулик, который имеет сообщника в доме Кнабе.

Я шла по центральной аллее, высматривая охранника. Дед Степан ловко дурит голову тем, кто к нему обращается, вероятно, нафантазировал он и историю про Клауса. Зачем?

Вдали показался парень в черной форме, едущий на велосипеде, я замахала рукой:

— Пожалуйста, помогите!

---

[1] История знакомства Тани и Гри рассказана в книге Дарьи Донцовой «Старуха Кристи — отдыхает!», издательство «Эксмо».

Глава 12

Секьюрити остановился.

— Добрый день, Татьяна. Чем могу вам пособить?

Еще вчера я дала себе слово не удивляться, принимать все происходящее в имении без удивления, но сейчас забыла о своем решении.

— Мы знакомы?

— Лично нет, — без тени улыбки ответил парень, — но весь состав предупрежден: вам следует оказывать содействие при любых обстоятельствах и затруднениях.

— Уж не знаю, можно ли считать мешок с мусором проблемой, — улыбнулась я. — Нашла его под деревом, хотела оттащить на помойку, но не знаю, где она.

Охранник помрачнел.

— Осторожно опустите находку на землю и медленно, не совершая резких движений, отойдите на безопасное расстояние.

Я посмотрела на черную рубашку собеседника, увидела бейджик с именем «Леонид» и стала успокаивать бдительного стражника.

— Вас зовут Лёней? Понимаю, о чем вы подумали, но никакой бомбы внутри нет, только бытовые отходы. Я заглянула внутрь и увидела исключительно порожние банки и упаковки.

— Никогда не приближайтесь к... — начал укорять меня молодой человек, но его прервал звук пришедшей sms-ки.

Леонид вытащил из кармана мобильный и цокнул языком.

— Сто раз просил не писать мне на работу! Бесполезняк!

— Девушки хотят держать любимых на коротком поводке, — поддержала я разговор.

— Это сестра, ей двенадцать лет, — буркнул секьюрити. — В голове одни тряпки, марки косметики она наизусть знает, ночью разбуди, без запинки ответит, где какая помада продается и по какой цене. А из школы двойки охапками таскает, меня потом мать ругает.

— За что? — удивилась я. — Вы мешаете девочке уроки готовить?

— Она сама кому хочешь жить не даст, и мама ей потакает, — горько ответил Леня. — Меня ремнем в детстве драли, поэтому я хорошим человеком вырос, а Натке любая шалость с рук сходила, видите ли, она девочка. Чуть на второй год не осталась, дали ей задание на лето, сейчас она на экзамене находится. Во, написала: «Кто придумал сказку «Огниво». Я про такую даже не слышал. Знаете, что дальше произойдет? Натка за экзамен «лебедя» огребет, ее в седьмой не переведут, а мать мне выволочку устроит, год грызть будет: «Ты старший, обязан выручать младшую».

— Беде легко помочь. Сказка «Огниво» принадлежит перу автора по фамилии Андерсен.

Леонид недоверчиво прищурился.

— Точно?

— Можешь не сомневаться, — заверила я, — Андерсен.

— Ну спасибо, — с облегчением выдохнул охранник. Начал нажимать на кнопки и неожиданно спросил: — Как пишется — Памела или Помела?

Я растерялась.

— Кто?

Леня потряс сотовым.

— Я Натке ответ пишу. Памела или Помела? Ну имя Андерсен!

— Ганс Христиан, — сказала я. — При чем тут помесь грейпфрута с апельсином? Или что там скрестили, чтобы получить помело.

Леонид тоже перешел на «ты»:

— Ты прикольная! Люблю веселых! Сама ж сказала, сказку написала Памела Андерсен, она в «Спасателях Малибу» снималась. Кинушка старая, но я ее видел. Красиво сделано — море, девчонки...

Меня охватило возмущение:

— Ты никогда не слышал про Ганса Христиана Андерсена?

— Нет, а кто он такой? — разинул рот охранник.

Я решила дать парню урок западной литературы.

— Автор многих замечательных сказок — уже упомянутого «Огнива», «Стойкого оловянного солдатика», «Снежной королевы» и других. Неужели не читал?

— Мультики смотрел, — радостно заявил Леня. — Значит, не Памела? Исправить имя?

— Непременно! А то твоя Наташа точно во второгодницы попадет, — заявила я.

Раздался резкий гудок, на этот раз телефон сработал у меня.

— Танечка, мурлысечка, я привезла тебе чемоданчик, — просюсюкала Марта, — брожу у главных ворот, но местная горилла в форме... кстати, она даже не пытается прикинуться человеком... тупо лает: «На территорию нельзя».

— Сейчас приду, — пообещала я.

— Постарайся прибыть до полуночи, — сахарно-медовым голосом журчала Карц, — мне не хочется ночевать на дороге. Понимаю, тебе тяжело быстро ходить, но...

Я захлопнула крышку мобильника и повернулась к Лене:

— Как добраться до центрального входа?

— По аллее прямо, — отчеканил охранник.

— Далеко?

— Порядочно. А чего?

— Подруга привезла мои вещи, — пояснила я.

Леонид постучал рукой по раме велосипеда.

— Садись, с ветерком домчу.

— Железка погнется, — попыталась я пошутить, — и ты с места не сдвинешься, я вешу много.

Охранник снова похлопал по раме.

— Давай, не кочевряжься, я на нем че только не перевозил. Или боишься? А мешок пусть тут останется, садовники уберут.

Поколебавшись, я боком устроилась на железной трубе, Леня схватил руль и без видимых усилий закрутил педалями. От парня пахло мылом и почему-то конфетами, никакого «аромата» табака или водочного перегара от него не исходило.

Вид Марты, расхаживающей около машины, потряс меня до глубины души. Наша светская львица была одета в розовые бриджи, усеянные стразами, и в белую футболку с принтом голубой собачки. Сегодня Карц явно не успела заглянуть к стилисту, ее длинные белокурые волосы были собраны в хвост, а личико освежал залихватский макияж: свекольный румянец, оранжевые губы, зеленые веки и склеенные тушью ресницы. Но самое шокирующее впечатление производила иномарка, чей год рождения я назвать не берусь. Похоже, тачка в два раза старше дочери олигарха.

— Ну наконец-то! — заорала «подруга» и замахала рукой, на которой болталось штук десять железных браслетов с брелоками. — На животе ползла? Я целый час на солнце прыгаю, мигрень уже началась. Пошли!

Чуть не потеряв одну из туфелек, расшитых «изумрудами», Карц направилась к прадедушке автопрома.

— Ну и карета! — не выдержала я. — И ты в таком... э... необычном виде.

Похоже, необходимость вылезти из-за руля своего выпендрежного авто обозлила коллегу до крайности, а тряпки, взятые у челноков, просто бесили, поэтому Марта зашипела змеей:

— Разве у бабы, засовывающей в слона клизму, может быть подружка на «Бентли» и в приличной одежде? По Сеньке и шапка! Каков поп, таков и приход! Я еле доехала сюда на этой таратайке. А ты, гляжу, времени даром не теряешь, обзавелась кавалером. Весьма трогательное зрелище: Танечка и Ванечка на велике. Вытаскивай багаж сама, я не приспособлена для такой работы. Чего уставилась? Чемодан не нравится? Ну да, не фирма, согласна!

Я оценила размер поклажи.

— Очень уж большой саквояж.

Марта закатила глаза. Потом заорала:

— Эй, ты, на велике!

— Я? — испуганно уточнил Леонид.

— Ты видишь тут отряд велосипедистов? — наехала на него светская львица.

— Нет, — замотал головой охранник.

— Взять кофр и отвезти... — Марта запнулась. — Не знаю куда, Таня скажет. Мне пора. Чао, бамбино!

Карц стукнула по бамперу ногой, на нем незамедлительно образовалась небольшая вмятина.

— Вау! — подскочил Леонид.

— Проблемы? — язвительно спросила Марта. — Живот болит? Котлет пережрал?

— Машину жаль, — по-детски честно признался секьюрити.

Глаза Карц превратились в блюдца.

— Ма-ши-ну? Ну, здоровеньки булы, татары! Машина... Ха! Таз на колесах!

Марта скользнула за руль. Антиквариат, бряцая металлическими частями, на удивление бойко покатил по дороге.

— Вот стерва! — выпалил Леонид.

— Ага, — машинально согласилась я. Но сразу опомнилась: — Не смей так говорить о моей подруге! Она отличный товарищ и просто красавица!

Секьюрити скорчил пренебрежительную гримасу.

— Не заметил привлекательности. Ну, стояли тут замотанные в тряпки грабли... Считаешь свою Марту Мисс мира?

Я не ответила, но Леонид не остановился.

— На Кощея Бессмертного она похожа. Девушка должна иметь здесь — во, а тут — о! Как у тебя. Кстати, что ты собралась делать после работы?

Изумленная странным поворотом беседы, я пробормотала:

— Хотела рано лечь спать.

— Могу тебе парк показать, знаю много красивых мест, — начал соблазнять меня молодой ловелас. — Торопиться нам некуда, если ты сегодня устала, договоримся на завтра.

— Я слышала, здесь есть интересный храм. Древний, построенный при Петре Первом, — прикинулась я любительницей архитектурных памятников. — Хотела его изучить.

Леонид вздрогнул.

— И не думай!

Я изобразила смесь удивления и растерянности.

— Почему?

— Опасно, — коротко отрубил юноша, — ни в коем случае на развалины не ходи.

— Боишься? — решила я подначить Леню.

Но тот вдруг честно признался:

— Ага. Гиблое место! Чуть подальше брошенное кладбище, лес... Мороз по коже продирает! Там деревья высокие, от церкви остались лишь стены, ничего интересного. И привидение ходит злобное. Про Клауса слышала?

— Ты веришь в байки? — поддела я парня. — Трусишка!

— Никто правды не знает! — воскликнул Леонид. — И я его видел.

— Кого? — ехидно ухмыльнулась я.

— Клауса, — мрачно сообщил секьюрити.

— Во сне? — предположила я. — Лег на полянке под деревом, сладко закемарил и...

Охранник замедлил шаг.

— Не-а, на дежурстве дрыхнуть нельзя. В тот день Лаура Карловна позвала меня ящики с консервами для животных из подвала таскать. Я их носил, носил и упарился, решил отдохнуть. Да только где спрятаться? Ну и залез за гору туалетной бумаги. Лаура запасы как перед войной делает, до неба рулоны сложены. Думал, посижу четверть часа, отдышусь...

Я вся обратилась в слух.

Экономка не только предусмотрительна, но еще и бережлива, зажигать свет на всю мощь разрешает лишь в хозяйской части особняка и на кухне, где полумрак не способствует правильному приготовлению пищи. В прочих помещениях ввинчены маломощные лампочки, а уж в подвале почти темнота.

Леню стало клонить в сон, внезапно парень уловил звук шагов и испугался. Неужели Лаура Карловна решила лично проверить, как движется перенос консервов, и сейчас Леня получит пендель. Но уже через секунду парень сообразил: вредная бабка не могла воспользоваться неудобной железной лестницей, и она не станет красться. Лаура шагает по-хозяйски. А еще она, на радость нерадивой прислуге, постоянно что-то бубнит. О приближении бабки горничные узнают заранее, услыхав ее ворчание:

— Безобразие! В центральном коридоре на ковре пятно, а в библиотеке диван не пропылесосили...

Девочки, мирно сидевшие в креслах, вскакивают и принимаются с бешеной скоростью орудовать тряпками и метелками. Когда Лаура предстает перед горничными во всей красе, она видит их при деле и не ругает.

Но сейчас было слышно лишь осторожное и деликатное позвякивание. Леня глянул в дырку между неплотно сложенными упаковками пипифакса и окостенел. По подвалу перемещалась черная фигура в плаще с капюшоном. Рукава хламиды были обшиты по краю бубенчиками. Если шевелить руками, должен возникнуть резкий звон. Но существо не хотело шуметь, шло, не совершая лишних движений. А на шее у него висел барабан.

— Слава богу, меня там не было, а то могла умереть от страха, — честно призналась я.

Леня кивнул.

— Сам еле жив остался. До того я не очень-то верил в Клауса, и вот он, получите, с тамтамом и звенелками.

— Дальше рассказывай! — поторопила я парня.

— Это все, — сказал охранник, — он исчез.

— Куда?

— Фиг его знает! Растворился, — пожал плечами секьюрити.

— Так не бывает, — не согласилась я.

— Ты профессор по призракам? — надулся Леонид. — Хоть одно привидение живьем видела?

— Они все умерли, — попыталась я возразить, — в призрака превращается только покойник.

Леня прибавил шаг.

— Плевать. Дохлый или живой, но он тю-тю.

Я зажмурился, посидел, открыл глаза — пусто. Клаус рассыпался на молекулы.

— Значит, человек ушел, — менторски возразила я.

— Нет, это был Клаус, — замотал головой секьюрити. — В подвале сразу серой запахло, как от дьявола!

— Откуда тебе знать, какой аромат испускает Сатана?

— Бабушка рассказывала, — перешел на шепот Леня, — что перед тем, как Сатана приходит или вон убирается, отвратно воняет. Ты в подвал заглядывала? Не в цоколь, а еще ниже?

— Нет, — призналась я, — даже не знала про него.

Леня поставил чемодан на дорожку, я, кативший его велосипед, тоже остановилась. Парень начал меня просвещать.

— Если спуститься на минус первый этаж, там баня, бильярдная и тренажеры, но ими редко пользуются. Герману Вольфовичу врач запретил, Лаура Карловна старая, а Эрика болеет. Михаил, правда, часто в фитнес-зал заглядывает. В общем, парилка стоит пустая и шары гонять некому, разве что доктор, Бруно Леопольдович, балуется. А вот бассейн хозяева посещают, он расположен в правой стороне цоколя. Около спортзала есть небольшая дверка, распахнешь ее, вниз идет железная лесенка. Лаура животных сильнее людей любит, боится, что им жрачки не хватит, вот и забила весь нижний подпол консервами.

— Странно делать в доме два подвала, — протянула я.

Леня подхватил чемодан.

— У богатых свои причуды. Я тут всего год служу и не видел, как особняк строили, но Павел Михайлович, главный по котлам, за прорабом глядел и нам рассказывал, что Герман Вольфович затеял дом ставить на полянке. Не хотел он деревья вырубать, и место нашел хорошее, кусок свободной земли, ни одной сосны или ели. Начали яму под фундамент рыть и наткнулись на каменное основание. Хозяин в архив обратился, выяснил: в Харитоновке раньше стоял барский дом, очень старый, его даже Степан не помнит. Вот почему такая удобная площадка под застройку нашлась. Сначала думали остатки старого фундамента взрывом порушить, а потом решили их частично использовать. Совсем нижний подвал — древний. Там такие каменюки! Умели раньше строить, за много лет ничего не покосило, не повело. Я слышал, в те времена вместо цемента брали яичный белок. А сейчас — стены из картона, потолок тряпичный, живи, как поросенок Наф-Наф и его братья...

Глава 13

Генза с одного раза понял: ему можно капризничать во время еды. Поэтому в обед мой «сыночек» с недовольным фырканьем отверг положенные ему овощи и фрукты, отвернулся даже от сочного манго. Зато рукохвоста привлекла телячья котлетка, и он слопал ее без остатка, а потом принялся благодарно облизывать мне пальцы.

— Надеюсь, у тебя не случится понос, — сказала я, меняя капризнику памперс, — давай договоримся: вечером ты все же осилишь яблоко.

Генза зевнул и закрыл глаза. Все правильно, поел, теперь можно и поспать.

Дверь в комнату приоткрылась, появилась Надя.

— Прости, если помешала, — чуть задыхаясь, сказала она, — но Герман Вольфович напоминает, что ужин сегодня начнется в двадцать один ноль ноль, на час позднее обычного. Ты знаешь, где малая столовая?

— Нет, — ответила я, — пока я ела в своей комнате.

Горничная сложила руки под передником.

— Тебя не предупредили, что по пятницам ужин всегда общий? Это традиция, ее не нарушают. Собираются все, кто живет или гостит в имении. Нужно надеть красивое платье, сережки. Понимаешь?

— Нельзя пропустить мероприятие? — заныла я.

Надежда прислонилась к косяку.

— Можно. Допустим, ты заболела, лежишь с температурой. Ты боишься Германа Вольфовича?

— Нет, просто не люблю семейных посиделок, — призналась я. — Во время таких сборищ непременно кто-нибудь поругается.

— Тебя не тронут, — успокоила новая приятельница, — поешь потихоньку и баиньки. Это большая честь сидеть с Кнабе за одним столом, мне такой не дождаться. Значит, ровно к девяти рули на второй этаж. Поднимешься по лестнице, очутишься в холле со статуями, повернешь налево и дуй до конца. Последняя дверь по коридору — вход в малую столовую. Смотри не опоздай, Герман Вольфович не выносит непунктуальности.

Я лишь вздохнула в ответ. Надя унеслась по своим делам, а я стала разбирать чемодан и поняла, что в нем лежат совершенно новые вещи, не мои: все достаточно скромные, но отличного качества. Больше всего мне понравился светло-серый костюм из шелка, он запросто мог сойти за вечерний наряд. Тот, кто прислал мне гардероб, оказался очень предусмотрительным, не забыл про колготки, нижнее белье и обувь.

Если ваш вес больше восьмидесяти килограммов, вы потратите не один день, носясь по магазинам в поисках шмоток, которые хорошо сядут на фигуру. Платье или блузку с юбкой в конце концов можно найти, а вот с бельем настоящая драма. Красивый лифчик пятого размера столь же редкий гость на прилавках столичных магазинов, как зебра в партере Большого театра.

Я искренне не могу понять: почему в эпоху прославления большого бюста и повального увлечения силиконом на прилавках красуются крохотные тряпочки, пригодные для неразвившихся девочек? В общем, если добрый боженька наградил вас пышной грудью, забудьте о роскошном белье. Всякие там кружева, цветочки, ягодки, стразы и прочая красота предназначены лишь для тех, кто носит первый и второй размеры. Обладательницам аппетитных форм предлагается розовый ужас на пяти крючках, скроенный в виде чехла для футбольного мяча. Пардон, для двух мячей. Впрочем, описанный мною выше вариант строчится на российских фабриках, но и те, что ввозятся из стран не очень ближнего зарубежья, ненамного лучше.

Наиболее привлекательны немецкие модели, но они простые, как грабли, никаких украшений, так называемое «белье фрау», глубоко замужней дамы, обремененной детьми, хозяйством и более всего ценящей в одежде удобство.

Конечно, на свете существуют фирмы, выпускающие потрясающие комплекты для пышечек. Одна из них бойко торгует в Москве, но стоит белье таких денег, что у меня при виде ценника начинается нервный тик. Один раз я не выдержала, зашла в бутик и примерила изумительной красоты лифчик. Поверьте, сняв его и нацепив свой розовый практичный вариант, я ощутила себя униженной. Вот ведь странное дело, бельишко под платьем никто не видит, зачем же комплексовать? Но я-то знаю, *что* там, под кофточкой, и испытываю чувство неполноценности, как будто натянула под брюки рваные колготки. Ясно же, что целые жалко, они дорогие и лучше носить их с юбкой, а джинсы скроют дырки и «дорожки», нужно быть экономной, но как обидно носить дрань!

Я вытащила из саквояжа тот самый, только что упомянутый мною дорогущий комплект и в первую секунду испытала прилив восторга. Это мне? А кому же еще! Ни Чеславу, ни Димону, ни моему мужу Гри не нужны бюстгальтеры. Потом мне стало неудобно. Вещи явно приобретала Марта, а она привыкла не экономить на себе любимой и по привычке отправилась в самую дорогую лавку в городе. Деньги на покупки ей выдал Чеслав. Не дай бог он решит, что я воспользовалась ситуацией и затребовала обновки ценой в годовой бонус старшего менеджера нефтяной компании!

Недолго думая, я схватила телефон.

— Слушаю, — ответил Чеслав.

Разговор я начала издалека.

— Я получила чемодан, спасибо.

— О чем ты? — недоуменно спросил начальник.

Что ж, надо действовать прямо. Как все мужчины, Чеслав не понимает тонких намеков.

А вот кстати...

Хотите, чтобы спутник жизни что-нибудь для вас сделал? Говорите ему о своих желаниях откровенно, иначе получится, как у моей соседки Гали Тарасовой.

Галка мечтала получить на день рождения колечко, но боялась показаться жениху Сергею корыстолюбивой, поэтому привела его в ювелирный магазин и сказала, показывая на прилавок:

— Милый, я абсолютно не готова принимать дорогостоящие подарки. Отвратительно, когда девушка выпрашивает КОЛЬЦО! Вот, например, такое, как ЭТО! Мне не нужно ТАКОЕ КОЛЬЦО, я не расчетлива, мне нравятся полевые цветы, ромашки, васильки, я равнодушна к КОЛЬЦАМ. Конечно, если мужчина дарит ТАКОЕ кольцо, он признается тебе в любви, и это всем понятно. Но я никогда не потребую подобного проявления чувств.

Ясное дело, что после проведенной артподготовки Галка с замиранием сердца ждала прихода жениха на свой праздник. Ежу понятно: парень должен был правильно понять заявление любимой и ринуться в золотых дел лавку, горя желанием продемонстрировать свои глубокие и трепетные чувства. Надеюсь, вы в течение жизни не испытаете эмоций, которые охватили Галку, когда Сережа протянул ей букетик чахлых ромашек и заявил:

— С днем рождения, дорогая! Я хотел купить тебе браслет или кольцо, но вовремя узнал, что украшениям ты предпочитаешь полевые цветы.

Только дураки учатся на собственном опыте, я предпочитаю делать выводы из чужих ошибок, поэтому сейчас заявила без экивоков:

— Я не просила приобретать мне обновки, можно было съездить ко мне домой и взять из шкафа необходимые вещи.

— Извини, не понимаю, — буркнул Чеслав. — Я занят, насчет покупок звони Марте!

Я отложила телефон. Ладно, потом разберусь. Похоже, начальство не сильно обеспокоено тратами. Ой, а это что такое? На самом дне чемодана обнаружились часы — симпатичный будильник в виде пожарной машины. Повертев в руках безделушку, я поставила ее на письменный стол и позвонила Димону.

— «Скорая помощь» вчера в имение не приезжала, — отрапортовал Коробок, — ни в одной из клиник Москвы Майя Лобачева не зарегистрирована!

Я вздрогнула. Вспомнила бледное лицо девушки, то, как она лежала на траве, не моргая глядя вверх, подумала о мешке, который искали в бельевой Костя и Влад, затем про длинный тюк, который они же ночью клали на электрокар, и пробормотала:

— Спасибо.

— Эй, ты в порядке? — забеспокоился хакер.

Я попыталась придать беседе обычный шутливый оттенок.

— Нормалек! Для джинна — исполнителя желаний есть новое задание. Дед Степан.

— И чего? — не понял Димон.

— Герман Кнабе купил землю, на которой ранее стояла деревня Харитоновка. Из прежних жителей остался лишь Степан. Можешь добыть о старике сведения?

— Нам нет преград на море и на суше! — заорал Димон. — Я помчался на оленях к полюсу безграничных знаний!

— Удачной поездки, — пожелала я и отсоединилась. Но засунуть трубку в карман не успела — та затрезвонила.

— Здравствуйте, — сказал незнакомый женский голос. — Нужен ваш совет: карликовый кролик по кличке Чарлик остолбенел. Мы с таким явлением встречаемся в первый раз! Подскажите, что сделать, дабы вернуть Чарлика к обычной жизни?

Мне сразу вспомнились идиоты, заключившие пари о покупке билетов на поезд Москва — Нью-Йорк, мужик, который хотел накормить кота печенкой, и тетка, решившая купить отпугиватель от дивана.

— Здесь не справочная, — отрезала я, — внимательно набирайте номер.

— Татьяна Кауфман? — робко уточнила собеседница.

— Сергеева, вы не туда попали, — брякнула я и прикусила язык.

— Простите, простите, — рассыпалась в извинениях незнакомка и отсоединилась.

Не успела я отругать себя за глупость, как телефон снова ожил. Я догадалась изменить голос и пропищать:

— У аппарата зоопсихолог Татьяна Кауфман. Кто беспокоит?

— Рената Маленкова, — представилась та же самая женщина, — я из питомника, у нас беда. Лаура Карловна посоветовала обратиться к вам. Сделайте одолжение, подойдите в третий павильон, очень-очень вас жду.

— Уже лечу, — пообещала я и поспешила в парк.

Не знаю, насколько большую территорию занимает питомник, но павильон номер три напоминал детский сад: небольшое двухэтажное здание и просторный двор для прогулок.

— Видите там, у сосны, на задних лапах стоит карликовый кролик? — нервно одергивая синий рабочий костюм, спросила Рената.

Я прищурилась, заметила в отдалении серую тушку и удивилась.

— Если зверь ростом около полуметра считается карликом, то какой тогда нормальный заинька?

Маленкова вздохнула.

— Мы его слегка перекормили, давали много витаминов и минеральных добавок. В придачу Чарлик отчаянный попрошайка, кругами ходит, в глаза заглядывает, ну и сунешь ему кусочек одного, шматочек другого, крошечку третьего. Знаю, что не положено, но сердце не камень, а Чарлик пользуется моей слабостью. Вот и перерос немножечко.

Хотя, вот странность, сейчас он выглядит немного ниже и тоньше, чем обычно.

Я оглядела кролика, смахивающего на мешок сахара с ушами, и не стала педалировать тему размеров зайки, только спросила:

— В чем проблема?

Рената запричитала:

— Сегодня приезжал фотограф. Лаура Карловна всегда заказывает на Новый год календарь с животными. Наших питомцев снимают для каждого месяца — по одному, и на обложку помещают разных. На этот раз Лаура Карловна захотела сделать главным Чарлика! Кролик милый, ласковый, абсолютно не агрессивный, поэтому он не сопротивлялся навязанной ему роли фотомодели, покорно сидел под деревом. Но потом Виктор решил использовать вспышку...

К сожалению, Рената не застала сам момент съемок. Она отлучилась на пару минут в здание, а когда вернулась, фотограф уже собрал свою сумку.

— Сделали фото? — обрадовалась Рената.

— Отлично вышло, — похвастался тот. — Правда, Чарлик слегка испугался вспышки, теперь сидит, не двигается, не волнуйтесь, минут через десять он оживет, это естественная реакция.

Маленкова не имеет специального образования, она не ветеринар, а простой служитель, в задачу которого входит кормление животных, уборка вольеров и прочее. Если доктор выпишет больному четвероногому таблетки, Рената обязана дать их любому, даже бегемоту, но сама она не имеет права ни на какое решение.

Как назло, сегодня дежурный ветеринар отправилась закупать необходимую фармакологию и корма. Рената осталась одна с мелкими животными и абсолютно не понимала, что делать с Чарликом, который замер столбом. С подобным казусом Маленкова никогда не сталкивалась.

Сначала она особо не встревожилась. Спустя пару минут попыталась позвать Чарлика, но тот даже не пошевелился.

— Помогите... — ныла Рената, — очните Чарлика, вы должны уметь проделывать такое...

— Угу, — пробормотала я, даже не хихикнув, услышав замечательный глагол «очните».

Впрочем, а как сказать правильно? Прогнав некстати проснувшегося во мне учителя словесности, я решила изобразить настоящего ученого.

— Методы очухивания зверей от шока детально не изучены. Вы пытались воздействовать на способность Чарлика двигать лапами, обратившись к его гастрономическому инстинкту? Думаю, вид и запах любимого яства должен пробудить электрические цепи мозга и послать сигнал к мышцам.

— Чего? — растерянно попятилась Маленкова. — Хотите Чарлика к розетке подключить? Лучше не надо!

Я перешла на нормальный язык:

— Кролик любит пожрать?

— Обожает, — обрадованно кивнула Рената, — метет все подряд.

Мою ногу пронзила боль, я взвизгнула и схватилась за щиколотку. Чуть пониже косточки выступили две капли крови, а рядом из аккуратно постриженной травы высунулась небольшая ящерица темно-фиолетового цвета. Я испугалась.

— Она меня укусила!

Маленкова присела на корточки.

— Дайте погляжу... Совсем чуть-чуть, ерунда. Хотите, йодом помажем?

— Пожалуй, да. Лучше продезинфицировать ранку, — согласилась я.

— Сейчас принесу раствор, — пообещала служительница, пошла к дому и завернула за угол.

Я решила последовать за Ренатой и тоже обогнула здание. Но, не дойдя до крыльца, оцепенела, как кролик Чарлик. Сбоку от входа в павильон лежал огромный тигр, время от времени лениво помахивающий хвостом.

Глава 14

Ну согласитесь, меньше всего ожидаешь встретить в Подмосковье хищника на вольном выпасе. Даже если приходишь в зоопарк, то в душе твердо уверен: усатые-полосатые сидят в крепко запертых клетках. Мои ноги вросли в землю.

Тигр, похоже, спал, положив большую голову на мощные лапы. Одно ухо у него оказалось раздвоенным, а на носу розовело трогательное пятно. Сейчас кровожадный хищник походил на мягкую игрушку для великана. Но не успела я восхититься мирным видом «кошечки», как тигр зевнул, продемонстрировав длинный язык, черное нёбо и устрашающие зубы. Затем зверь потянулся, встал, отряхнулся, открыл глаза и... пошел прямо на меня.

Меня оторвало от земли неведомой силой, в спине заработал реактивный двигатель, и я не помню, как очутилась в домике за плотно закрытой дверью. Рената стояла у шкафа с лекарствами.

— Что случилось? — изумилась она.

Я, буквально рухнув на круглую белую табуретку, зачастила:

— Там тигр! Он свободно ходит по территории! Наверное, сбежал из вольера! Несчастный Чарлик, его сейчас сожрут, даже ушей не останется!

Маленкова засмеялась и подошла к окну.

— Ты имеешь в виду Артура?

Я кое-как сумела прийти в себя.

— Он мне не представился. Может, и хотел вручить свою визитную карточку, но я предпочла удрать.

— Зря нервничала, — продолжала веселиться Маленкова, — Артур очень милый. Он раньше в цирке выступал, потом Герман Вольфович его купил, и сейчас тигр на заслуженной пенсии. Хочешь познакомиться с ним поближе?

— Не испытываю ни малейшего желания, — откровенно призналась я, — не выйду отсюда, пока его не запрут. Тебе не жаль Чарлика?

— Кролик не пострадает, — легкомысленно заявила служительница.

Я не удержалась от ехидства.

— Артур вегетарианец?

— Иди сюда, — поманила меня Рената, — глянь в окно.

Я подтащилась к подоконнику.

— Посмотри внимательно, — велела Маленкова.

Я оглядела тигра, тот принял позу служащей собачки. То есть сидел на задних лапах, а перед-

ние, поднятые до уровня мощной груди, странно
вытянул вперед и держал в воздухе.

— Ну? — толкнула меня в бок Рената. — Почему, думаешь, Артур так устроился? Не поняла? Он
опирается на...

— На стекло! — ахнула я. — Надо же, я не заметила от страха столбов, к которому оно крепится.

— Это не стекло, а прозрачный пластик, — поправила Маленкова. — Наверное, крутых денег заборчик стоил, не царапается, не мутнеет, грязь и
пыль к нему почти не пристают. Раз в неделю заграждение специальным составом обрабатывают, и
оно как бы с воздухом сливается. Хорошо жить
тигром в богатом имении! Сильно ты перепугалась?

— Не передать словами, — выдохнула я, — даже
щиколотка болеть перестала.

— Клин клином вышибают, — кивнула Рената. — Ставь ногу на табуретку, обработаю укус.

Когда мы с ней вновь вышли во двор, Артур
уже ушел.

— Чарлик, Чарлик, — начала надрываться Маленкова, — хочешь яблоко? А манго? Банан, Чарли, банан!

— Кролик не обезьяна, — попыталась я остановить служительницу, — дай ему капустки или морковки.

— Это же Чарлик, — хмыкнула Рената. — Он,
поганец, больше всего на свете обожает гамбургеры с кетчупом, но сейчас под рукой котлет с булками нет.

— Оригинально... — протянула я, глядя на неподвижную фигурку — кролик абсолютно не шевелился.

— Какой-то он щупленький, — пробормотала Маленкова и схватила зазвонивший телефон.

— Да! Кто? Где? Когда? Куда? Вау! Бежим!

Широкая ладонь служительницы вцепилась в мое плечо.

— Скорей!

Я понеслась вперед и очень скоро запыхалась, но Рената не давала мне остановиться, подгоняла выкриками:

— Живей! Прибавь ходу! Шевелись!

В конце концов у меня закололо в боку, я села на попавшуюся по пути скамейку.

— Фу... Объясни по-человечески, что происходит? Куда мы летим сломя голову?

— Охранник звонил, у центрального входа Чарлик избивает Виктора, фотографа, — тяжело дыша, сообщила Рената.

— Интересно, что он покурил, понюхал или пожевал? — засмеялась я.

— Кролик не употребляет наркотики! — возмутилась Рената. — В нашем зоопарке живут приличные звери, без вредных привычек.

— Я имела в виду секьюрити, — продолжала веселиться я. — В каком бреду ему почудился заяц, напавший на мужчину?

— Виктор маленький, а Чарлик большой, сильный, подвержен припадкам гнева. Пошли скорей! — приказала Рената. — Лаура Карловна взбесится, если календарь не сделают. Виктор единственный, кому она разрешает животных фоткать!

Я снова поспешила за Ренатой, пытаясь на ходу ее вразумить:

— Но ведь Чарлик, остолбенев от страха, стоит на лужайке! Не мог же он раздвоиться!

— Не, — задыхаясь, ответила Маленкова, — тот карлик меньше.

— А как Чарлик у ворот оказался? — не успокаивалась я. — Нельзя ли помедленнее, я не сдавала олимпийский зачет по бегу...

Рената засопела сильнее, но скорости не сбавила. Взмыленные, как тягловые лошади, мы прискакали к ажурным воротам и увидели зрелище, достойное кисти Босха[1].

На парковочной площадке, где стояло несколько не особенно дорогих, но новых иномарок, валялись парочка штативов и спортивная сумка. А еще лежали... два трупа довольно крупных зайцев и стояла пугающая тишина.

— Есть тут кто живой? — заголосила Рената.

Из-за одной машины высунулась блестящая на солнце лысина.

— Витя! — обрадовалась Маленкова. — Где Чарлик?

Фотограф на четвереньках пополз к нам.

— Там... — напряженным шепотом сказал он. — Вон...

— Не орите, — попросил слева хриплый баритон.

---

[1] И е р о н и м Б о с х — нидерландский живописец (ок. 1460—1516). Его творчество отличалось безудержной, болезненной фантазией. На полотнах Босха изображены никогда не существовавшие чудовища и весьма странные люди в невероятных ситуациях.

Мы с Ренатой одновременно обернулись, с другого бока к нам подбирался охранник в форме и фуражке.

— Игорь, — зашипела Маленкова, — что здесь происходит?

— Дурдом в Хацапетовке, — простонал секьюрити. — Уволюсь отсюда на хрен! Зарплату жалко, семью кормить надо, но я лучше на автомойку пойду. В Чечне служил, а такого не видел. Жуть серая! Витька на выход прикатил, я его попросил меня на рабочем месте сфоткать. Он полез в салон за оптикой, и тут...

Руки Игоря начали совершать беспорядочные движения, а изо рта посыпались отрывочные слова:

— Дверка хрясь! Он оттуда скок! Упс! Бамс! Фейсом о стекло, бах, бах! Шмяк! Вау! Стоит, галеныш, затаился!

— Кто и где? — я попыталась разобраться в потоке бреда.

— Во! — Игорь ткнул пальцем в сторону будки охраны. — Смотри! Жрет!

Я переместила взгляд влево и застыла. Существо у домика охранников выглядело ужаснее тигра Артура. Если б не здоровые, торчащие вверх уши, монстр мог бы сойти за боксера-тяжеловеса. Конечно, крепкие парни не натягивают на тело шубы и не имеют длинных ушей, но если исключить серый мех и «локаторы» на макушке, сходство было удивительным: небольшая голова, отсутствие шеи и тело, похожее на монолит из мышц.

— Ну и страхолюдина! — не удержалась я, прикидывая в уме, каков рост и вес заиньки. Похоже, длинноухий достигает в высоту полутора метров и в ширину примерно столько же. Хоть на попу посади, хоть на бок положи, куб с мощными передними лапами.

Рената прижала палец к губам:

— Тише, пожалуйста! Чарлик умнее многих людей, еще услышит и обидится. Между нами говоря, у него не очень приятный характер. Если он чем недоволен, моментально принимает боевую стойку. У него удар справа, как у боксера-тяжеловеса.

— Вот почему ты рассматривала его издали, не приближалась к окаменевшему животному! — сообразила я.

— Кому охота сотрясение мозга получить, — откровенно призналась Маленкова.

Я покосилась на служительницу.

— Ясненько, почему ты решила кликнуть на подмогу зоопсихолога, чужой головы не жалко. Чем ты кормишь Чарлика? Котлетами из стероидов, сдобренными подливкой на основе гормонов роста?

— Человечиной он, похоже, питается, — загундел Игорь. — Это ваще кто? С какой планеты прилетел? Че за зверюга?

— Обычный кролик, — обиделась Рената, — просто у мальчика хороший аппетит.

— А почему у заиньки морда в крови? — задрожала я. — И передние лапки покрыты красными пятнами... Он кого-то сожрал?

— Залетел в мою будку, — чуть не заплакал Игорь, — а я как раз собрался гамбургер съесть, развернул пакетик, открыл бутылочку кетчупа. Тут

Витька появился, и я сфоткаться решил, а чертово чудище из его машины в дежурку — прыг! Я от греха удрал. А он... мясо давай хавать... урчит... зубы страшные... кетчуп выпил... Это не кровь!

— Уфф, — выдохнула я.

— Чарлик обожает томатный соус, — кинулась на защиту подопечного Рената, — и гамбургеры — его любимая еда. Кролик переволновался, испугался... Зачем Виктор его в машину запихнул? Чарлюня, иди к нам!

Заинька оскалил крепкие клыки и скакнул вперед.

— Не кличь его сюда! — заорал Игорь и швырнул в надвигающегося Чарлика свою фуражку.

Длинноухий замер, медленно наклонился, поднял головной убор и влегкую разодрал его пополам.

Игорь сравнялся по цвету с моей серой футболкой.

— Мамочки... Такое даже мой сержант в армии не мог проделать! А Юрка — зверь, об голову кирпичи бил, мизинцем гантель поднимал, зубами за турник цеплялся и подтягивался! Но головной убор... вот так... Это не зайчик, а человек-пингвин!

Рената вытащила из кармана небольшой пистолет и сунула его Игорю.

— Стреляй!

— Вы его убьете? — испугалась я.

— Целься хорошо, — приказала служительница.

Я прикрыла голову Гензы рукой и зашептала:

— Они шутят, зайчик останется жив...

Послышался короткий щелчок и шум упавшего тела.

— Чем это воняет? — заорал Игорь. — Фу!

Я постаралась не дышать. Значит, бедный Генза все же испугался. Не знаю, что выделывает скунс, но рукохвост — мастер портить воздух. И, похоже, охранник со служительницей считают распространительницей смрада меня, вон как переглядываются. Надо ввести их в курс дела.

Я расстегнула верхнюю пуговку кофты.

— Видите? Это Генза, он от страха пукает.

— Пойду посмотрю, заснул ли Чарлик, — сменила тему разговора Рената.

— Заснул? — переспросила я.

— Стреляли шприцем со снотворным, — пояснила Маленкова и пошла по направлению к горе меха, серевшей на дорожке.

У меня отлегло на душе, Игорь поднялся с четверенек.

— Не тушуйся, подумаешь, «шептуна» пустила... Люди в первом бою голову теряют и еще не то делают.

— Это Генза, — покраснела я.

— Клево, — кивнул Игорь. — А может, он? Вон у твоей ноги примостился.

Я увидела темно-фиолетовую ящерицу и сделала шаг в сторону. Интересно, почему рептилия примчалась сюда за мной? Может, ей неудобно за причиненную мне боль?

Игорь заржал:

— Успокойся, никто тебя не осуждает, что естественно, то можно. Пошли глянем на кроля.

Когда мы с охранником очутились около громко храпящего Чарлика, Рената налетела на Виктора.

— Почему животное здесь очутилось? Кто стоит на лужайке? Что происходит?

Бедный фотограф пытался ответить, но Маленкова не давала ему сказать ни слова, бесконечно повторяя одни и те же вопросы.

Игорь положил служительнице на плечо руку и рявкнул:

— Остановись!

Рената замерла с открытым ртом, теперь тараторить принялся Виктор.

Чтобы показать Чарлика в самом выигрышном свете, фотограф привез несколько муляжей в виде зайцев и рассадил их на полянке. Виктор провел фотосессию, а когда Рената на пару секунд отлучилась, задумал воспользоваться вспышкой. Чарлик, внезапно ослепленный ярким светом, застыл в диковинной позе. Фотограф испугался, что нанес кролику вред, быстро похватал муляжи, в спешке забыв один, сел в автомобиль, по дороге звякнул Маленковой и хотел удрать из питомника. И тут за спиной водителя раздался шум. Виктор обернулся, узрел Чарлика, который с тигриным рычанием раздирал на части плюшевую копию зайчика, и выкатился из малолитражки.

— Похоже, у него мозг поплыл! — бубнил фотограф. — Вспышка не виновата! Не знаю, как Чарлик в мою машину попал! Я его не сажал! Похоже, он сам запрыгнул, тайком от меня!

— Да? — голосом, полным злости, перебила Виктора Рената. — Интересно!

— Чарлик спит, — вмешалась я в назревающий скандал, — психологу здесь пока нечего делать. Пойду, пожалуй...

Глава 15

Вернувшись в спальню, мы с Гензой приняли душ, потом я хотела включить телевизор, но тут позвонил Димон.

— Есть две новости, одна плохая, другая ужасная. С которой начать?

— С первой, — решила я.

— Могила! — загадочно заявил Коробок.

— Кто-то умер? — забеспокоилась я.

— Могила, — повторил хакер, — он скончался.

— Нельзя ли поподробнее? — потребовала я.

— Степан Могила из деревни Харитоновка отъехал на тот свет.

— У деда в паспорте так и значилось «Могила»? — недоверчиво переспросила я.

— Верно подмечено, — похвалил меня хакер. — Здорово, да? Жизнеутверждающая, оптимистичная фамилия. И для Харитоновки совсем не редкая, там полсела Могилами звалось и, наверное, в родственниках состояло.

— Я видела недавно пенсионера в добром здравии, — остановила я разболтавшегося Коробка.

— Ошибаешься, он труп, — не сдался хакер.

— Для покойника Степан слишком говорлив и врет ловко, — вздохнула я.

— У Германа Кнабе немерено земли, — продолжал хакер, — и никаких других хозяев полей там нет. Бизнесмен приобрел и участок Могилы, но, наверное, разрешил деду спокойно дожить на старом месте.

— Это точно?

— Есть документы: акт купли-продажи участка, запись в книге о смерти Степана.

— Я была в гостях у живого и, похоже, несмотря на возраст, вполне здорового дедушки, — не успокаивалась я.

— Охотно верю, что ты беседовала с престарелым мачо. Но был ли он Могилой? — совсем тихо спросил Димон.

— Он отзывался на Степана, — ляпнула я и тут же оценила глупость своего аргумента.

Коробков начал юродствовать.

— Молодая вы, барышня, наивная, мужикам верите, оттого и в беду попадаете. Некогда в граде Москве жил один генерал. Ой, справный хлопчик! На морду круглый, на язык быстрый, руки загребущие, глаза завидущие. Катался душка-военный на красивой машине, договаривался с чиновными людьми, брал у них деньги, в друзьях числился. И скорехонько у того генерала образовались на шоссе Копейкинском палаты каменные, а под кроватью мешки с золотом. А потом — упс! — выяснилось: никакой он не генерал, ксива фальшивая, биография дутая, одно вранье, или, как говорится в Уголовном кодексе, мошенничество в особо крупном размере. Большие люди генералу на слово верили, никто в его разбойничьем прошлом покопаться не дотумкал. Документ легко выправить, надел купленные ордена — и ты герой всех времен и народов. Могила давно в могиле, пардон за отстойный каламбур. Ау, Танюшка, ты жива?

Я издала мычание. Значит, Степан покойник. А кто же тогда уютно устроился в маленьком домике? Может, некий бомж решил прикинуться Могилой, чтобы обеспечить себе сытную старость?

— Нашла в присланном чемодане ноутбук? — спросил Димон. — Такой плоский предмет, типа... э... папки. На крышке выдавлено полуобгрызенное яблочко.

— Думаешь, я совсем идиотка? — зашипела я в трубку.

Коробков оглушительно чихнул, я на секунду оглохла, а потом услышала:

— Ну, открыла? Верх там, где изображен упомянутый фрукт, смотри не перепутай. Можешь войти в свою почту? Помнишь пароль?

— Нет, — честно призналась я.

— Я это предвидел. Ах, какой у нас Дмитрий умный! — Коробков не упустил возможности отвесить себе комплимент. — Поэтому смело жми на надпись «post», само включится.

— Работает, — обрадовалась я, проделав несколько манипуляций. — Ой, открылось! У меня одно послание.

Коробок крякнул.

— Читай.

— «Хай, козюлина», — озвучила я текст. И возмутилась: — Что за чушь!

— Видишь черточку, а при ней циферки? — спросил Димон. — Это хитрая ботва, в мире виртуального общения ее называют «прикрепленный файл».

— Короче, — процедила я.

— Открывай, — буркнул Димон. — Сразу предупреждаю: зрелище не для нервных, там видео.

— И как его открывать? — обозлилась я. — Двери не видно!

— Тогда мне придется говорить не коротко, а длинно, — с фальшивым смирением откликнулся хакер.

Я прикусила губу и, шумно выдохнув, ответила:

— Согласна, я компьютерная идиотка, но ведь и ты появился на свет не в обнимку с клавиатурой.

— Лапуля, я предмет страстной любви мышки и монитора, интернетозавр, вскормленный молоком Пентиума, — серьезно заявил Димон.

Следуя советам Димона, я таки сумела оживить видеофайл. Экран моргнул, появилось изображение комнаты, стены которой были выложены прямоугольными серыми камнями. В правом углу картинки открылось окошко, в нем стояли цифры «0:0». На секунду экран погас и зажегся вновь, я увидела обнаженную девушку с идеальной грудью, из одежды на красавице имелись крохотная, треугольная конструкция на завязочках, прикрывавшая самый низ живота, кожаная полоска на шее, пояс на талии и нарукавники. А вот лицо ее закрывала черная маска, виден был лишь подбородок. Цвет волос тоже с первого раза трудно определить — пряди стянуты на макушке в аккуратный пучок. Так причесываются гимнастки и балерины, когда хотят, чтобы волосы не мешали выступлению или тренировке. Почему я приняла незнакомку за спортсменку? Поясняю: тело у нее было мускулистым, а бицепсы-трицепсы у женщины сами собой не появятся.

Внезапно девица слегка изогнулась и приняла боевую стойку, цифры в окошке стали скакать с бешеной скоростью «100:97», «200:215», «328:410». Я не успела сообразить, что фиксирует табло, как в центр кадра ворвался... тигр.

Дальнейшее время я затаив дыхание наблюдала за дракой. Хищник швырял девушку на пол, та, ловко перекатившись через голову, вскакивала или делала кульбит. Очевидно, во время схватки огромная кошка ранила амазонку, потому что в какую-то секунду в стороны полетели брызги крови. Парочка сцепилась не на жизнь, а на смерть, стало понятно, что ни один из участников боя не сдастся, и я сомневалась, что в схватке победит спортсменка: человек, даже очень тренированный, намного слабее хищника. Неужели мне предстоит увидеть смерть девочки? Категорически не желаю «наслаждаться» подобным зрелищем!

Прозвучал гонг, на тигра внезапно упала невесть откуда взявшаяся сетка, а затем невидимая рука утащила зверя за пределы видимости камеры. Но напоследок оператор дал крупный план морды зверя — с больших торчащих веером усов капала кровь. Слегка раздвоенное ухо тоже было перемазано в красном, а нос с розовым пятнышком трепетал ноздрями. Девушка выпрямилась, подняла руку, сделала пару быстрых движений и тряхнула головой. Водопад белокурых волос хлынул на плечи, красавица использовала весьма затасканный, но от этого не ставший менее эффективным прием, воздействуя разом на два основных инстинкта мужчины: сексуальный и охотничий. Обнаженная окровавленная победительница, выстоявшая в жестокой схватке с хищником, после завершения битвы оказалась роскошной блондинкой. На экране возникла надпись «Элина» и цифры «12152:10548». Все, дальше чернота.

Я схватила телефон и соединилась с Коробком.

— Понравилось? — мрачно поинтересовался Димон.

— Жуткое зрелище, — оценила я увиденное. — Что это было?

— Бой, — коротко ответил хакер. — В Интернете можно откопать черт-те что, в том числе такой вот тотализатор. Ты ставишь некую сумму на девушку или на животное. Схватка длится фиксированное время, иногда победителем оказывается человек, иногда зверь. Если угадать исход, можно получить хороший куш.

— Безобразие! — вскипела я. — Представить страшно, что будет, если клыкастый победит!

— Он разорвет девушку, — жестко уточнил Дима. — Но именно ожидание убийства и подогревает интерес зрителей, а участница битвы сражается особенно отчаянно.

— Где ты раздобыл этот ужас и зачем велел мне его просмотреть? — накинулась я на Димона.

— Победительница Элина — это Варвара Богданова, — ответил хакер.

— Офигеть... — по-детски отреагировала я. — Но у амазонки лицо закрыто!

— Зато тело обнажено, — возразил Коробков. — Богданову опознал человек, который хорошо знает, как девушка выглядит без одежды. Нет сомнений: на видео Варвара.

— Откуда запись?

— Если честно, она, как все открытия, нашлась случайно. Упала мне на голову, как яблоко на башку Ньютона, — признался Коробок. — Я шарился по Сети, рыскал в блогах, и наткнулся на парня. Знаю его довольно давно: мажор при папеньке, имеет фирму, которую подарил ему добрый родитель, дело налажено, крутится без трения, вот паренек, ник его «Supermacho», и заскучал. Жаловался в блоге, дескать, нет в Москве достойных развлечений для человека его материальных возможностей. Ну все он испробовал! В ночных гонках без правил участвовал, на мотоцикле по крышам ездил, в Африку на сафари летал, с парашютом прыгал, на плоту по горной реке сплавлялся... В общем, нет больше адреналина, эндорфины в его органоне не вырабатываются, депрессуха накатила. Ныл он, ныл, а потом вдруг взрыв эмоций: «Люди, я такую феньку нашел! Стучите в аську, расскажу».

— Ясно, — вздохнула я.

— Это была прямая трансляция, — вдруг сказал Димон.

— Эй, постой, ты хочешь сказать, что драка шла в реальном времени? — испугалась я.

— Точно, — подтвердил Коробок, — но не сегодня, а вчера ночью. Между прочим, записать это видео невозможно, но я сумел обойти препоны, потому и «угостил» тебя небывалым зрелищем. Естественно, принять участие в пари тебе уже нельзя.

— Спасибо за праздник! — фыркнула я. — Похоже, я могу возвращаться домой? Теперь обнаружение Варвары дело техники, ты отследишь адрес.

— Все не так просто, — буркнул хакер. — Чтобы сидеть в, так сказать, зрительном зале, необходимо заплатить. Если желаешь участвовать в тотализаторе, вносишь новую сумму. Адрес сайта не постоянный, его и пароль на вход сообщают за пару минут до начала схватки. И очень трудно обнаружить «студию». Мне пока это не удалось, организаторы боев не дураки. Схватка состоит из трех раундов. Если во время сражения тигр не убивает девушку и та способна хотя бы ползти или шевелиться, то считается, что хищник проиграл. Интересно, где находят молодых женщин, согласных стать гладиаторами? Кровожадная тварь иногда расправляется с красавицей сразу, порой девчонка сдается только в самом конце боя, но довольно часто ей удается выжить. Уж не знаю, как долго она потом раны зализывает. Неприятная забава, да? А Supermacho корчится от восторга, уверяет, что видел, как тигр пару девушек загрыз.

— Урод! — прошипела я.

— Животное не виновато, оно рождено, чтобы охотиться. И полосатому тоже достается, он ходит странно, похоже, ему лапу повредили и одно ухо разорвано.

— Не тигр выродок, а Supermacho! — заорала я. И тут сообразила: розовое пятно на носу, раздвоенная ушная раковина на крупной башке... Из груди вырвался стон: — Я знаю тигра!

— Сражалась с ним? — на полном серьезе спросил Коробков. — И кто победил? Похоже, была боевая ничья.

— Перестань ерничать, — придушенно зашептала я, пораженная своим открытием. — Я видела Артура почти вплотную!

— Кого? — не понял Димон.

Я быстро рассказала Коробкову о происшествии с Чарликом и о том, как испугалась тигра, мирно гуляющего за незаметной прозрачной преградой.

— Ты ничего не путаешь? — с недоверием спросил хакер.

— Нет, — твердо заверила я. — И почти уверена: бои устраивают в имении Кнабе. Что надо для организации схватки?

— Тигр, девушка и, грубо говоря, веб-камера, а еще доступ в Интернет, — перечислил Димон.

Я начала размышлять вслух.

— Девушку легко привезти в машине в любое место, с техническими штучками тоже, полагаю, нет проблем. А вот тигр! Его в малолитражку не запихнешь, нужен большой автомобиль, типа здоровенного джипа. Молодая женщина в джинсах, футболке и бейсболке не привлечет внимания любопытных, а гигантская кошка соберет толпу. Думаю, тигра необходимо вывести на прогулку перед боем. Теперь представь реакцию окружающих, увидевших человека с Артуром на поводке. Да и животное начнет нервничать от незнакомых запахов. Опиши мне в деталях студию! Если Чеслав уверен, что Варвара находится в имении и здесь же обитает хищник, то становится ясно: снимают у Кнабе.

Коробков откашлялся и стал объяснять мне, как самой изучить фон записи. Когда Димон перестает ерничать и зубоскалить, в нем просыпается незаурядный педагог, даже такой безнадежный экземпляр, как я, после подробной лекции хакера начинает лихо нажимать на кнопки.

Больше часа я, беспрерывно консультируясь с Димоном, рассматривала стены, пол и потолок «арены».

Окон там обнаружить не удалось, и я предположила, что драка происходит в подвале. Потолок не имел никаких примет, на нем висели обычные длинные лампы дневного света, пол был покрыт коричневой плиткой, но пару раз, когда девушка падала, объектив выхватывал участок из белых квадратов, очевидно, кое-где покрытие заменили, не подобрав нужный цвет. Стены были выложены из серых, гладко обтесанных камней, отдаленно напоминавших кирпичи.

— Я буду искать в доме подземелье! — объявила я. — Но оно должно быть очень большим.

— Или какой-нибудь зал без окон, — добавил Коробков. — Думаю, он расположен недалеко от зоопарка. Советую завести дружбу со служителями, кто-то из них в курсе дела, ведь тигра моют, кормят, лечат, выгуливают.

— У меня голова кругом пошла, — призналась я. — Фу, да уйди отсюда!

— Сейчас отвалю, — беззлобно пообещал Димон. — Еще одно уточнение, и я уметусь.

— Последняя фраза относилась не к тебе! Меня укусила за щиколотку маленькая фиолетовая ящерица, — пояснила я, — и теперь она за мной ходит как привязанная, очень забавно поднимает одну лапку, в глаза заглядывает. Наверное, ей стыдно за нехороший поступок, вот и решила передо мной извиниться. Удивительно, как ей удается везде прошмыгнуть!

— Рептилии очень юркие, — ответил Димон. — Я когда-то, в другой жизни, служил в Средней Азии, там местные ящерки ухитрялись в любую щель пролезть.

— Интересно, как Варвара попала к Кнабе? — вернулась я к основной теме разговора.

— Если найдем ее живой, то непременно спросишь, — пообещал Коробок.

И только сейчас, осознав его фразу, я поняла: от моей расторопности зависит судьба Богдановой. Мы никогда не встречались, но в данный момент только я могу остановить перемещение Вари из раздела «живая» в графу «мертвая». Мне внезапно стало очень страшно: вдруг я не справлюсь с этой задачей? Когда следующая схватка?

Наверное, последний вопрос я невольно задала вслух, потому что Коробок ответил:

— Пока неизвестно, но точно не сегодня.

— Полагаешь? — с облегчением спросила я.

— Сражение с тигром энергозатратное дело, да и Варваре требуется отдых. А Supermacho писал, что бои никогда не бывают несколько дней подряд, иногда между ними может много времени пройти.

— Сомневаюсь тогда, что устроитель хорошо зарабатывает.

Димон помолчал немного и присвистнул.

— Я совершил простые математические действия. В пари участвовало чуть больше двадцати трех тысяч человек. Сейчас я просто сложил цифры, выпавшие на табло. Давай для ровного счета округлим цифру до тридцати. Не все хотели делать

ставки, кое-кто любовался зрелищем, но не ре-
шался заключать пари. Думаю, простых наблюда-
телей намного больше, но мы ограничимся выше-
названной цифрой. Вход на сайт стоит сорок евро,
плевая сумма, если учесть количество адреналина,
получаемого зрителями. Жителям России можно
платить рублями.

— А что, есть заграничные зрители? — занервничала я.

— Интернет, мой сахарный зайчик, не имеет
границ, — пропел Димон, — тем он и хорош. Сидит в Америке толстый дядя и пялится на бой, который в Подмосковье проходит. Текста нет, чужим
языком владеть не надо. Теперь умножим тридцать
тысяч на сорок евро... Сикока тама накапает? Ух
ты, миллион двести тысяч евриков! Круто!

— Круто, — в ошеломлении повторила я.

— Даже если бой раз в месяц устраивать, то в
год получается... тык-тык пальчиком в калькуля-
тор... Опаньки! Почти пятнадцать миллионов не-
российских рубликов. За минусом накладных рас-
ходов, которые получает специалист, обеспечи-
вающий техническую сторону шоу...

— Он один? — поразилась я.

— Зачем лишний народ к делу привлекать? — в
свою очередь удивился Коробок. — Одного гра-
мотного парня вполне достаточно. Ну, еще амазонка и тигр. Хищник баблом не интересуется, ему
мясом платят, а девушка тоже лимонов не огреба-
ет. Осознала прибыль? И, что особенно греет душу, никаких налогов!

Глава 16

Завершив беседу с Коробковым, я взяла в руки часы, присланные мне вместе со шмотками, и с радостью поняла, что до общего ужина еще есть время, можно походить по особняку.

Будильник был сделан изобретательно, на крыше пожарной машины перманентно вспыхивал желтый огонек, внутри кабины сидел человечек в каске, вот только окошко, в котором высвечивались цифры, обозначающие минуты и секунды, оказалось крохотным, мне пришлось поднести часы почти к носу, некоторые дизайнеры слишком увлекаются оригинальностью, забывая о функциональности.

— Помогите! — коротко взвизгнул в коридоре женский голос. — Ой, мамочка!

С будильником в руках я выбежала из комнаты и увидела Надю, трясущуюся около открытого стенного шкафа.

— Что случилось? — с беспокойством спросила я.

— Мышь, — пролепетала старшая горничная. — Я распахнула дверки, а она там сидит.

Я заглянула внутрь шкафчика, там была лишь одна пустая полка и какие-то отверстия, прикрытые деревянными решетками. Назначение сооружения осталось непонятным, но я не стала задавать лишних вопросов, сосредоточилась на главной проблеме.

— Ну и где грызун?

Надя молча ткнула пальцем вниз.

Поставив будильник на полку, я наклонилась и тут же услышала голос Лауры Карловны:

— Кто тут шумит?

— Бежим, — одними губами сказала Надя, — а то нам влетит. Лаура крика не выносит.

Я, не раздумывая, понеслась по коридору и очутилась на... кухне.

— Здравствуйте, — приветствовала меня повариха. — Как дела? Хотите перекусить?

— Искала вход в бильярдную, а попала сюда, — призналась я.

— В доме с непривычки легко заблудиться, — кивнула Анна Степановна, — сама по первости не туда забегала. Вернитесь в коридор, идите направо до деревянных ступенек, покрытых дорожкой, они и приведут в цоколь. Есть простая примета: если повсюду лакированные панели и ковры, вы находитесь в помещении для хозяев, если видите плитку — попали во владения прислуги. Только в бане везде керамогранит, но здесь играют роль цвет и качество. В хозяйской сауне сплошь бежево-террако́товые оттенки, плитки на стенах с имитацией античной мозаики, а у нас простые серые квадраты, без излишеств.

Я поблагодарила словоохотливую повариху, вернулась в извилистый коридор, прошла метров пять и вновь услышала из-за поворота голос старшей горничной.

— Ну и чего? Подумаешь, пылесос сломался... Вызови мастера. Любишь ты, Светка, из любой ерунды черт-те что устраивать, поэтому и лабуда приключается. Послушай, как ты рассуждаешь! «У меня дикая проблема: сломался каблук у сапога», «У меня дикая проблема: накрылся пылесос». Это не «дикая проблема», а сущий пустяк. Измени формулировку, говори так: неприятная ситуация — сломала каблук. Сразу возникает нормальное рабочее отношение, а не безнадега.

— Оставь, Надюха, — заныла Светлана, — у меня и правда дикая проблема.

— Ага, пылесос не пашет... — хмыкнула Надя.

— Ну да, — захныкала Света. — Только не служебный, а свой, домашний. Вызвала мастера, и он его починил. Вот беда!

— Ну ты даешь, — засмеялась Надежда, — во всем плохое ищешь, даже в исправленном агрегате! Молодец, Светка, присваиваю тебе звание суперпессимист года!

— Именно что беда! — горячилась Света. — Знаешь, отчего пылесос перестал работать? В него женские трусики засосало! Прямо неудобно было, когда ремонтник их вытащил.

— Мастер небось и не такое видел, — засмеялась Надя. — Постирай свое бельишко и забудь о глупости.

— Но это были не мои трусики, — зарыдала Светлана, — а чьи, не знаю!

— Упс! — воскликнула Надя. — Дай своему Петьке по балде сковородкой или надень на него пояс верности. А можно выпереть подлюку вон, нехай к маме катит. И сколько я тебе выходов нашла?

— У меня проблема, а тебе лишь бы поиздеваться, — не успокаивалась Света. — Найти в собственном пылесосе чужие женские трусы! Что может быть хуже?

— Полно всякого, — незамедлительно отозвалась старшая горничная. — Например, лучшая подруга в твоей постели или ребенок от твоего мужа в чужом животе. Масса ситуаций, когда кому-то хуже, чем тебе. Кто-то вообще умер в расцвете сил, а ты жива. Ну чего ты соплями на фартук капаешь? Вот Майе Лобачевой точно не повезло.

— Жуть, и правда, — понизила голос Света. — У нее язва открылась?

— Да, — мрачно подтвердила Надя, — ее в больницу отвезли.

— Девки болтают, Майю Клаус ранил, — свистящим шепотом произнесла Светлана, — а я не верю.

— Молодец, — похвалила Надя. — Хотя привидение существует, на днях звон и дробь все слышали.

— Жесть! — простонала Света. — Хорошо, что я домой ухожу, ночью только в дежурство здесь остаюсь. Надь, ты уж извини, тут одно дело... такое... оно меня мучает...

— Говори, — приказала Надежда, — решим твою очередную проблему. Что на этот раз?

Светлана что-то забормотала. Я, как ни старалась, смогла разобрать лишь отдельные слова:

— Убирала... задела... протерла, открыла...

— Молодец, что рассказала, — неожиданно серьезно одобрила Надюша. — И все-таки — это ерунда. Не делай далеко идущих выводов из простых вещей. Сама ведь себе трудности создаешь. Живи просто, радуйся солнцу, пирожному, зарплате, новой сумочке. Не жди глобальной удачи, тогда каждый день покажется радостным. Чем ты собралась вечером заниматься?

— Я дежурю, — привычно заныла Света. — Вот проблема — ночью меня могут сдернуть. Спать буду здесь, во флигеле.

— Опять! — оборвала служанку старшая горничная. — Смотри с другой стороны на дежурство: ужин не надо готовить, посуду не мыть, с мужем отношения не выяснять, а лежи себе да смотри сериалы... Очень тебя прошу, не распускай язык о том, что мне сообщила. Давай вечером подробно потолкуем, а сейчас надо работать.

Поняв, что беседа завершена, я быстро открыла дверь, спрятавшись за которой подслушивала чужой разговор, шмыгнула внутрь темной комнаты и приникла глазом к щели между косяком и створкой.

По коридору, держа наперевес метелку от пыли, пробежала симпатичная кудрявая шатенка, затем появилась Надя. Она остановилась прямо напротив двери, за которой затаилась я, и мне стало видно лишь спину старшей горничной. Послышались тихое пиканье мобильника и голос Нади:

— Лаура Карловна, проблема возникла. Разрешите зайду?

Очевидно, хозяйка благосклонно отнеслась к просьбе Надежды, потому что та быстро ушла прочь. Я подождала несколько минут, выскользнула из комнаты и чуть не наступила на фиолетовую ящерицу. Ну почему рептилия упорно таскается за мной, неужели бедняга испытывает такую горькую вину, что забыла про сон и еду? Я обернулась и попыталась утешить слишком совестливое создание:

— Убегай в сад. Конечно, мне неприятно, щиколотка слегка опухла, и ранка воспалилась, но это скоро пройдет. Мы можем расстаться друзьями. Не переживай, никто на тебя не сердится.

Ящерица выслушала меня, не моргнув глазом, я помахала ей рукой и направилась в бильярдную.

Цокольный этаж был не менее роскошен, чем жилые апартаменты. Я не умею катать шары, но сразу сообразила, что кии с инкрустацией и огромное зеленое поле на резных ножках стоят немалых денег. Стол занимал середину помещения, сбоку стояли подставки для шаров, бар и несколько мягких диванов.

Хорошо помня рассказ охранника Леонида о том, как он увидел в нижнем подвале Клауса, я довольно долго пыталась найти туда вход и в конце концов обнаружила неприметную дверку, за которой открылась железная крутая лестница, ведущая вниз. Человеку моей комплекции было непросто воспользоваться ею, но я представила, какую мину скорчит Марта, если услышит из моих уст признание: «Я не смогла попасть в подвал из-за того, что не было перил», — и начала сползать вниз. Конечно, двигалась я очень осторожно, ногой нащупывая стальной прут, исполняющий роль ступеньки.

В конце концов я оказалась на твердом полу и пошарила руками по стене. Здесь определенно должен зажигаться свет, и логично прикрепить выключатель у входа... Пальцы действительно наткнулись на пластмассовую клавишу, над головой тускло замерцала лампа. Под блузкой вдруг пошевелился Генза, я погладила его, успокаивая. Затем стала озираться. Куда ни глянь, повсюду банки с консервами для собак и кошек. Кажется, Лаура Карловна обеспечила домашних любимцев на пару лет вперед. Интересно, почему мне до сих пор не встретилась в доме ни одна киска? Где они прячутся? Вероятно, жаркая погода выманила их в сад.

Мелкими шажками я пошла вперед и добралась до аппендикса, заставленного баррикадами из упаковок туалетной бумаги и одноразовых полотенец. В подвале было сухо, очевидно, здесь хорошая вентиляция, вот хозяйка и решила складировать пипифакс подальше от глаз. Похоже, именно тут прятался Леня — залез за пирамиду из рулонов туалетной бумаги. Но мне туда не надо.

Я замерла, Клаус, наверное, тоже стоял здесь, а потом, по словам Лени, испарился. И куда он подевался? Я не верю в привидения!

И тут внезапно погас свет. Ну да, экономная Лаура Карловна установила таймер, через какое-то время нехитрый механизм сам отрубает электричество.

Я тихонько засмеялась. Никакого Клауса и в помине не было, просто у страха глаза велики. Если кто-то полагает, что мышей, лягушек и призраков боятся только женщины, то он ошибается. Встречала я мускулистых парней, которые кидались прочь, завидя вдалеке мелкого грызуна или безобидную квакушку. А уж погулять в одиночестве в полночь по старому заброшенному деревенскому кладбищу из десяти мужчин едва ли один согласится. Леониду было некомфортно в полутемном подвале, рассказы о Клаусе постоянно курсируют среди прислуги, вот охранник и нервничал. От страха ему померещился призрак. А потом погас свет, вот и все происшествие.

Я зря сюда пришла. Нижний подвал слишком маленький, чтобы в нем устраивать бои, надо выбираться.

Как назло, дверь наверху над лестницей, очевидно, захлопнулась, темнота в подполе стояла кромешная. Не желая стукнуться лбом о железные банки или о стену, я вытянула вперед руки, сделала пару шагов и нащупала пальцами упаковку с полотенцами. Ну вот, совсем потеряла ориентацию, предполагала, что иду по направлению к лестнице...

Играли вы в детстве в «солнышко»? Несколько детей образуют круг, в центр ставят своего товарища с завязанными глазами, крутят его в разные стороны и потом замирают на месте. Водящий должен схватить одного из присутствующих и на ощупь определить, кого поймал. А ребята меняются одеждой, натягивают на головы шапки, короче, запутывают приятеля изо всех сил.

Так вот, я сейчас очутилась в роли центрального персонажа игры — глаза ничего не видят, ноги шагают не пойми куда...

Ага, вот и банки! Я обрадовалась: надо двигаться вдоль складированных припасов, и дойду до подножия лестницы. О, кажется, нащупала ее... Я потрогала холодные ступени, затем, сопя от напряжения, полезла вверх, толкнула дверь и попала в абсолютно темное помещение. Хм, Лаура Карловна в постоянной борьбе за экономию сделала все, чтобы лампы не горели зря. Так... по логике вещей, где-то здесь должен быть выключатель. Нашелся!

Я нажала на клавишу, но лампа не вспыхнула, послышался тихий скрип, чуть вдали замаячил тонкий лучик света. Не думая о последствиях, я сделала несколько шагов вперед и поняла, что очутилась в узком коридоре, то есть попала в ту часть особняка, где еще не была. И тут позади раздался щелчок — захлопнулась дверь, через которую я сюда вошла. В полутьме было плохо видно, но все же я разглядела: дверь без ручки, оклеена обоями под кирпич. Открыть практически неприметную створку мне не удалось.

В момент опасности бесполезно впадать в истерику, заливаться слезами и звать на помощь. Есть ситуации, когда следует рассчитывать лишь на собственные силы. Вот, скажем, я могу дать вам денег в долг? В принципе, да. Способна я отвести соседского ребенка в школу, приготовить знакомым обед, привести в порядок квартиру приятельницы? Снова утвердительный ответ. Но пообедать за вас или сходить к парикмахеру у меня не получится. Вы это должны сделать лично. И я сейчас оказалась в положении, когда необходимо самой отвечать за себя.

Я медленно двинулась по коридору, который вел вверх под сильным наклоном. Время от времени на потолке мигали крохотные лампочки, едва ли больше тех, что освещают холодильник. Генза тихо сопел на моей груди, а фиолетовая ящерица, умоляюще кося выпуклыми глазами, упорно тащилась рядом. Такой дружной компанией мы достигли двери, самой обычной, выкрашенной в белый цвет, как во флигеле горничных. Я осторожно повернула блестящую ручку и очутилась в новом коридоре, на сей раз со стенами голубого цвета. Справа и слева виднелись двери. Недолго думая, я открыла правую и попала в комнату с ярко горящей под потолком лампой дневного света.

Трудно было назвать помещение спальней, скорей уж это палата реанимации, набитая медицинскими приборами, мигавшими разноцветными лампочками. От аппаратов тянулись провода и трубки, все они сходились на кровати, где лежал человек, полуприкрытый простыней.

Следовало быстро уходить, ведь больного в таком тяжелом состоянии не оставят надолго одного. Но я приблизилась к многофункциональной койке и увидела женщину. Лицо бедняжки казалось бескровным, к венам были подведены тонкие трубочки. Я нашла дочь Германа Кнабе, несчастную Эрику, которая после нападения маньяка впала в кому. Веским подтверждением моих мыслей был тонкий шрам на горле несчастной, его могла оставить только кожаная удавка.

Глава 17

Постояв пару секунд, я опомнилась, выскользнула из палаты и приоткрыла следующую дверь. За ней оказалась полукруглая комната с большими окнами, уютной мягкой мебелью, телевизором и горой DVD-кассет в специальной подставке. Гостиная, очевидно, была проходной, потому что в одной из стен я увидела вторую дверь. Поскольку в палате, где находилась больная, не было второго выхода, а коридор заканчивался тупиком, я бесстрашно вошла в помещение и... услышала чуть визгливый голос, доносившийся непонятно откуда.

— Брошу, честное слово, брошу! Купила никотиновый пластырь, наклеила на руку, но он не работает!

Иногда мои ноги соображают лучше головы, вот и сейчас они приняли решение до приказа растерявшегося мозга, мигом сделали прыжок и заставили хозяйку присесть за диван. И весьма вовремя: по полу пробежал сквозняк, без умолку говорящая женщина вошла в гостиную. Я не видела ее, зато отлично слышала.

— Прекрати пилеж, я на работе, голова болит, настроение мерзкое. Если я тебя не устраиваю — вали вон, рыдать не буду...

Мой нос почуял запах сигаретного дыма, уши уловили шум быстрых шагов и хлопок двери. Незнакомка прошла комнату насквозь.

Я высунулась из-за дивана, убедилась, что вокруг никого нет, и ринулась к створке, расположенной напротив. Снова коридор, ведущий под углом вверх, прихожая с пустой вешалкой и калошницей, тамбур, дверь, тамбур, дверь...

Запыхавшись, я рванула на себя очередную створку, поняла, что ее следует толкать от себя, и очутилась на свободе, в парке. Сначала меня охватило удивление: как мне удалось подняться на поверхность земли, ведь я спустилась в подвал? Но потом я вспомнила о небольшой лестнице и двух коридорах, идущих вверх, и недоумение исчезло.

Времени до совместного ужина с хозяевами оставалось совсем немного, необходимо было найти кратчайший путь в особняк. Я принялась крутить головой в разные стороны, пытаясь определить, где нахожусь, и быстро сообразила: я недалеко от домика Степана Могилы, впереди стена леса, справа виднеется крыша обители семейства Кнабе.

Кто-то осторожно потрогал меня за ноющую после укуса щиколотку. Я вздрогнула, оторвалась от созерцания пейзажа и увидела фиолетовую ящерицу, застывшую со скорбным видом.

— Дорогая, прекрати, — попросила я, — давай расстанемся друзьями. Я давно простила тебя, абсолютно не злюсь и желаю тебе счастья. Ну цапнула ты меня, с кем не бывает... Успокойся, беги домой, к мужу и деткам. Надо же, я и не предполагала, что у юрких созданий столь обостренное чувство совести. Если честно, я считала представителей вашего рода существами без острого ума и глубоких психологических переживаний.

Путь назад был недолгим. Без зазрения совести сломав пару ветвей, я пролезла сквозь кусты сирени и поспешила к особняку. В дом удалось войти очень вовремя — огромные напольные часы в холле показывали без четверти девять. Живо переодевшись в шелковый костюм, я поспешила в столовую и вошла туда буквально с боем курантов.

— Сразу видно немецкое воспитание, — улыбнулся худой мужчина, сидевший во главе длинного стола. — Присаживайтесь, Татьяна.

Я устроилась напротив симпатичной круглолицей блондинки, одетой в красное открытое платье. Лаура Карловна сказала правду, господа Кнабе считали пятничный ужин праздником. Девушка облачилась в вечерний декольтированный наряд, собрала волосы в высокую прическу, а шею украсила несколькими нитками жемчуга. Создавалось впечатление, будто жемчуг сильно сдавливает горло девушки.

Герман постучал молоточком в небольшой гонг, появилась девушка с подносом и начала раскладывать на тарелки закуску.

— Ваша фамилия Кауфман? — обратился ко мне хозяин.

— Так точно, — отрапортовала я.

— Может, я и не прав, но считаю, что немецкое воспитание прививает нужные навыки на всю жизнь, — менторски заявил старший Кнабе, — аккуратность, точность, работоспособность.

— Верно, — заулыбалась Лаура Карловна. — Моя мама, светлая ей память, не уставала повторять: «Детка, приличный человек, придя в гости, сначала снимает ботинки, потом идет к гардеробу, где освобождается от пальто. А вот собираясь покинуть чужой дом, необходимо проделать обратные действия: надеть верхнюю одежду и лишь потом натянуть обувь».

Я чуть не воскликнула: «Зачем такие неудобства?», а Лаура спокойно завершила выступление:

— Ведь нельзя разносить грязь улицы по прихожей хозяев.

— Ерунда, — бормотнул мужчина, сидевший около меня.

— Ты что-то сказал, Миша? — поинтересовался Герман.

— Нет, — быстро ответил сосед.

Я скосила глаза влево. Значит, это Михаил, сын Кнабе. Интересно, сколько ему лет? Окладистая темно-русая борода мешает точно определить возраст отпрыска.

— Лучше сосредоточимся на мунсе, — предложила Лаура Карловна. — Танечка, вы любите мунс?

— Обожаю, — с хорошо разыгранным восхищением отозвалась я, понятия не имевшая, что такое мунс.

— Тогда начинайте! — велела Лаура Карловна.

Я растерялась. На тарелке покачивалось нечто темно-красное, отдаленно напоминающее желе. Трудно понять, из чего сварганили закусочку, но судя по цвету, из сырой говядины. И чем есть это яство? Около моей тарелки выложена шеренга столовых приборов!

Не следует думать, что я выросла в семье, где люди ели руками яичницу со сковородки. Нет, большую часть своего детства я слышала от отца поучения:

— Пользуйся ножом! Всегда! Этот прибор предназначен не только для нарезания мяса, но и для того, чтобы помогать нанизывать еду на вилку.

Когда папа уставал воспитывать дочь, выпавшие из его рук вожжи подхватывала мама:

— Вот не научишься красиво есть, никто тебя замуж не возьмет. Сядь прямо, прижми локти к телу, отрезай аккуратные кусочки.

Один раз за меня заступилась бабушка.

— Зачем муштруете ребенка? — остановила она родителей. — И рано ей о свадьбе думать. Главное, хорошо учиться, окончить школу, институт, найти удачную работу, лишь потом надо семьей обзаводиться. Ешь, Танюша, как тебе удобно. Если встретишь суженого, он тебя и с ложкой в руке полюбит.

Помнится, после этого выступления бабушки разразился скандал, в процессе которого над обеденным столом летали такие выражения, что любой ребенок на моем месте сделал бы вывод: основной признак интеллигентного человека — умение пользоваться ножом и вилкой, все остальное, вроде употребления нецензурной лексики, воплей и швыряния на пол тарелок, не имеет никакого значения. Если лупишь ногами жену, но правильно держишь столовые приборы — ты отлично воспитан.

Меня научили виртуозно владеть ножом и вилкой, но в нашем доме они всегда лежали на столе в единственном экземпляре. Приборы для рыбы, фруктов, стейков, овощей, жюльенов, заливного, сладкого, всякие прибамбасы, вроде ложечек для поедания мякоти грейпфрута, вилочки для устриц и фондю у нас не водились. Полагаю, родители о них никогда и не слышали...

— Ну, Танечка, — сладко пропела Лаура, — вам предоставляется право первого кусочка.

— Неудобно начинать трапезу раньше хозяев, — вывернулась я.

— Мне хочется, чтобы ужин открыли вы, — отбила подачу старушка.

— Надоело! — возвестил вдруг Михаил и, схватив небольшой трезубец, воткнул его в трясущуюся субстанцию.

Лаура Карловна закатила глаза, Герман Вольфович укоризненно кашлянул, но на бородача осуждение старшего поколения не подействовало.

Михаил схватил соусник, вылил на трясучку море майонеза и начал быстро есть.

Я опустила глаза в тарелку. Неприлично капризничать во время званого ужина и лишать всех аппетита заявлениями вроде: «Ах, я сижу на диете, поэтому первое, второе, третье не попробую, выпью минералки, пожую листик салата, а вы жрите без стеснения жирные отбивные, не обращайте на меня, предпочитающую здоровое питание, ни малейшего внимания». Раз явился в гости, ешь нормально. Другой вопрос, что от излишне калорийного майонеза можно деликатно отказаться. Если соус подали отдельно, просто не берите его.

Я наклонилась над тарелкой, положила в рот кусок закуски, пожевала и с трудом удержалась от того, чтобы не выплюнуть. Таинственный мунс оказался невероятно кислым!

— Танечка, что-то не так? — насторожилась Лаура Карловна.

— Ваши родители не готовили национальных блюд? — тут же влез со своим вопросом Герман Вольфович. — Они настолько обрусели, что вычеркнули из обихода даже кухню?

Я успела прийти в себя и нашла достойный ответ:

— Просто я наслаждаюсь угощением.

— Обожаю мунс! — заулыбалась старушка. — Увы, его можно приготовить только летом. Доедайте, Танечка.

Я заставила себя поднести ко рту очередную порцию кислятины, но тут из-за пазухи высунулась мордочка Гензы, и рукохвост со сверхзвуковой скоростью втянул в себя красную мерзость. Слава богу, никто из Кнабе не заметил произошедшего, все были увлечены закуской. Я ощутила глубокую благодарность к Гензе. Что ж, теперь предстоит расправиться с последней частью злополучного мунса.

Быстро выдохнув, я запихнула скользкую гадость в рот и, не жуя, проглотила. Мунс поехал вниз по пищеводу, словно по льду фигурист, только что завершивший выступление: торжественно, с чувством, с толком, с расстановкой. Внезапно Генза начал отчаянно барахтаться, затем снова высунулся и выплюнул украденную «вкуснятину». Закуска перелетела через стол и шлепнулась на пол. Михаил поднял голову, глянул вниз, потом на меня, затем снова опустил глаза и поднял вверх большой палец. Я постаралась не покраснеть. Но, слава богу, ни Лаура, ни Герман не обратили внимания на происшествие, а блондинка походила на зомби, — ела молча, не вступая в беседу и не реагируя ни на что вокруг.

Подали суп.

— Вы знаете, как переводится ваша фамилия? — вновь завел светскую беседу Герман.

Мысленно поблагодарив Чеслава, который предусмотрел возможность подобного вопроса, я улыбнулась.

— Конечно. Торговец.

— Именно так, — согласился старший Кнабе.

— Есть еще вариант — барыга, — буркнул Михаил.

— Миша! — возмутилась Лаура Карловна. — Как грубо!

Тут принесли мясное блюдо, старуха замолчала, начав раскладывать еду по тарелкам. Зато неожиданно проснулась полузадушенная бусами девушка.

— Я это ем? — поинтересовалась она, показывая пальцем в миску с тефтелями.

— Нет, дорогая, ты предпочитаешь на ужин кирпичи без кожи, — галантно ответил Миша.

— Перестань! — зашипела на него Лаура Карловна и повернулась к блондинке: — Да, Эрика, приготовили твое любимое блюдо.

Я вцепилась пальцами в край стола. Эрика? Значит, заторможенная красавица — дочь Кнабе? Тогда понятно, почему она столь странно себя ведет, — девушка не оправилась от комы, у нее разум пятилетней малышки. Но теперь возникает вопрос: а кто лежит под аппаратом искусственного дыхания? Почему у больной на шее шрам от удавки? Она тоже жертва маньяка? По какой причине Кнабе не отвезли пострадавшую в клинику? Кем она им приходится? И кстати, почему я, знавшая о том, что Эрика идет на поправку, приняла больную женщину за нее? Впрочем, на последний вопрос ответ известен: порой я бываю глупее Емели.

Из состояния задумчивости меня вывел голос Лауры Карловны:

— Вижу, Таня, вам очень понравились тефтельки! Хотите добавки?

Я, не успевшая съесть ни одной, вздрогнула и увидела, что передо мной стоит пустая тарелка с остатками соуса. Тут же послышалось хихиканье дочери Кнабе.

— Она вся обкапалась!

— Эрика, — погрозила ей пальцем экономка, — с каждым может случиться мелкая неприятность.

В ту же секунду я поняла: подсуетился рукохвост. Пока «мамочка» пыталась разобраться в собственных мыслях, корила себя за проявленную в очередной раз тупость, Генза живо забросил в свой рот крохотные котлетки, облив мой костюм жирной подливкой.

— Фу! Неряха! Грязнуля! — веселилась Эрика.

Герман Вольфович посмотрел на Лауру Карловну, та правильно поняла взгляд хозяина дома, встала и подошла к девушке со словами:

— Ты хочешь посмотреть телевизор!

— Да? — удивилась больная. — А, конечно.

— Сядь на диван, — приказала старушка.

— Это что? — переспросила несчастная.

— Жесть! — заржал Михаил. — Вот это стул, на нем сидят, вот это лук, его едят... Диван суперская вещь, но им можно пользоваться, лишь раздевшись догола.

Эрика попыталась дотянуться до молнии на спине.

— Как тебе не стыдно! — закричала на бородоча Лаура Карловна. — Эрика, Миша шутит.

— Что? — заморгала девушка.

— Говорит неправду, — объяснила старуха.

— Зачем? — продолжала недоумевать Эрика.

— Хороший вопрос, — кивнул отец. — Действительно, зачем?

Михаил встал и вышел, Лаура Карловна подхватила Эрику и повела ее в глубь комнаты. Герман в упор уставился на меня.

— Эрика попала в автокатастрофу, — солгал

Кнабе. — Девочка чудом осталась жива, мы сумели поставить ее на ноги, но, как вы, наверное, уже поняли, дочь пока трудно назвать разумным человеком. За ней требуется особый уход, и я полагаю, что лучше всего присматривать за Эрикой дома. У Михаила другое мнение, он считает, что сестру следует поместить в специальное заведение, где ее будут обучать всему заново. Не подумайте, что Михаил не любит Эрику, он за нее переживает. Сейчас сын вернется к столу, и мы продолжим трапезу.

Глава 18

Наверное, подобные вспышки случались у молодого Кнабе постоянно, потому что Лаура Карловна, устроив девушку на диване, продолжила трапезу, а вернувшийся спустя короткое время Михаил как ни в чем не бывало сел на свое место.

Подали десерт. Слава богу, он состоял из фруктов и не мог понравиться Гензе.

— У нас не хватает горничной, — завела деловой разговор экономка, — уволилась Светлана.

— Не помню ее, — поморщился хозяин.

— Светлана Калинина, из приходящих, — уточнила Лаура Карловна. — Ушла внезапно, собрала вещи и умчалась. Вроде у нее муж заболел.

— Не вижу проблемы, найми новую прислугу, — пожал плечами Герман.

— На листе ожидания Вероника Долина и Екатерина Соснова, — вздохнула экономка.

— Родители? — вскинул брови Кнабе.

— У Долиной: Иван Николаевич и Елена Петровна. А вот мать Катерины зовут Эльза, в девичестве Гессен.

— Отлично, — потер руки Герман Вольфович, — берем Соснову.

— Маленькая деталь: Долина шесть лет проработала в семье, которая уезжает на постоянное местожительство в Америку, рекомендации у Вероники великолепные и есть опыт. Катерина никогда не была прислугой, она очень молода, ей едва исполнилось восемнадцать.

— Присоединяюсь к отцу, — протрубил Михаил. — Зачем нам тут старая калоша? Лучше сочный персик. Надеюсь, фигурка у нее о'кей? Мне нравятся спортивные девушки, с рельефом. В особенности меня привлекают малышки, у которых развиты...

— Миша, — поморщился Герман, — прекрати.

— У которых развиты мышцы спины, — проигнорировал отца сын. — Если у девушки нет хорошего корсета из мышц, ей нельзя рассчитывать на звание красавицы.

— Мишенька, хочешь добавку? — попыталась помешать разглагольствованиям воспитанника Лаура Карловна. — Велю принести новую порцию ванильного пудинга к ягодам.

Но сына Кнабе оказалось совсем непросто сбить с любимой темы.

— Вот скажите, — внезапно повернулся он ко мне, — что хорошего в моделях? Вылезает на подиум скелет без вторичных половых признаков, шагает, по-идиотски ставя ноги, украшен чудовищным макияжем, на голове причесон, идея которого привиделась цирюльнику после очередной дозы кокаина. И я должен возбудиться, глядя на размалеванную швабру? Ну уж нет! Я восхищаюсь спортсменками, никогда не пропускаю соревнований по гимнастике. Вот где красота тела и эротика, сила, мощь, ловкость. Признайтесь, вы со мной согласны?

От растерянности я пропищала:

— Да.

Герман Вольфович отложил плоскую круглую ложку, которой аккуратно ел фруктовый коктейль.

— К вопросу о новой прислуге...

— Да-да, — обрадовалась смене темы Лаура Карловна, — кого берем?

Хозяин хмыкнул.

— Твое решение?

Лаура Карловна потупилась.

— Моя позиция всем известна. Я, кстати, опираюсь на науку, которая утверждает: никакое воспитание или обучение не заменит происхождения. Мы этнические немцы, рано или поздно в каждом из нас просыпается...

— Фюрер[1], — вклинился в плавную речь старушки Михаил. — Зиг хайль! Дранг нах остен![2]

Я хоть и не знаю немецкого языка, но смысл слов сына Кнабе поняла отлично: все-таки имею филологическое образование и прочитала много книг. Интересно, как отреагирует отец на неподобающее поведение Михаила? Сделает ему замечание? Накричит на него? Велит покинуть столовую?

---

[1] Буквально: руководитель. Отрицательное значение слово приобрело во время Второй мировой войны.

[2] Да здравствует победа! Вперед на Восток! — лозунги немецко-фашистских войск.

Но Герман сделал вид, будто ничего не произошло.

— Согласен, — обратился он к Лауре Карловне. — Так у кого отец немец?

— Мать, у Екатерины Сосновой, — уточнила бывшая няня, — но девушка без опыта.

— Замечательно, — потер руки хозяин, — ты умеешь воспитывать людей.

— Отрубить им голову! — заорал Михаил. — Казнить всех!

Я невольно вздрогнула. Конечно, мне было понятно, что молодой человек дурачился и цитировал речи одного из героев книги «Алиса в Стране чудес», но все равно неприятно слушать вопли.

— Всех расстрелять! — продолжал кривляться молодой Кнабе.

Внезапно раздался резкий неприличный звук, по комнате поплыл смрад. Герман, Лаура Карловна и Михаил уставились на меня.

— Это Гедза, — немедленно оправдалась я. — Рукохвост воспринимает слишком громкие звуки как начало нападения и пытается защититься. Сейчас он испугался голоса Михаила Германовича и отреагировал соответственно.

— Я наслышан о повадках рукохвоста, но не ожидал, что дело обстоит столь ужасно, — простонал хозяин.

Лаура Карловна вскочила, посеменила к окну, распахнула его и констатировала:

— Изумительная погода, тепло даже вечером!

Михаил встал.

— Раз я здесь никому не интересен, раз меня

ненавидит даже животное с кретинским именем Генза, то сочту за благо удалиться в мастерскую. Чао, господа!

Я испугалась, оскорбить хозяйского сына не входило в мои планы.

— Рукохвост действует инстинктивно, слышит неприятный звук и... э... ну... портит воздух. Поверьте, в этом нет ничего личного.

— Значит, мой голос отвратителен? — взвизгнул Миша и стал надвигаться на меня.

— Нет, конечно, — залепетала я, — но Генза не любит шума.

Сын Кнабе вцепился в мое плечо.

— Запомни, пакость, никто не имеет права...

— Михаил! — хором воскликнули экономка и глава семейства.

Кнабе-старший поднялся из-за стола. Он, очевидно, хотел подойти к хулигану, но тут события стали развиваться непредсказуемо.

Рукохвост высунул мордочку из-под воротника моего костюма. Глаза Михаила со странно расширенными зрачками сфокусировались на Гензе.

— Мышь ублюдская! — трубно возвестил он. — Она теперь у нас в доме главная? Ну, милашечка, случится с тобой хренашечка!

Парень с силой сжал мое плечо, я не сдержала крика, пальцы младшего Кнабе походили на тиски.

— Сейчас заплачу... — прошипел хулиган. — Ты меня не любишь! Голос мой тебя раздражает, ласковое прикосновение бесит...

— Михаил! — гаркнул Герман. — Сядь на место!

— Нихт ферштеен[1], — заржал бородач.

Лаура Карловна схватила телефон и нервно набрала номер.

— Зайди сюда, — зашептала она в трубку, — живо.

И тут настал звездный час Гензы. Рукохвост раздул щеки, вздыбил короткую шерстку, округлил глаза, повернулся в сторону буяна и плюнул в него коричневой струей. Надо отдать должное моему воспитаннику, малыш обладает меткостью снайпера. Лицо, рубашка и даже волосы Михаила покрыла липкая жижа. От неожиданности парень растерялся и почти по-человечески спросил:

— Что он сделал?

— Крошку стошнило, — ответила Лаура Карловна.

— Тефтельками в соусе, — непонятно зачем уточнила я. — Они ему очень понравились.

— Ах, сученыш! — взвился бородач. — Сейчас голову ему откручу!

Генза снова пукнул, но младшего Кнабе очередная газовая атака не остановила, он дернул за воротник мою кофту. Пуговички в виде жемчужинок посыпались на пол. «Хорошо, что Марта положила в чемодан дорогущий комплект белья, обнажись сейчас розовый атласный бюстгальтер старушечьего фасона, я умерла бы от стыда, а так я красуюсь в кружевном лифчике и вполне прилично выгляжу», — промелькнуло в моей голове.

Михаил схватил рукохвоста, я возмутилась:

— Не трогай ребенка!

---

[1] Не понимаю (*испорченный немецкий*).

— Ща ему мало не покажется, — зло пообещал парень. — Насрать, сколько мерзавец стоит, я сверну ему шею!

Я попыталась отодрать руку хама от испуганного животного, но потерпела неудачу. И все же решила во что бы то ни стало защитить Гензу. Изловчилась, схватила со стола маленькую вилку и ткнула ею в бок Михаилу.

Раздался вопль, затем брань.

— ...! ...! Ты меня убила!

Я запахнула блузку, не удержавшись от замечания:

— Для мертвого ты слишком громко орешь!

— Зовите врача, — захныкал Миша, оседая на пол, — я погибаю.

В столовую вошел Костя, мастер на все руки и, похоже, самый верный слуга Лауры Карловны.

— Звали? — обратился он к старушенции.

— Уведи его, — приказала Лаура Карловна, — уложи спать.

Костя приблизился к Михаилу, который вытянулся на ковре и закатил глаза.

— Посмотрите, сильно я его поранила? — испуганно проблеяла я.

Константин изучил последствия удара вилкой.

— Крови нет, даже кожу не оцарапали.

— Прибором для суфле никому не навредишь, он же тупой, — заметила Лаура Карловна. — Только рубашка порвалась.

— Почему же он так испугался? — удивилась я, благодаря бога, что мне под руку не подвернулся нож для разрезания запеченного мяса или кинжал, которым колют лед.

— Он художник, творческая личность... — объяснил Константин. — Домысливает все на ходу. Вы психолог, вероятно, сталкиваетесь с подобными людьми, смотрят они в зеркало, видят крохотную морщинку и думают: старею, скоро умирать, я на последнем издыхании и — бац, инфаркт. Вот и Миша таков, ощутил тычок, в его воображении нарисовался тесак с полуметровым лезвием.

— Он ездил сегодня в город? — резко спросил Герман.

— Нет, — ответил Костя, поднимая парня.

— Точно? — не успокаивался хозяин.

— Головой ручаюсь! — воскликнул Константин, утаскивая обмякшего Мишу. — Да и на чем? Я распорядился машину ему не давать, а если он начнет настаивать — меня позвать.

— И тем не менее. Обыщи мастерскую и спальню, уничтожь запас, — мрачно гудел Герман Вольфович.

Костя кивнул и уволок уже почти спящего барчука из столовой. Повисло тяжелое молчание.

— Извините, — я рискнула нарушить тишину, — пойду переоденусь!

— Конечно, Надя пришьет пуговицы, — засуетилась Лаура Карловна. — Танечка, вы для нас особый человек, мама Гензы, поэтому... ну... э... как вы защищали малыша! Смело! Самоотверженно! Рукохвост не ошибся, выбрал лучшую из лучших! И... да...

— Короче! Я человек прямой! — Герман рубанул воздух рукой. — Всю жизнь от этого страдаю, желание высказать человеку в лицо правду только усложняет жизнь, но ничего с собой поделать не

могу. Татьяна, вы стали свидетельницей отврати-
тельного, но, увы, привычного поведения Михаила. Мой сын в детстве подавал огромные надежды,
он талантлив, ярок, неординарен, но, на беду, одновременно с немалыми творческими задатками
от матери ему передались истеричность, каприз-
ность, эгоизм и лень.

Лаура укоризненно кашлянула, Герман Вольфович побагровел.

— Нечего мне рот затыкать! Моя жена была
красива, я повелся на яркую упаковку, наплевал на
внутреннее содержание. И от меня Мише ничего
не перешло, он целиком Эвелина. Не спорить!

Экономка опустила взгляд, мне стало неудобно.
Неприятно, когда у вас в доме разгорается скандал, но еще хуже быть свидетелем выяснения отношений чужих тебе людей.

— Мой сын алкоголик, — заявил глава семейства. — Сейчас я пытаюсь его лечить. Михаилу не
разрешено покидать поместье, спиртные запасы в
доме заперты на замок, но он ухитряется раздобыть
выпивку. Перед ужином сын явно накачался вис-
ки, в процессе семейной беседы мерзавца развез-
ло, вот он и устроил дебош. Нам с Лаурой Карлов-
ной стыдно, поэтому убедительно вас просим: не
делитесь ни с кем впечатлениями от увиденного.

— Я не собиралась болтать с прислугой, — поспешила я заверить хозяина, — вообще никогда не
сплетничаю.

— Спасибо, — устало произнес Герман Кнабе.

— Картинки закончились, хочу еще! — подала
голос Эрика.

— Уже поздно, — вспомнила о несчастной девушке Лаура, — тебе пора спать.

— Нет, — заупрямилась Эрика, — нет!

— Пойдем, съешь пирожное, — начала соблазнять ее старуха, — эклер с глазурью.

— Это что? — не поняла Эрика.

— Трубочка с кремом, — перевела непонятное слово Лаура.

— Давай! — закричала больная и кинулась к пожилой даме.

Герман Вольфович сел в кресло и закрыл глаза.

Меня охватила жалость. Права поговорка: «Не в деньгах счастье». Конечно, человек, живущий на скромную пенсию или маленькую зарплату, часто думает, что все его проблемы можно решить с помощью денег. Но посмотрите на старшего Кнабе! Огромный дом, окруженный лесным массивом, зоопарк, армия челяди, гараж с машинами, возможность исполнить практически любую свою прихоть... — у него есть все, а счастья нет!

Новой супругой Герман не обзавелся (наверное, опасается привести в семью охотницу за наследством), Эрика превратилась в неразумное дитя, а Михаил наркоман. И никакие миллионы не вернут господину Кнабе веру в любовь и не разбудят разум его дочери. Может, хоть с Мишей ему повезет? Иногда нездоровое пристрастие поддается лечению.

Почему я веду речь о наркотиках, если Кнабе назвал сына алкоголиком?

Я обладаю отлично развитым обонянием, наверное, веду свой род от древнего человека, который вынюхивал для своего племени мамонта или другой объект охоты. Но сегодня мой сверхчувствительный нос не уловил ни малейшего намека на спиртное. Михаил стоял вплотную ко мне, дышал буквально в лицо, и я могу с уверенностью сказать: хам не прикасался к бутылке. Судя по расширенным зрачкам и постоянному шмыганию носом, неадекватное поведение младшего Кнабе вызвано ударной дозой кокаина. А Герман Вольфович не может признаться: мой сын наркоман. Поэтому и соврал про алкоголизм.

Людям важно сохранить реноме даже в безнадежной ситуации. Мать, чей отпрыск попал в тюрьму за воровство, воскликнет: «Он не убийца!» Ей хочется думать, что ее сын не хуже всех, есть на свете совсем уж отвязные подонки. Вот и Герману Вольфовичу кажется: пьяница — это еще не дно. А хуже наркомании ничего нет.

Глава 19

Мало-помалу я стала ориентироваться в доме, поэтому добралась до своей спальни без приключений. Быстро приняла душ и, несмотря на относительно ранний час, залезла под одеяло. К сожалению, я принадлежу к той категории людей, которые тяжело переносят любые скандалы. Если при мне начинается выяснение отношений, у меня всегда душа уходит в пятки.

В детстве, когда мои родители принимались орать друг на друга, рано или поздно у отца вырывалась фраза:

— И дочь пошла в тебя, дуру, потому и носит из школы тройки!

— От кролика не родится лев! — отбивалась мать. — Танька ленивая и неаккуратная, как папашка!

Я вжималась в матрац, натягивала на голову одеяло, пыталась дышать бесшумно и непременно давала самой себе несбыточные обещания: стану отличницей, буду три раза в неделю убирать квартиру, никогда больше не забуду дома мешок со сменной обувью, а в школе — пенал с ручками. Родители начнут гордиться дочерью, забудут про ссоры, станут приглашать гостей, танцевать под магнитофон — короче, вести себя, как папа и мама Веры Гордеевой. Но благого порыва мне хватало на пару дней. В понедельник я мыла в квартире полы, во вторник приносила «пять» по географии, а в среду забывала записать задание в дневник...

И в конце концов настал момент, когда я задала себе простой вопрос: почему меня всегда ругают? Гордеева учится намного хуже, в моем дневнике поровну четверок и троек, из класса в класс я перехожу без переэкзаменовок, а Верка обвешана двойками и в пятнадцать лет сидит с шестиклашками, потому что она злостная второгодница. Но ее предки — веселые люди, у них гуляют гости, отец ходит с Гордеевой на каток, мама шьет ей платья, и никто не говорит Вере, как мне: «Любовь родителей надо заслужить отличной учебой и примерным поведением. Даром ничего не дается». Но Гордеевой-то мамина нежность достается просто так! Может, мои предки лаются не из-за плохой дочери, а потому что не способны наладить личные отношения, вот и ищут виноватого?

Я не могла вспомнить ни одного раза, когда бы мать или отец провели со мной выходные. Даже на Новый год они уходили к приятелям, оставив нас с бабушкой вдвоем. Мама не обнимала меня, не целовала, не хвалила, не пела песенок на ночь, не читала сказок, ее внимание можно было привлечь только плохими отметками или проказами. Но я предпочитала вести себя хорошо, а двойки приносила не из-за лени, а по тупости. Мне не давались математика, химия, физика, астрономия — короче, все науки, где цифр было больше, чем букв. Не могла я припомнить и своего желания посекретничать с мамой, поделиться с ней радостью или горем. Об отце я уж и не говорю, о нем можно сказать только одно: он был. Утром уходил на работу, вечером возвращался. Причем, как правило, папа открывал дверь в квартиру, когда я уже спала.

— Татьяна, тебе повезло, — частенько повторяла наша классная руководительница, — ты живешь в полной семье: мама, папа, бабушка. Но ты не ценишь своего счастья, постоянно ходишь надувшись. Посмотри на Зою, у той одна мать, зато девочку все любят за веселый нрав.

Ну и как я могла объяснить преподавательнице, что у Зои в доме живут собака, кошка, хомяки, а ее мать не имеет ничего против одноклассников, которые приходят в гости? Зою не пилят, не ругают, не называют позором семьи, и ее мама, Тамара Николаевна, никогда не вопит истошным голосом на мужа, которого у нее нет:

— Куда подевал зарплату? Снова заначку заныкал? Мы с голоду подохнем!

Я обожала бывать у Зои. Тетя Тамара ставила на стол отварную картошку, миску с домашней квашеной капустой, бутылку подсолнечного масла и говорила:

— Чем богаты, тем и рады.

А еще тетя Тамара пекла удивительно вкусное печенье. Правда, оно было очень твердое, мы размачивали его в чае и с удовольствием грызли.

У нас дома были и колбаса, и котлеты, и зефир, и конфеты, но они застревали в горле под постоянные свары родителей. А когда я в четвертом классе попыталась привести к себе подругу, мама не впустила ее в квартиру, заявив ей в лицо:

— Я только полы помыла, натопчешь. И диван у Тани новый, на него еще чехол не сшили, протрете дорогую обивку.

Так откуда взяться у меня веселому характеру...

Генза внезапно зашевелился. По моим щекам быстро забегала маленькая влажная, но совсем не противная тряпочка — рукохвост языком слизывал слезы, которые полились у меня из глаз. Я прошептала:

— Спасибо, милый.

Гензель заурчал, затем стал тихо пощелкивать языком. Похоже, зверек очень эмоционален, чутко улавливает чужое настроение.

Я погладила Гензу.

— Давай спать, все хорошо. Прошлое переделать нельзя. Да, у меня не было счастливого детства, но и ужасным его нельзя назвать. Зато настоящее и будущее зависят только от меня, я могу стать счастливой сейчас и оставаться такой до конца жизни. Больше не буду рыдать от жалости к себе, лучше потратить время на...

— Пожар! Пожар! Горим! — истошно завопил из коридора чей-то голос.

Завыла сирена, захлопали двери.

— Пожар, пожар, горим! — надрывался кто-то.

Я стряхнула оцепенение, накинула халат и, прикрывая рукой голову Гензы, кинулась из комнаты.

Воющий звук толкал меня в спину, я бежала изо всех сил. Выскочила во двор, перевела дух, оглянулась и увидела, что остальные жители имения столпились у фонтана.

Устыдившись собственной трусости, я постаралась незаметно присоединиться к толпе. Маневр удался, все смотрели на дом.

— Что стоите? Посмотрите, кого нет! — приказал Костя.

— Светланы, — робко сказала горничная Роза.

— Она уволилась, — быстро пояснила Надя.

— Когда? — удивилась Роза.

— Сегодня. Взяла вещи — и адью, — сообщила Надежда.

— Но почему? — воскликнула Роза. — Светке тут нравилось.

— Не о том говорите! — рассердился Костя. — У нас пожарная тревога.

— А где хозяева? — опомнилась Надя.

Костя махнул рукой в глубь сада:

— В беседке.

Похоже, Костю здесь слушались так же, как Лауру Карловну, и он оказался единственным, кто не потерял головы и не впал в панику. Мастер на все руки взял на себя командование людьми и распоряжался, как опытный сотрудник МЧС.

— Женщины, идите в оранжерею, — приказал он. — Сидите там тихо, не высовывайтесь, не истерите. Эй, Игорь, Коля, проводите их!

Нас доставили в небольшой домик, и я не сдержала восторга:

— Красота! Столько цветов!

— Ты еще орхидей не видела, — заметила Роза, — они в другом зале. Я раньше здесь убирала, ну когда на работу пришла. Лаура Карловна сначала человека в подвал отправляет, затем сюда, следом во флигели. А уж если добросовестность продемонстрируешь, тогда пустит на господскую половину. Первое время коридор и лестницы драишь, полгода со щеткой на карачках ползаешь. Там ступеньки дорожка ковровая покрывает.

— Видела, — кивнула я.

Роза подняла ноги на кресло и продолжила:

— На дорожке шерсть от собак и кошек остается, поседеешь, пока каждую ворсинку отцепишь. Еще прутья нужно чистить, которые ковер удерживают, чтобы он не поехал. Следующий этап — библиотека. А в ней книг — офонареть!

— Ты, наверное, дослужилась уже до уборки спален хозяев? — улыбнулась я.

Роза зевнула.

— Я отвечаю за столовую, гостиную и кабинет, к кроватям Надя допущена. Вот если она уволится, меня старшей сделают. Но Надюха не дура, сладкое место не бросают... Она левая рука Лауры.

— А кто правая? — тут же спросила я.

Роза наклонилась к моему уху.

— Неужели не поняла? Костя. Его все боятся даже больше, чем старуху, Лаура Карловна громко ругается, но она отходчивая. Надо только подождать, пока она успокоится, и прощения попросить, всплакнуть, напомнить, что у тебя корни немецкие. Глядь, она все и забыла. А Костя злопамятный, с ним лучше отношения не портить. Подгадит капитально, нашепчет Герману Вольфовичу в уши — и прощай хороший оклад.

— Всегда можно найти другое место, — легкомысленно возразила я.

Роза свернулась калачиком в огромном кресле.

— Не знаю, как у вас, зоопсихологов, а у нас с этим большие проблемы. Кнабе — лучшие хозяева из всех, что бывают.

— Суперские... — скривилась я. — Заставляют руками с ковров ворсинки собирать.

Горничная зевнула.

— Ну и что? Это такая работа. Зато ни хозяин, ни его сын лап не распускают. Поговори с другими девчонками, они тебе расскажут, что многие наниматели к горничным как к секс-рабыням относятся. А здесь ни-ни. Зарплату не задерживают, отпускные выплачивают, с праздниками поздравляют, проживание и питание бесплатное. Я, например, бабки почти не трачу — как и Светка, на однушку коплю. Странно, что она уволилась. Еще утром никуда не собиралась, планировала в следующий понедельник самостоятельно в центральной части дома уборку провести, ее Надька три недели натаскивала. Карьера у Светки в гору попёрла, с чего ей убегать?

— Я слышала, у нее муж в больницу попал, — подлила я масла в огонь.

— Враки, — уверенно возразила Роза. — У нее с мужиком полный раскосец. Светка дома в пылесосе нашла чужие трусики и решила разводиться.

— Так это была она, — подпрыгнула я, вспомнив нечаянно подслушанный разговор двух женщин.

— Ты успела познакомиться со Светланой? — прищурилась Роза.

— Видела ее, — обтекаемо ответила я.

— Она хоть красивая, да невезучая, — с жалостью произнесла девушка. — Вышла замуж за обеспеченного мужика, он магазин имел. Но разорился и сидел дома, ни хрена не делал. Светусик уже год о разводе поговаривает, ей Костя нравится. Да уж, губа у нее не дура.

— Симпатичный молодой человек, — одобрила я выбор горничной.

Роза спустила ноги на пол.

— Костик у нас зафрахтован, у него на лбу штамп «Чужая собственность, не мацать».

— И кто же его счастливая избранница? — усмехнулась я. — Надеюсь, не повариха Анна Степановна?

Роза быстро оглянулась по сторонам и понизила голос.

— Эрика. Но ты об этом помалкивай.

— Дочь Кнабе? — поразилась я.

— Верно, — кивнула Роза. — У них амур. Никто не знал, я случайно Ромео с Джульеттой в оранжерее застала, вечером. Когда садовники уходят, туда ни одна собака не заглядывает, а мне смесь для удобрения комнатных цветов понадобилась, Лаура велела герань в гостиной подкормить. Понятно?

— Угу, — сказала я. — Однако Костя рисковый человек, Герману Вольфовичу не придется по душе нищий зять.

Роза положила ногу на ногу и начала откровенничать.

— Я раньше завидовала Эрике. Она внешне приятная, но не Мисс мира, без косметики на белую мышь смахивает. Тихая по характеру, от нее слова лишнего не дождешься: только «да» и «нет». Вот Миша, тот шумный, у него приятелей вагон. Но сейчас он дома сидит, к нему бабы сюда ездят, а хозяин злится. И правильно делает, еще родит какая-нибудь шлюха, младенца признают родным Кнабе, вот где анафема!

— Герман Вольфович богат, ему и двадцать внуков не составит труда прокормить, — легкомысленно сказала я.

Роза потянулась.

— Думай, чего несешь! А наследство? Если родная кровь, то самозванец право имеет на все: на дом, землю, бизнес, деньги. Капитал придется дробить. Вот хозяин и запретил сыну по бабам таскаться, под замок красавчика посадил. А тот вопль поднял: «Я художник, мне натурщицы нужны!» И Герман Вольфович рукой на парня махнул. Вообще-то отец хотел его к бизнесу приставить, да Миша отказался. Я в тот день в гостиной камин чистила, а он огромный, пришлось почти внутрь залезть, потому и услышала спор, который имел место в кабинете. Там ведь тоже печка есть, причем у нее общий дымоход с тем камином, где я сидела. И вот какой у папы с сыном разговор состоялся...

Герман Вольфович конкретно сказал Михаилу:

— Тебе жениться пора.

А Миша в ответ:

— Не желаю превращаться в чмо. Я художник, длительные отношения меня обременяют.

Отец возмутился:

— Надо семью создать! Детей родить!

Миша засмеялся и воскликнул:

— Зачем? Какой смысл в размножении? Признайся, ты мне завидуешь, я живу, как хочу.

И пошел скандал. В конце концов Герман Вольфович объявил:

— Эрика в отличие от тебя имеет правильные ориентиры, она наш род продолжит, я заставлю зятя после свадьбы взять фамилию Кнабе.

Тут-то Миша и брякнул:

— Внимательней за Эрикой смотри! Она от Кости без ума и творит ужасные вещи.

Роза примолкла.

— Дальше что? — полюбопытствовала я.

Горничная закрыла глаза.

— Ничего. Костя по-прежнему в доме верховодит, Михаил из имения почти не выезжает. А Эрика после больницы в трехлетку превратилась, ест, пьет и смотрит мультики. Знаешь, на нее маньяк напал, чуть не убил, она чудом жива осталась. Ее Костя спас.

Глава 20

— Костя? — не сдержала я удивления. — Мне говорили, что Эрику обнаружила в Битцевском парке парочка врачей-патологоанатомов.

Роза открыла глаза.

— Эрика в тот день с Костей поругалась. В доме никого не было, Герман Вольфович на службу отправился, Лаура Карловна в салон подалась, Михаил умчался за красками. Я в гладильной у окна утюгом махала, вдруг слышу из сада голос Эрики:

— Ненавижу! Опять бабу привез? Не отпирайся, я видела, как ты ее задами к церкви вел!

Костя давай отнекиваться.

— Рика, ты ошибаешься, это новая натурщица Миши.

А девица не унимается. Прямо в истерику впала. Всегда тихая, неразговорчивая, а тут чуть не визжит:

— Не ври!

Костик снова спорить:

— Милая, успокойся, ведь ты знаешь, что я к Михаилу моделей доставляю, они в его мастерскую идут. Ну не может художник без женщин картины писать! Скоро Миша представит свои работы на выставку, непременно отхватит Гран-при...

Эрика как заорет:

— Ты их ночью водишь! Я видела! Я специальный бинокль купила!

И тут до слуха горничной долетел странный треск. Роза осторожно выглянула в окошко. Дочь Кнабе стрелой летела по центральной аллее в сторону гаража, за ней бежал Костя, но парню не повезло — споткнулся, упал и, похоже, здорово ушибся.

В тот день Эрика так и не вернулась в имение, она попала в больницу. Как потом выяснилось, Костя сел в машину и погнался за любимой. Он знал, что у Эрики есть тайное место, где она любила сидеть в одиночестве в момент стресса, поэтому парень сообразил, куда она спешит. Вот только Косте опять не повезло, в тот момент, когда он вылетел на МКАД, Кольцевую автодорогу перекрыли для проезда правительственного кортежа. Около получаса Константин изнывал за рулем, лишенный возможности двигаться. Он бесконечно звонил Эрике, но та не брала трубку. В конце концов парень добрался до лесопарка и обнаружил полумертвую Эрику, а около нее влюбленную парочку. Константин моментально начал действовать, именно его оперативность сохранила девушке жизнь, Эрика сразу попала в лучшую клинику...

Роза прервала рассказ, помолчала, затем прошептала:

— Глупость скажу, но... я ей завидую.

— Девушке, потерявшей разум? — поразилась я.

Горничная сгорбилась.

— Она живет без хлопот, ни о деньгах, ни о еде, ни об одежде не думает. И Костя... Понимаешь, я считала, что он с Эрикой любовь крутит из-за денег. Ведь Герман Вольфович в Михаиле разочаровался, Эрика его основная наследница. Женихи-то к дочери Кнабе не торопятся, а Костя молодой, симпатичный, выходец из немецкой семьи. Для хозяина это очень важно, он предпочитает в близком окружении лишь своих видеть. Ну чем не партия для Эрики? Да, Костя беден, но имеет высшее образование.

— Константин? — поразилась я.

— Ага, — кивнула Роза. — Впервые он здесь появился как представитель интернет-фирмы, Миша купил комп, а разобраться с ним не смог. Костя все наладил, собрался уезжать, а тут у Лауры Карловны швейная машинка сломалась, да не простая, с компьютерным управлением. Константин и с этой бедой легко справился, а деньги у старухи брать отказался. Они разговорились, Лаура и предложила парню место. Вроде у него диплом МГУ.

— Чем глубже в лес, тем жирнее грибочки... — пробормотала я. — Окончить престижный вуз и служить в чужом доме мастером на все руки? Не понимаю...

Роза приложила палец к губам.

— Тсс! Костя все правильно рассчитал — женится на Эрике, хозяином станет. Но сейчас...

— Он к ней даже не приближается, — перебив ее, выдала я свой вариант развития событий.

— А вот и нет! — торжественно объявила Роза. — Наоборот получилось. Он просидел около Эрики, пока она из комы не вышла, и теперь с ней везде ходит. Герман Вольфович давно хочет свадьбу сыграть, Лаура Карловна тоже не против.

— И в чем загвоздка? — не поняла я.

— В Эрике, — грустно пояснила горничная. — Она Константина не помнит и сейчас к нему совершенно равнодушна. Не понимает, что такое любовь, ей же лет пять по уму, если не меньше. Думаю, Герман Вольфович в конце концов Эрику в загс оттащит и зарегистрирует ее брак с Константином.

— Зачем это ему? — удивилась я.

— Лаура Карловна уже в возрасте, сам старший Кнабе тоже не первой молодости, на кого бизнес оставить и кто за Эрикой ухаживать будет, если ее близкие в ящик сыграют? Не на Михаила же рассчитывать? Он-то с сестрой возиться не хочет, — пробормотала девушка, — Эрику через месяц в Америку на реабилитацию отправят, Костя с ней поедет.

— Я спрашиваю про Константина. Зачем ему нужна полубезумная Эрика?

— Два года назад я не колеблясь бы ответила: «Хочет бизнес и хозяйство к своим рукам прибрать». А сейчас думаю так: Костик Эрику сильно любит, мечтает около себя ее любую видеть. Оттого я ей и завидую, — призналась горничная, — со мной такого не случалось.

— Можно возвращаться в комнаты, — объявил Костя, входя в оранжерею, — идите спать. Завтра рабочий день из-за полубессонной ночи начнется не в шесть, а в десять утра.

Дворня зашумела.

— Прямо Новый год!

— Пожар потушили?

— Что сгорело?

— Я, пока бежала, потеряла тапку...

Константин поднял руку.

— Спокойно. Не все сразу. Кто считает, что десять утра — это Новый год, может выйти, как обычно, к шести.

Горничные, охранники и поварята засмеялись.

— Думаю, энтузиастов не найдется, — подвел итог Константин. — Теперь в отношении пожара. Его не было.

— Как? — в едином порыве закричала толпа.

— Тише! — потребовал Костя. — Сам слышал вопли и сирену, но, судя по всему, тревога — чья-то бездарная шутка. Дыма не обнаружено, возгорания тоже. И наша сигнализация не сработала, выло другое устройство. Спокойно расходитесь, мы все стали жертвой хулигана.

— Наверняка это Светкина проделка! — закричала девушка в розовом халате. — Она на хозяев злилась!

— Светлана у нас больше не работает. И если это ее проказы, непременно накажу безобразницу, — пообещал Костя. Затем хлопнул в ладоши. — Баста! Всем спать!

Мы с Розой дружно направились к особняку.

— Вот сучонка! — запыхавшись, произнесла горничная. — Воспользовалась моментом!

— Светлана уволилась, — напомнила я, — уже не напакостничает. Глупость ей в голову взбрела, задумала хозяевам навредить, а сон всем испортила.

— Света на такое не способна, — решительно возразила Роза, — я говорила о Лариске, той шлюшке в розовом халате. Она на Светлану давно злобу затаила. Та увидела, как Ларка к Косте пристает, и Надьке сообщила. У Светки была такая черта: всегда докладывать старшей о непорядках.

— Стукачей в коллективе обычно не любят, — заметила я.

— Света никогда не действовала исподтишка, за спиной не кусала, наоборот. К Ларке она на моих глазах подошла и заявила: «Как тебе не стыдно! Ты лежала на лужайке, загорала топлес и, как увидела Костю, давай изгибаться. Я доложу Наде о твоем поведении». Света была откровенной.

— Почему «была»? — зацепилась я за глагол в прошедшем времени.

Роза громко чихнула.

— Так ее в доме нет, значит, была. Иначе не скажешь.

На следующий день я проснулась около девяти. После утреннего туалета не нашла на столе поднос с завтраком, постеснялась звать Надю и пошла на кухню. Если повариха Анна Степановна еще спит, я могу сварить себе кофе сама.

В просторном помещении приятно пахло ванилином, Анна Степановна шинковала на деревянной доске отварные овощи.

— Кофейку? — засуетилась она, вытирая руки полотенцем. — Вам послаще?

— Не хотела причинять вам беспокойство, — смутилась я, — давайте сама к плите стану. И вы можете говорить мне «ты».

— Ладно, — засмеялась повариха, — но кухня — мое хозяйство. Неужели это Светка нам джихад устроила? Всех сна лишила, вот подлость! Еще творожной запеканки тебе подогрею...

Продолжая разговаривать, Анна Степановна быстро перемещалась от шкафчиков к СВЧ-печке и варочной панели, я села за стол и стала поглаживать Гензу.

— Доброго утречка вам, — деликатно произнес мужчина средних лет, входя на кухню.

— И тебе, Антон, того же, — отозвалась Анна Степановна. — Перекусить зашел?

— Так я с пяти утра клумбу копал, — потупился он, — супчику охота.

— Сам налить сумеешь? — поинтересовалась повариха.

— Вечно бабы мужиков безрукими считают, — покраснел Антон.

— Ну раз ты такой хозяйственный, то бери половник и черпай из синей кастрюли, — приказала Анна Степановна, ставя передо мной кофе. — Недосуг мне тебя обслуживать, винегрет готовлю.

Антон погремел крышкой и отнес дымящуюся тарелку на маленький столик у окна. Очевидно, повариха держала садовника в строгости и не разрешала ему устраиваться в центре кухни. Я уже усвоила, что среди прислуги в особняке Кнабе существуют кастовые различия, и Антон, похоже, принадлежит к разряду неприкасаемых.

— Руки вымой! — приказала Анна Степановна. — Вон пальцы какие черные.

— Да уже тер их, — не обиделся на замечание мужик, — земля въелась в кожу. Чего-то супешник жидковат!

— Не нравится — не ешь, — рассердилась повариха.

Антон испуганно примолк и сгорбился над тарелкой.

— Некоторые люди капризней болонок, — заворчала Анна Степановна, — то им жирно, то пусто, то кисло, то горько. Наверное, их жены шеф-

повара в лучших ресторанах, фуагру мужьям-не-
удачникам с работы в сумках носят, вот отличный
суп кое-кому и кажется ненаваристым.

— Извиняйте, — залепетал Антон, — не со зла
заяву сделал, духовитый супчик! Аромат аж в нос
шибает! И на вкус офигительный, на этот похож...
ну... такой... типа... забыл! Я его в бане видел.

— На что, на что смахивает суп? — голосом, не
предвещающим ничего хорошего, протянула Анна
Степановна и медленно развернулась к Антону.

От неминуемой расправы глупого садовника
спасла девушка в белом халатике. Она вошла на
кухню и тихо спросила:

— Анна Степановна, можно завтрак?

— Конечно, Людочка, — враз сменила гнев на
милость повариха. — Присаживайся, вон подносик
на обычном месте стоит, хочешь, присоединяйся к
нам!

— Нельзя Лизу одну оставлять, — возразила
медсестра.

— Ты слишком ответственная, — вздохнула
Анна Степановна. — Пятнадцать минут ничего не
изменят, отдохни.

— Мясо жесткое, — вновь ожил Антон, — не
жуется, и вкус у него... типа... ну... ваще это не го-
вядина!

— Или ешь, — огрызнулась Анна Степановна, — или проваливай!

— Молчу, молчу, — испугался садовник.

Людмила схватила поднос с тарелками, чашка-
ми и убежала.

— Кто это? — не сдержала я любопытства.

Анна Степановна застучала ножом по доске.

— Герман Вольфович святой. Другой бы сплавил Лизку в интернат, а наш хозяин не может. Уже второй год о ней заботится. Ты тут всяких разговоров наслушаешься, понарасскажут тебе, но ничему не верь, бабье языками молотит, а правды не знает.

— Жасмин! — воскликнул Антон. — И лимон! Точно! В бане меня мужик чаем угостил, вот откуда знакомый вкус. Наплескал он в кружки воду чуть зеленого цвета и предложил мне пригубить. Я сначала в отказ, совсем уж заварка белесая, но все-таки рискнул. Ничего оказалось. Как этот суп.

Повариха швырнула нож на доску.

— Кончилось мое терпение.

— Молчу, молчу! — вжался в стул садовник.

— Уже наговорил сполна! — рявкнула Анна Степановна, надвигаясь на болтливого едока. — Значит, мой суп смахивает на зеленый чай?

— Очень вкусно, — попытался загладить вину Антон.

— И мясо не жуется? — уперла кулаки в боки Анна Степановна.

Антон съежился в комок.

— Хороша говядинка, просто я много положил. Два кусманделя осилил, третий поперек горла встал. А бульон весь выхлебал. Ик! — неожиданно издал садовник.

— Ик! — повторил Антон. — Извиняйте, кто-то недобрым словом меня поминает, ик... ик... можно водички из-под крана? Ой! В брюхе война пошла...

Он схватился руками за живот. Анна Степановна уставилась в его тарелку, взяла большую вилку, подцепила нечто весьма странное, темно-зеленого цвета, и спросила:

— Это что?

— Мясо... — простонал Антон.

— Идиот! — заорала повариха. — Из какой кастрюли ты щи налил?

— Из какой велели, из той и взял, — прошептал садовник, — я послушный.

— Ты дурак! — накинулась на бедолагу Анна Степановна. — Мало того, что в девять утра вместо кофе суп харчишь, так еще и глухой! Я четко сказала: иди к синей кастрюле. Синей, не красной! Или ты дальтоник?

— Ой, никогда, я высоты боюсь, — заныл Антон, — не по мне на крыльях летать. Это Костя обожает, он на поле...

— При чем здесь крылья и полеты? — окончательно вышла из себя повариха.

Я постаралась сохранить невозмутимый вид. Антон перепутал слово «дальтоник» с «дельтапланом». Оказывается, Костя увлекается полетами... да он у нас экстремал...

— Совсем ум потерял, кому сказать — не поверят! — гневалась Анна Степановна. — Человек мочалки съел! Две сожрал, третья в него не полезла! Неужели я такое дерьмо готовлю, что ты на вкус мыльную воду от щей не отличил?

Я вцепилась в сиденье стула.

— Какие мочалки? — затрясся садовник.

Анна Степановна сунула ему под нос вилку с субстанцией темно-зеленого цвета.

— Немецкие! Дорогие! Что же, их выбрасывать? Качество исключительное! Вот я и вывариваю, когда испачкаются. Налью в кастрюлю геля с запахом жасмина и лимона, на маленький огонек поставлю, и потом губки как новые. А ты их схавал!

Антон в ужасе замахал руками.

— Слопал вещь германского качества! — топнула Анна Степановна. — Гони триста рублей! Столько мочалки стоят! Спутал щи с мыльным раствором... Синего от красного отличить не можешь... «Плохо жуется»... Обалдуй!

Садовник зажал рот ладонью и бросился вон из кухни.

Глава 21

Анна Степановна вернулась к доске с овощами.

— Встречала таких идиотов?

— Нет, — совершенно искренне призналась я. — А кто такая Людмила?

— Медсестра, — ответила повариха.

— До сих пор я ее не видела. Она ухаживает за Эрикой?

Анна Степановна поправила косынку.

— Нет. В доме служила горничной Лиза. Между нами говоря, безалаберная девка. Но чем-то она Лауре Карловне потрафила и начала вверх лезть. Велели как-то ей окно в спальне Эрики помыть. Давно дело было, еще до несчастья с хозяйской дочерью. Лизка на подоконник встала, давай стекло протирать, а по двору как раз Константин шел. Лизавета ему и заорала: «Эй, Костик, как мои ноги со двора смотрятся?» Безбашенная девка! Она со всеми заигрывала, ума никакого, хоть двадцатилетие справила, чистая макака была. Постоянно по дому носилась, песни пела, у меня от нее голова кружилась, тошнота подкатывала. Костя ей ответил: «Осторожно! Не прыгай в проеме!» А той океан по щиколотку, как завизжит: «Сейчас тебе спляшу!» — и начала задом вертеть. Ну и свалилась!

— Ужас, — прошептала я.

Анна Степановна налила себе кофе и села к столу.

— Шлепнулась на клумбу, жива осталась. Сломала позвоночник, и в голове у нее помутилось. Лежит теперь без движения и без сознания. Герман Вольфович к ней Люду приставил и Марину, они меняются. Родителей у Елизаветы нет, она из детдома. Сама, дура, виновата, самой и отвечать. Надо бы Лизу в больницу сдать, да Кнабе слишком жалостливый. Пришел на кухню и сказал: «Бедная девочка, наказал ее Господь. Теперь, пока он Лизу не заберет, я за нее в ответе». Ох, иногда бог совсем не ценит благородства. Думаешь, он Германа Вольфовича за его доброту вознаградил? Так ведь нет! Вскоре на Эрику маньяк напал.

— Но дочь Кнабе вышла из комы, — напомнила я.

— Лучше б ей там остаться, — бухнула повариха. И осеклась. — Ох, нехорошо я сказала, да только это правда. Хозяин за год на двадцать лет постарел. Я в доме с незапамятных времен служу, Герман Вольфович мне как родной. Он сюда порой придет, и мы разговариваем про животных. С месяц назад сидели мы так, о моем Кузе шпрехали, и вдруг хозяин говорит: «Не дай бог я умру, кто об Эрике позаботится? Ей ни деньги, ни бизнес оставить нельзя. Михаилу доверия нет, у него в голове один тотализатор».

— Почему тотализатор? — перебила я повариху.

Анна Степановна поморщилась.

— В семье не без урода, вот и Михаил гнилой получился. Его то ли из пяти, то ли из семи школ выгнали, учиться не желал, одни девочки на уме. В институт не пошел, от армии его Герман Вольфович откупил. Так не поверишь, что он надумал — подался в цирк!

Я, уже решив ничему не удивляться, ахнула.

— Куда?

Анна Степановна понизила голос.

— Это секрет, его только свои знают. У Кнабе все обожают животных, у них всегда кошки да собаки жили. В юности Герман Вольфович хотел стать ветеринаром, но ему отец запретил. А Михаил лелеял мечту дрессировщиком работать. Герман возмутился, думал, что сын его послушает, как он сам своего папеньку. Ан нет! Миша из дома ушел, о нем несколько лет никто не слышал. Потом здрасти — возвращение блудного сына! Где был? Чем занимался? Мне правду не рассказали, но краем уха я слышала: работал с хищниками в шапито, мотался по городам, вел нищую жизнь, ну ему и надоело. Приполз к папе, а у того как раз большие деньги появились. Герман Михаила не ругал, купил ему тигра, чтоб сыночек забавлялся. Хотел отпрыска в институт пристроить, но Миша дома сидел. Потом вдруг образумился, поступил на курсы, научился с помощью компьютера рисовать картины, стал считаться художником. Да денег он не зарабатывает, сидит в студии.

Анна Степановна допила кофе и продолжила:

— Герман Вольфович щедрый. Он-то отлично

видел — никудышный сыночек получился, но ведь родной, не бросишь. Пару раз я слышала, как Миша в телефон говорил: «Надо больше ставить, не трясись». Или: «Точняк выиграем, расскажи всем про тотализатор». Ну я и поняла: на бегах он играет, иначе где бы ему денег взять. Художники картины продают, а я ни одной готовой Мишкиной работы не видела. Знаешь, он только прикидывается живописцем, чтобы девок к себе таскать, говорит, это натурщицы. Тьфу! На территорию мимо охраны не попасть, мне Леонид рассказал: такие прошмандовки порой приходят! А еще он порошок нюхает. Полный набор! Вот уж наказание... Смотри телефон не забудь.

— Мой сотовый в кармане, — удивилась я.

— А чей тогда розовый? — ткнула пальцем в столешницу Анна Степановна.

— Вероятно, мобильный оставила Люда, — предположила я. — Давайте отнесу его ей.

— Не побоишья? — неожиданно спросила повариха. — Лизавета лежит не в доме, ее устроили в бывшем коттедже священника, недалеко от церкви. Ремонт сделали, кучу денег Герман Вольфович на девку потратил. Наши в ту сторону не суются. Про Клауса слышала?

— Красивая сказка, — улыбнулась я.

Повариха навалилась грудью на стол.

— Нет, это правда! Дед Степан настоящий колдун, я ему верю! И однажды в январе я сама призрак видела, с тех пор к развалинам не приближаюсь.

Я ухмыльнулась, Анна Степановна вздернула подбородок.

— Не веришь? А зря! Я от давления мучаюсь, оно у меня скачет. Чтобы таблетками не травиться, гуляю по утрам. Встану в пять, оденусь потеплее и в лесок на быстрый ход. Бегать врач запретил, а шагать пожалуйста. Иду себе по тропинке... Я раньше до церкви топала и обратно, по кругу... Вдруг вижу — вот такой человек!

Повариха подняла руки.

— Высокий! В плаще с капюшоном! На шее проволока блестящая, на ней колокольчики, в руке барабан! Лица нет!

— Как нет? — вздрогнула я.

— Совсем, — еле слышно вымолвила повариха, — чернота одна. А вдали тарелка стояла!

Я обалдела.

— Суповая?

Анна Степановна постучала пальцем по лбу.

— Скажешь тоже... Летательная!

— В январе в пять утра еще темно, — попыталась я внести здравую ноту в безумное повествование, — как вам удалось столько подробностей рассмотреть?

— У меня фонарик имелся, — пояснила повариха. — А потом на тарелке вдруг огонь вспыхнул. Белый, яркий, аж глаза заломило. И голос с неба упал:

«Уходи, пока жива! Клаус шутить не любит! У-у-у!»

Повариха понизила голос.

— Понеслась я к дому на реактивной тяге. Про гипертонию, артрит и возраст забыла, летела молодухой. Да нет, я и в юные годы так не бегала! Упала, ногу поранила, вскочила и опять деру. Давно дело было, не один год прошел, но я больше туда не суюсь, отрубило гулять в лесу.

— Вроде Клаус привидение, а из вашего рассказа следует, что он инопланетянин, — попробовала я образумить Анну Степановну.

— Он существует! — торжественно объявила повариха. — Ходит и убивает. На Майю Лобачеву напал.

— На Майю? — подскочила я.

Повариха захлопнула рот, но я вцепилась в нее, словно клещ.

— Лобачева заболела, ее отвезли в больницу! У нее язва! Разве нет?

Анна Степановна покосилась на дверь. Вдруг, явно желая сменить тему разговора, спросила:

— Хочешь мороженое?

— Конечно, — кивнула я.

— Пойди в маленькую кладовку и возьми любое, — радушно предложила повариха.

Я не могла отказать себе в удовольствии. Мороженое — это так вкусно!

— А где кладовка?

Повариха показала пальцем влево.

— Видишь две двери? За одной стеллажи с банками и припасами, а за другой три холодильника.

Я встала, открыла нужную дверь и сделала пару шагов. Под ногой что-то скрипнуло, я наклонилась и подняла с пола серебряное колечко.

— Ну, — поторопила меня повариха, — выбрала?

— Нет, — откликнулась я, — зато нашла чье-то украшение.

— Где? — занервничала Анна Степановна, входя

в комнату с тремя продолговатыми темно-желты-ми, смахивающими на сундуки холодильниками.

Я протянула поварихе находку. Анна Степанов-на повертела безделицу в руках, пригляделась к ней и вздохнула.

— Там внутри надпись есть: «Майе от Гоши», — тихо, как бы про себя, проговорила она. — Лоба-чева им очень дорожила, никогда не снимала. Вот как, значит. Теперь понятно...

— Как же колечко здесь оказалось? И что вы имеете в виду? — удивилась я.

Анна Степановна махнула рукой на мощные холодильники.

— Лаура Карловна обожает запасы делать, от-сюда и ледники. Один холодильник мясом забит, другой рыбой и морепродуктами. Стратегический запас на случай дефолта, кризиса или войны. А тре-тий пустой, на всякий случай. Вот ты Майкино ук-рашение на полу обнаружила, и я сразу скумекала, что произошло. Лобачева Клауса на кухне увидела и в кладовке спряталась, со страху в морозильник забилась. А призрак крышку поднял, ну она в него кольцом и кинула.

— Странный способ избавляться от привиде-ния, — протянула я. — Разве колечко поможет?

Повариха снисходительно улыбнулась.

— Чем вампира можно убить?

— Не знаю, — ответила я, — никогда с ними не встречалась.

— Неужели ни одного фильма про графа Дра-кулу не видела? — изумилась Анна Степановна. — Попроси Надю, она тебе даст. У Кнабе огромная видеотека, Герман Вольфович кино любит, почти все новинки смотрит, а потом любому, кто хочет взять, разрешает. Вампира лишают жизни при помощи серебряной пули! Поняла?

— Нет, — призналась я.

Повариха, явно разочарованная моей тупостью, пустилась в объяснения:

— Колечко-то из серебра! Вот Майка, видимо, и решила: кину его в Клауса, авось он подохнет. Но призрак не вампир, не сработало средство! И он убил Лобачеву.

— Интересная версия, — усмехнулась я. — Но есть одна деталь: Майе стало плохо на моих глазах, ее сильно затошнило, и я с большим трудом довела горничную до особняка. Собственно говоря, я попала сюда из-за Лобачевой, она упала в обморок на лужайке, мне пришлось нестись в особняк за помощью, и в холле я столкнулась с Гензой.

— Правильно, — до конца отстаивала свою версию повариха, — Клаус Майку до потери пульса напугал. Лобачева без чувств свалилась, призрак ушел, небось посчитал девчонку мертвой, а та очнулась, и от стресса у нее язва открылась! На следующий день ей и поплохело. А кто первопричина болячки? Клаус.

Повариха торжествующе на меня поглядела.

Я кивнула. Пусть уж Анна Степановна считает, что зоопсихолог поддерживает ее позицию. Но я-то отлично знаю: язву желудка вызывает зловредная бактерия.

Раньше доктора говорили пациентам:

— Вы неправильно питались: сухомятка, бутерброды, жирное мясо. Теперь вам придется сидеть на диете, есть протертые супчики. А еще постарайтесь не нервничать — и непременно выздоровеете.

Конечно, бесконечное поедание жареных сосисок, постоянный форс-мажор на службе и семейные скандалы не принесут пользы вашему здоровью. Но многие пациенты добуквенно исполняли предписания врача и... лечились годами. Противная язва то «замолкала», то снова «оживала». И уж совсем казалось непонятным, отчего она частенько поражала всех членов семьи. Только когда была открыта пресловутая бактерия, все встало на свои места. Нынче язву лечат набором препаратов, в который обязательно входит антибиотик, и медики просят заболевшего соблюдать гигиенические меры, как при гриппе: своя чашка, ложка, тарелка. Иногда случается самое неприятное — прободение язвы, и тогда жизнь человека повисает на волоске, требуется срочная операция.

Но к Лобачевой не вызывали «Скорую». Почему?

И последнее. Когда я наткнулась в парке на увлеченно вяжущую Майю, на небе светило солнце, и мне невольно бросилось в глаза простое колечко на руке у девушки, оно ярко блестело в лучах, пуская зайчики. Но если за день до этого, вечером горничную напугал Клаус и она бросила в него кольцо, то каким образом украшение вновь очутилось у Майи? Понимаю, что вы сейчас думаете! Девушка после исчезновения привидения подобрала любимый перстенек и нацепила на палец. Может, и так, не спорю, но каким образом он теперь оказался в кладовке? Я видела его на руке Лобачевой, Майе стало плохо у входа в дом, она свалилась на газоне, и, по словам Лауры Карловны, больную сразу понесли к центральным воротам, куда якобы подъехали спешно вызванные врачи. Вот только, повторяюсь, как колечко попало в кладовку с морозильными камерами, где на него наткнулась я?

Мне стало не по себе, я поежилась. У меня есть ответ, но, поверьте, совсем не веселый. Майя умерла, ее тело тайком положили в пустой холодильник, а потом, поздним вечером, увезли из имения. Случайно я подслушала разговор мужчин в бельевой кладовке — парни нервно искали большой брезентовый мешок для отправки в прачечную постельного белья, и, если вспомнить, что они грузили на электроплатформу какой-то продолговатый тюк...

— Ты заснула? — толкнула меня в бок Анна Степановна. — Или при упоминании Клауса испугалась? Так он лишь в сумерках или ночью появляется. Ой! Это кто?

От неожиданности я подпрыгнула.

— Что? Где?

Повариха, скорчив гримасу, испуганно смотрела на пол.

— Вон там!

— Ящерица, — с огромным облегчением ответила я. — Она меня в зоопарке за щиколотку тяпнула, и теперь никак не отвяжется, таскается за мной хвостом, в глаза мне заглядывает. Видимо, извиняется, очень совестливая.

— Надо врачу рану показать, — засуетилась повариха. — Еще воспалится!

— Чуть-чуть поболела и зажила, не стоит волноваться из-за всякой ерунды, — отмахнулась я.

— Не нравится мне здешний питомник, — предусмотрительно понизив голос, призналась вдруг повариха. — Я люблю животных, собак, кошек, лошадей, птичек, Кузю своего обожаю. Но тигр! Или змеи! Могут уползти, укусить... Я стараюсь к зоопарку не приближаться.

— Клетки заперты, — успокоила я Анну Степановну.

— Ящерица-то сбежала! — возразила она. — В общем, мало ли что...

— Я уйду, и она следом кинется, — пообещала я. — Кстати, давайте я и правда отнесу Людмиле мобильный.

— Сделай одолжение, — сказала повариха. — Медсестре не разрешено часто пост покидать, она уж небось хватилась трубки. Сейчас дорогу объясню...

Поблагодарив Анну Степановну, я вышла во двор, увидела Емелю, погладила трусливого волкодава по голове и предложила:

— Пойдешь прогуляться?

Пес с готовностью вскочил, и мы направились к кустам сирени.

Глава 22

Люда была в небольшой гостиной. Она сидела на диване и с упоением читала роман Милады Смоляковой.

— Вы забыли на кухне телефон, — сказала я.

— Правда? — удивилась девушка. — Огромное спасибо.

— Не заметили пропажу? — решила я завязать беседу.

— Трубка нужна мне исключительно для рабочих целей, личным мобильным здесь пользоваться нельзя, — с неохотой ответила Людмила, — а служебный по большей части молчит.

— Наверное, скучно тут одной сидеть, — я упорно пыталась разговорить медсестру.

— Я привыкла, — коротко прозвучало в ответ.

— Поболтать не с кем.

— Предпочитаю проводить время в компании с хорошей книгой, — тоном робота отозвалась Людмила.

Я сменила тему.

— Трудно ухаживать за безнадежно больным человеком?

— Я привыкла.

— Вы в больнице раньше работали?

— В хосписе.

— Тогда конечно, — кивнула я, — никогда бы не смогла проводить дни около умирающих, это очень тяжело и физически и морально.

— Я привыкла, — попугаем повторила Люда.

— Давно Лиза лежит на аппаратах?

— Достаточно.

— А сколько она еще протянет?

— Как бог решит! — сухо обронила Людмила и потянулась к книге.

— Психолога к больной не звали? — я предпочла не замечать намеков на мою надоедливость.

— Зачем?

— Сейчас медики полагают, что человек в бессознательном состоянии слышит и понимает происходящее вокруг, он просто не может реагировать. Есть специальные тесты для выяснения его способностей к восстановлению. Например, водный, — отчаянно соврала я. — В вашем хосписе были пациенты в коме?

— Да, — чуть приветливее ответила Люда. — Очень их родственников жаль, непросто им приходится, когда надо принимать решение об отключении больного от аппаратов.

— Но случаются чудеса! — ажитированно возвестила я.

Людмила пожала плечами.

— На моей памяти не было. Хотя один врач рассказывал про пациентку, которая через пять лет очнулась.

— Вот видите, — обрадовалась я, — шанс всегда есть! Не дай бог, конечно, но, если с кем-то из моих близких произойдет беда, я никогда, ни за что не разрешу перекрыть кислородный шланг.

Люда неожиданно засмеялась и перешла на свойский тон.

— Очень трогательно! А денег у тебя на содержание полутрупа хватит? Это дорогое удовольствие — жизнь в бездыханном теле поддерживать.

— Деньги можно найти! — возразила я.

— Ну-ну, — хмыкнула медсестра. — А вот у меня рука не дрогнет. Нельзя человека мучить, лучше прекратить его страдания.

— Слава богу, не у всех такое мнение.

— Слава богу, не все видят и знают то, что мне известно, — парировала Людмила.

— Эрика-то реабилитировалась! А если признать твою правоту, девушка бы сейчас была на кладбище, — сердито уточнила я.

Медсестра отложила книгу.

— Ты ее видела? Считаю, в данном случае лучше лежать в могиле. Думаешь, я злая сука, которая желает людям смерти? Вовсе нет, просто у меня медицинское образование, и я реально оцениваю шансы человека. Даже если он вернется из небытия, качество его жизни никогда не станет прежним. О каком тесте ты говорила?

— Ну... о ручном, — соврала я.

Но у Людмилы оказалась замечательная память.

— Только что ты называла его водным.

— Это одно и то же, — вывернулась я.

— Знаешь, как его проводят? — девушка внезапно проявила горячий интерес к теме.

Что мне оставалось делать? Только кивать.

— Сложно? — не успокаивалась Людмила.

— Нет, — опрометчиво махнула я рукой и прикусила язык.

Надо было сказать про уникальный набор лекарств, необходимый для такого теста.

Медсестра встала.

— Пошли.

— Куда? — бдительно уточнила я.

— В палату. Покажешь, как тест проводить! — приказала медсестра.

Меня нельзя назвать членом клуба веселых и находчивых, чаще всего я подыскиваю нужные слова спустя два-три часа после того, когда они пришлись бы к месту. Но сейчас моя фантазия забила ключом, и я, воскликнув «Супер!», — двинулась за Людмилой.

Когда мы очутились в палате, где на кровати лежала Лиза, Люда с нетерпением поторопила меня:

— Ну? Говори, что надо делать.

— Неси сюда две мисочки, — распорядилась я. — Одну с очень холодной водой, даже лучше с кубиками льда, а другую с кипятком. Маленькие емкости, большие не требуются.

Медсестра кивнула и испарилась.

Я живо вытащила мобильный и стала фотографировать неподвижную больную, тихо приговаривая:

— Прости, пожалуйста! Знаю, нехорошо снимать человека, когда он находится в беспомощном состоянии, но это для твоего же блага! Имени своего ты мне не назовешь, что произошло, не расскажешь, надо же установить твою личность. Не верится мне что-то в благородство Германа Вольфовича. Ну неужели господин Кнабе столь милосерден? Тратит большие деньги на уход за посторонней девицей, простой горничной, которая исключительно по собственной глупости якобы свалилась со второго этажа. И откуда шрам на шее? Думаю, тут дело нечисто! Лиза ли ты? Может, в паспорте стоит другое имя, допустим, Варвара? За время болезни твое лицо побледнело, осунулось, превратилось в маску, но живет на свете вездесущий хакер Димон Коробков, он возьмет сделанный мною снимок, и крэкс, фэкс, пэкс! Прогнав изображение через специальную программу, скажет, кто ты: Богданова или нет.

Из коридора послышались шаги, я спрятала сотовый и открыла дверь. В палату с подносом в руках вошла Люда.

— Такие пиалы подойдут? — с порога спросила она.

— Лучше не найти, — одобрила я ее выбор.

— Ну, рассказывай, — поторопила меня медсестра.

— Дело нехитрое, — размеренно завела я, — бери миску с горячей водой, а мне отдай с холодной. Теперь попробуй пальцем свою жидкость. Не обжигает?

— Терпеть можно, — объявила Людмила.

— Отлично. Действуем на счет раз — я опускаю мизинец Лизы в холод; два — ты погружаешь мизинец другой руки в тепло. И так чередуем. Если девушка откроет глаза, значит, она когда-нибудь выйдет из комы.

Людмила покосилась на миску.

— Больно примитивно... Елизавета бревном лежит, реакций никаких. Выходит, если она сейчас веки приподнимет, значит, все о'кей, она возвращается к жизни? Но, поверь, ей прокапали и прокололи уйму действенных современных препаратов, и эффекта ноль. Большая химия оказалась бессильна, а ты предлагаешь простую воду.

— Не хочешь — не надо, — обрадовалась я. — Вероятно, это и впрямь глупо.

Люда вытянула губы трубочкой, потом вернула их на место.

— Мама моя в юности работала акушеркой в

колхозе, и она рассказывала: иногда бабы рожали вроде мертвого ребенка. Ну а какие в деревне средства реанимации? Да еще в доисторические времена, в семидесятых годах прошлого века. Но мамочка боролась за младенцев до последнего — использовала способ, о котором ей бабушка, тоже повитуха, поведала. Берут два таза: с горячей водой и ледяной. Если малыш не дышит, его сначала быстро окунают в первую емкость, через секунду во вторую, и так три раза. Многие оживали.

В моей голове вспыхнули воспоминания о курсе русской литературы.

— Писатель Вересаев! Он сообщал об этом же методе в своей книге о сельском враче.

Людмила скрестила руки на груди.

— Три месяца назад в доме у Лауры Карловны одна из ее кошек котилась, хозяйка меня на помощь позвала. Пять детенышей родились хорошие, крепкие, а шестой дохлый. Лаура Карловна как заплачет! Мне ее жаль стало, я велела два таза принести, и котик ожил! Может, в трюке с водой и правда что-то есть? Ладно, давай ее пальцы в миски опускать...

— Начали! — согласилась я, устыдившись. Ведь я придумала «тест» с одной только целью — хотела попасть в комнату к больной и сделать тайком несколько снимков. А про Вересаева вспомнила лишь после рассказа Люды о своей матери. Может, чередование тепло—холод и способно оживить сердечно-сосудистую и дыхательную систему новорожденных, но для человека в коме оно, простите за некорректный каламбур, словно мертвому припарка.

— Раз! — скомандовала Люда. — Два! Раз — два! Раз — два!

Примерно полминуты мы опускали мизинцы несчастной в воду, потом медсестра грустно сказала:

— Не действует. Не стоило рассчитывать на чудо.

— Мы хотя бы попытались, — тихо сказала я, опустила глаза и увидела ящерицу, которая заискивающе глядела на меня снизу вверх.

— Пойду, пожалуй, — заговорила я, — извини за...

— Мама! — заорала Людмила.

Звук ее голоса перекрыл грохот, вероятно, медсестра уронила поднос с мисками или какие-то инструменты. В первую секунду я подумала, что она испугалась ящерки, подняла взгляд и уже хотела сказать, что рептилию не стоит бояться. Ну она правда цапнула меня за щиколотку, так пора уже забыть об этой ее оплошности! Ей-богу, я скоро полюблю совестливую ящерицу, как Гензу!

Но слова застряли в горле, Люда смотрела в сторону кровати, ее правая рука дергалась, а левая была запущена в коротко остриженные волосы.

— Тебе плохо? — испугалась я.

— Она... смотрит, — выдавила из себя медсестра, — вон...

Я переместила взгляд на больную. Наволочка почти сливалась по цвету с лицом Лизы, даже ее губы приобрели серовато-голубой оттенок. Щеки запали, нос напоминал плавник, обтянутый кожей, лоб был гладким, брови не шевелились, но вот глаза! Веки распахнулись, на меня глядели карие очи.

Спустя четверть часа мы вернулись в гостиную.

— Врач приедет минут через сорок, — сообщила Людмила, — больница, где Бруно Леопольдович работает, находится недалеко, но на шоссе пробки. Что мне делать?

— Действовать по инструкции, — растерянно предложила я.

— Я не ожидала ничего подобного, — задергалась медсестра. — Слушай... не губи меня!

— И в мыслях не было нанести тебе вред, — удивилась я.

Людмила обхватила себя за плечи.

— Такую работу, как у Кнабе, найти невозможно. Герман Вольфович мне платит отлично, над душой не стоит. Требования ко мне минимальные: нести исправно службу, выполнять свои обязанности и посторонних сюда не пускать ни под каким видом в целях безопасности. У лежачих больных ослаблен иммунитет, они легко цепляют любую заразу, и в большинстве случаев их уводит на тот свет пневмония. Если он узнает...

— Я поняла, считай, что меня тут не было. Хотя нет, не так! Скажешь, что я принесла забытый тобой на кухне мобильный, и все. Внутрь я не входила.

Людмила с радостью бросилась провожать меня, но, уже стоя на пороге, вновь напряглась.

— Бруно непременно поинтересуется, почему вдруг Лиза очнулась.

— Ну так расскажи ему про миски, — посоветовала я, — сообщи, что вспомнила о методе своей мамы и решила его опробовать.

— Медсестра не имеет права на самодеятельные действия, — поникла Люда, — я обязана строго выполнять предписания врачей. Меня уволят без выходного пособия, без рекомендации.

Я поморщилась.

— Не впадай в истерику. Лизе предписан массаж и водные процедуры?

— Конечно, — кивнула Люда.

— Значит, ты произвела необходимые манипуляции, а подопечная очнулась. Нет повода для твоего наказания, наоборот, тебя еще наградят за отличную работу, — приободрила я медсестру.

— И ты никому не скажешь правду? — с надеждой прошептала Люда.

— Если спросят, отвечу честно: я приносила мобильник, в дом не заглядывала. А не станут интересоваться, сама лезть с заявлениями не вижу смысла, — серьезно заверила ее я, развернулась и начала спускаться с крылечка.

— Спасибо... — прошелестело мне вслед, и тут же в моем кармане очнулся телефон.

Я вытащила трубку, но не успела произнести и слова, как из мобильного полетело бодрое стаккато.

— Знаете у станции ларек, где чинят обувь?

— Нет, — ошарашенно ответила я.

— Безобразие! Он всем известен! Дайте мне телефон Мити...

— Вы не туда попали.

— Не того, который на швейной машине сидит, а другого, с набойками, — не отставала тетка.

— Вы ошиблись номером! — рявкнула я.

— Так зачем трубку берете, раз не вам звонят? — возмутилась мадам.

Я нажала на красную кнопку.

Недавно я читала в журнале интервью очень известной певицы. Там звезда жаловалась на назойливость прессы и активность поклонников: «Вынуждена постоянно менять сим-карты, и все равно люди узнают мой новый номер, принимаются звонить с утра до ночи». Интересно, как ощущают себя абоненты, которым достается комбинация цифр, ранее принадлежавшая поп-идолу?

Мобильный вновь запел.

— Знаете, ларек... — завел тот же голос.

— У станции, где чинят обувь? — перебила я.

— Да, — изумилась тетка. — Как вы догадались, о чем я спрошу?

— Не могу дать вам телефон Мити, который с набойками, — продолжала я. — И не понимаю, зачем второй парень залез на швейную машинку, а не устроился на стуле.

— Вау! — заверещала бабенка. — С ума сойти!

— Лучше попытайтесь использовать по назначению свои мыслительные способности, — не удержалась я от язвительности. — Внимательно набирайте номер. У справочной окончание «шесть», а не «семь».

— А куда я попала? — проявила совсем уж неуместное любопытство незнакомка.

Во мне проснулась Марта Карц.

— В приемную жреца вуду, — загробным голосом возвестила я. — Еще раз побеспокоишь — превращу тебя в жабу. Навсегда! Мне это как конфету развернуть.

— Охренеть! — взвизгнула трубка и разразилась короткими гудками.

Я подержала ее несколько секунд в руке, затем пошла по направлению к особняку.

Все детство мои родители внушали дочке, как должен вести себя хороший человек. Нельзя ругаться, драться, жестко отстаивать свое мнение, нужно слушаться старших и выполнять их указания. Упаси господи поспорить с отцом, матерью, учительницей. Никогда не делай другому того, что не хочешь получить от людей сам. Хорошие принципы, но, похоже, Марте Карц папенька-олигарх привил иные правила поведения, нечто вроде: думай только о себе, чихай на всех, и тогда в жизни тебя ждет успех. Ну и что вышло? Я выросла испуганным кроликом, вечно поджимающим от страха уши и хвост, а Карц шагает по жизни, высоко подняв голову.

Не хочу сказать, что хамство — замечательно, а интеллигентность — бросовый товар. Но в некоторых случаях следует брать пример с Марты. Если б сейчас я не отвадила настырную тетку, не избавиться мне от ее звонков до морковкиного заговенья. Я не знаю, кто и зачем что-то делает с морковью и что вообще такое «морковкино заговенье», но внутренний голос мне подсказывает: речь идет о каком-то нереально далеком сроке. А я привыкла доверять своему внутреннему голосу, он редко меня обманывает. Всего подвел каких-то раз сорок-пятьдесят за всю жизнь.

Глава 23

Вернувшись в свою комнату, я позвонила Коробкову и попросила:

— Можешь по фото установить личность?

Димон принялся бубнить.

— Оно, конечно, да, но если нету, тогда трудно, однако бывают исключения...

— А если по-человечески объяснить?

Коробок откашлялся.

— Существует суперпрограмма, принцип ее действия основан на постулате: основные точки лица...

— Не надо технических подробностей! Значит, по фотографии можно легко вычислить имя человека и прочее, — обрадовалась я.

— Кто сказал «легко»? — возмутился Коробок. — Придется шуровать по базам: а) пропавшие без вести, б) нарушители, в) автолюбители; г) преступники.

— А если человек не исчезал, в поле зрения органов МВД не попадал и права не получал, тогда как?

— Тогда фигово, — пропел Димон. — Но можно потеребить лапами, пошуршать в сене, глядишь, и поймаешь жирную мышь... Тебе не кажется, что в моем лице Россия потеряла второго Пушкина? Я нахожу неизбитые рифмы.

— Как передать тебе фотографию? — увела я беседу в рабочее русло.

— Загрузи ее в комп.

— Как?

— Элементарно, Ватсон, — хохотнул Коробок. — Берешь проводок, тык его в гнездышки, а пальчиками на клаву жмешь...

Я издала протяжный стон.

— Изволь медленно изложить последовательность операций!

— О многорукая и великая богиня! — взвыл Димон. — Сначала принеси жертву кровожадному Интернету...

Мне оставалось лишь терпеливо ждать, пока Коробок перестанет дурачиться.

Снимок удалось отослать через час.

— Для женщины ты на редкость понятлива, — признал Димон, — я получил фотку.

— Первым делом проверь Богданову, — велела я.

— Твоя больная на нее похожа, как курица на дыню, — выдал Димон.

Но я тоже могу продемонстрировать упрямство.

— Все равно.

— Ладно, — серьезно пообещал хакер.

— Ты устал? — поинтересовалась я.

Коробок присвистнул.

— Деревянная лошадка не требует дозаправки, долетит от Москвы до Нью-Йорка за пару часов на чистом энтузиазме. Я тут немного поактивничал и выяснил интересные моментики. Про Германа Кнабе.

— Говори, — обрадовалась я.

— Он богат.

— Вот так новость! Я даже предположить ничего подобного не могла, думала, особняк, сад и челядь хозяин содержит на свою пенсию.

Коробков закряхтел.

— Пришел я вчера в одну контору, получил пропуск, стою, жду лифта. А тот, подлюка, никак в холл не спускается, курсирует между разными этажами, до первого не доезжает. Лопнуло мое терпение, я вернулся на ресепшен. И состоялся там следующий диалог.

— Девушка, где у вас лестница? — спрашиваю я у администратора.

А милашка пальчиком в табличку тычет.

— Читайте!

Я грамоту в церковно-приходской школе едва осилил, с трудом текст одолел и решил, что по своему скудоумию не так его понял. Переспрашиваю у неземной красавицы:

— Неужели там в самом деле написано: «Лестница работает только на спуск»?

Лапочка закивала.

— Правильно поняли. У нас так заведено: вверх на лифте, по ступенькам можно спуститься только на первый этаж.

Охватил меня страстный интерес, и давай я барышню пытать:

— Ежели по лесенке я вверх попрусь, чего плохого случится?

А она испугалась.

— Лестница работает только на спуск!

Я за свое:

— А на подъем?

Мисс Офис лепечет:

— Лестница лишь на спуск! Никто по ней наверх не ходит.

Тут у меня терпелка лопнула, я и заявил:

— Значит, я стану первым. Гляньте на толпу у

подъемника! Неужели никому в башку не стукнуло, что на второй этаж легко ногами взобраться? Да и на третий тоже.

Ты никогда не угадаешь, что богиня ответила! Красивые очи выпучила и шепчет:

— Лестница работает только на спуск. Так принято считать. Это никто не подвергает сомнению.

— Во! Ключевые фразы, — закончил рассказ Коробков. — Поняла?

— Ну и к чему ты изложил сию притчу? — спросила я.

— «Так принято считать! Это никто не подвергает сомнению», — повторил Димон. — Что такое Аэрофлот?

— Авиакомпания с не самым лучшим сервисом, на мой взгляд. Только при чем здесь самолеты?

— Аэрофлот выпускает декоративную косметику? — задал еще более идиотский вопрос Димон.

— Нет, — засмеялась я.

— Почему?

— Мы сейчас участвуем в конкурсе «Самый тупой диалог столетия»? — фыркнула я. — Исключительно из уважения к твоим сединам отвечу: Аэрофлот не занимается производством губной помады, пудры и туши, потому что вышеупомянутая фирма осуществляет авиаперевозки. Точка.

— Ты уверена?

— Конечно. И хватит идиотничать. Лучше займись опознанием девушки на фото.

— Уже в процессе, — успокоил меня Коробков. И продолжил: — Ты сейчас вела себя, как та девушка с ресепшен. Лестница работает лишь на спуск. Аэрофлот отправляет самолеты. Герман Кнабе богат. Но если на секунду забыть замечательные фразы «Так принято считать» и «Это никогда не подвергается сомнению», то, оказывается, по ступенькам легко подняться наверх, Аэрофлот вполне может выпустить крем для пассажиров, а господин Кнабе ничего не имеет.

— Он нищий? — ахнула я.

— Ну... — протянул Коробков. — Это с какой стороны посмотреть.

— Да с любой! — взвилась я. — Помпезный особняк, огромный парк, армия прислуги, зоосад, машины... В конце концов, эта несчастная, за которой постоянно присматривает Людмила, уход за ней очень недешево стоит. У Кнабе неудачный сыночек, дрессировщик, художник, бабник и вроде наркоман. Дочь с умом ребенка и Лаура Карловна — вот и вся семья. Никто, кроме него самого, не работает. На что, по-твоему, они живут?

— Спокойно, девушка, а то пойдете служить ракетой в фейерверке, — попытался остудить мой пыл Димон. — Герман владеет одной процветающей фирмой и еще кое-какой мелочовкой.

— Хорош нищий! — хмыкнула я.

— Сейчас все поймешь, — сказал Коробок. — Допустим, я криминальный элемент, совершивший ряд преступлений, благополучно избежавший посадки и оставшийся в живых после разборок со своими конкурентами. Молодость миновала, носиться по улицам с автоматом Калашникова мне надоело, захотел иметь семью, стабильность, свой бизнес. И чтобы дети по-английски да по-французски трендели, хорошие школы закончили, а не как папочка, с семью классами образования, биографию начинали, чтобы жена в брюликах и шубе разгуливала, чтобы горничная в переднике, дворецкий в ливрее, особняк с картинами, рояль, золотые подсвечники и даже библиотека. Деньги есть, накоплены, но, увы, грязные они, налоговая в секунду хвост прищемит. И как мне поступить, знаешь?

— Нет, рассказывай, — поторопила я.

Коробок зачастил:

— Надо найти бизнес на грани краха и купить его с потрохами и хозяином. Дело непростое, но осуществимое. И что получим на выходе? Фирму, в которой бандюган с первого, со второго и с третьего взгляда — простой управляющий. Оклад хороший, соцпакет, премия, а наш Ваня всего лишь наемный служащий. А владелец прежний, Герман Кнабе. Но коли покопаться, углубиться в суть, то интересно получается: усе наоборот!

— Подожди-подожди, значит...

— Герман Кнабе ухитрился разбогатеть в смутное время, когда в России состояния делались из воздуха, — не дал мне высказаться хакер. — Были, были у нас годы, когда семнадцатилетние парни за месяц становились миллионерами, причем не рублевыми, а долларовыми. Кнабе поднялся вместе с пеной. Сначала ему невероятно везло, денежки валились с неба, и Герман Вольфович по наивности решил: так продлится и впредь. Он приобрел большой земельный надел, построил шикарный дом, завел армию обслуги, машины и стал жить в свое удовольствие. Понимаешь, почему по-настоящему богатые семьи, как правило, резко противятся вступлению в их фамилию нищих невесток и зятьев? Ясно, отчего они хотят, чтобы дети нашли себе ровню в материальном плане? Если ты с детства привык к прислуге и благополучию, то ни в юности, ни в зрелости твоя крыша не съедет при виде «Бентли». Для тебя это всего лишь машина, а не доказательство твоего превосходства над окружающими. В детстве богатые ребята не мечтают об игрушках, одежде или бытовой технике, надо просто попросить у родителей — и вмиг получишь, скажем, самый навороченный компьютер. Если же ты вырвался из нищеты лет эдак в сорок, да еще обрел состояние в непростом бою с конкурентами, вот тут и понесется: особняки с золотыми бассейнами, шубы со шлейфами, любовницы в бриллиантовых диадемах, личный самолет с перламутровыми инкрустациями на крыльях. Когда я вижу человека, который в кольце охраны топает в ювелирный бутик, громко крича в телефон, щедро украшенный брюликами: «Не предлагайте мне жалкую конуру в пять сотен метров, ищите нормальный особняк: три этажа и мансарда!» — то сразу понимаю: он все детство спал вместе с пятью братьями на полу без матраса.

— Спорное суждение, — не согласилась я. — Хотя кое в чем ты прав.

Коробков не задерживаясь продемонстрировал типично мужскую реакцию на мое замечание:

— Я всегда прав! Кнабе дорвался до больших денег, несколько лет продержался на плаву, а потом медленно пошел ко дну. Расходы у Германа Вольфовича превышали доходы, потому что последние из-за неумения изменяться вместе с рынком, отслеживать конъюнктуру и корректировать бизнес стали падать, а первые все возрастали. Кнабе набрал кредитов, но вместо того, чтобы влить их в дело, элементарно растратил бабки. Крах был неминуем, и хотя внешне Герман Вольфович казался успешным бизнесменом, в кошельке у него зияла дыра. А потом — щелк! — наш господин получает... наследство.

— Да ну? — поразилась я.

— В глухом местечке, в одной латиноамериканской деревне, скончался дальний родственник Кнабе, — засмеялся Димон. — Семейная история Германа крайне запутана, просто очуметь можно, выясняя, кто кому кем приходится. Но это не главное, важно другое: бумаги оформлены по всем правилам. Основной капитал хранится на Сейшелах, оттуда каждый месяц на личные счета Кнабе поступает около трехсот тысяч евро.

— Хватит на любые капризы, — пробормотала я.

— Мне бы и в десять раз меньшей суммы было достаточно, — подхватил Димон. — Бизнес Кнабе наладился, приносит доход, но теперь Герман Вольфович поумнел и все лавэ вливает в дело. Супер? Маленькая деталька! Получение наследства от весьма кстати скончавшегося доброго дядюшки и умение управлять бизнесом свалились на Кнабе несколько лет назад и совпали с появлением на его фирме некоего Андрона Петровича Сергеева. Нынче господин Сергеев уважаемый человек, но стоит чуток поковырять его лакированную поверхность ноготком, как вылезает парень по кличке Дрон, в прошлом глава одной из криминальных группировок. Дальше продолжать?

— Не стоит, — вздохнула я, — все понятно. Дрон перекупил бизнес, Герман Вольфович лишь изображает хозяина, наследство — плата за прикрытие. Вот только меня удивляют цифры. Сколько же отстегнул бандит за дело Кнабе? Триста тысяч умножим на двенадцать, и легко получим три миллиона шестьсот тысяч евро в год. А ведь Герман договорился с Дроном не вчера.

Коробок оглушительно чихнул. Как всегда, Димон и не подумал отвернуться от трубки, поэтому я на пару секунд лишилась слуха, но потом вновь услышала баритон хакера:

— Верно мыслите, мамо. Наш прыткий Герман Вольфович черпает средства из неизвестной денежной скважины. Родственник — фикция, псевдонаследство, как ты верно подметила, прикатило от Сергеева. Но это лишь моя догадка, никаких доказательств нет. Документы оформлены гениально, ни сучка ни задоринки, однако не бывает бесконечных морей. А Кнабе давно по воду с цистерной ездит. Значит, мы имеем классическую задачку: есть бассейн с двумя трубами, и если из одной выливается триста тысяч звонких евриков, то скока вливается, чтобы резервуар не опустел? И откуда тянется волшебный шланг, пополняющий водоем?

— Можно проследить банковские документы! — подпрыгнула я.

— Пытаюсь, — мрачно ответил Димон, — пока не получается.

— Хочешь сказать, что есть специалисты покруче тебя? — поразилась я.

Коробков захрумкал своими любимыми сушками, которые он постоянно жует, не заботясь о том, что происходит с ухом человека, который с ним беседует по телефону.

— Нет, — донеслось сквозь хруст и чавканье, — это вопрос времени, я размотаю клубок. Ого! Сработало!

— Нашел отправителя денег для Кнабе? — обрадовалась я.

— Неа, определил, кто на фотке. Елизавета Николаевна Маркина. Быстро получилось, потому что ее отец в розыск подал, снимок девушки имелся в базе.

— Точно Лиза? — расстроилась я. — Не Варвара Богданова?

— Нет, — разбил в пух и прах мою замечательную версию Коробок, — стопудово Маркина. Подробности нужны?

— Говори, — согласилась я.

Коробков затараторил. Похоже, он читал текст с компьютера, потому что ни разу не запнулся и не произнес: «э... э... э».

Лиза Маркина в школьном возрасте лишилась матери, Катерины Зегерс. Отец девочки, Николай, вскоре женился на другой. Его можно было понять: нелегко одному поднимать ребенка. В общем, не прошло и полугода после похорон, как в доме Маркина появилась новая хозяйка — Марина Полева. Лизе на тот момент исполнилось четырнадцать, и она встретила мачеху в штыки, объявила ей джихад. Кое-как Николаю удавалось сглаживать углы, но, когда Марина забеременела, а потом родила девочку Машеньку, Елизавета словно с цепи сорвалась. Падчерица пообещала придушить единокровную сестричку. Марина, не отличавшаяся большим умом, кинулась в милицию, Лизу поставили на учет в детской комнате. И началось!

Девчонка убегала из дома, воровала в магазинах, дралась, хулиганила, осталась в восьмом классе на второй год — полный джентльменский набор. Николай пытался урезонить дочь, выручал ее из беды, вытаскивал из милиции и умолял взяться за ум. Но Марина постоянно подливала масла в огонь, она не уставала твердить мужу:

— У нас есть дочь! Какой пример ей подает эта хамка?

В конце концов мачеха обозлилась окончательно и поставила Маркина перед выбором:

— Либо Лизка, либо мы с Машей. Вместе нам не жить.

— Куда же деть девочку? — растерялся Николай.

— От твоей матери осталась комната в коммуналке, ты ее сдаешь, — напомнила супруга, — выгони оттуда жильцов и отсели поганку.

Маркин объявил старшей дочери:

— Вот ключи, попробуй жить самостоятельно. Тебе семнадцать стукнуло, авось за ум возьмешься.

Но Лиза швырнула отцу связку в лицо со словами:

— Мне не нужны подачки от предателя! — и убежала вон.

Несколько дней Николай не дергался, девочка и раньше после скандалов могла исчезнуть на пару суток. У Елизаветы было огромное количество безалаберных приятелей, готовых ее приютить. Но когда спустя две недели Елизавета так и не объявилась, отец испугался и направился в милицию. Уж не знаю, как упорно искали девушку, но она до сегодняшнего дня числится в пропавших без вести.

Глава 24

Поговорив с Коробковым, я пришла в некоторое недоумение. Анна Степановна, рассказывая о Лизе, упомянула, что безалаберная девушка — сирота. А теперь выяснилось, что у Елизаветы жив отец. Однако на любой вопрос можно найти ответ. Вероятно, нанимаясь на службу к Кнабе, девчонка солгала, сообщила имена родителей и сказала, что они умерли, а Герман Вольфович недостаточно тщательно проверил ее биографию. И у хозяина, и у Лауры Карловны есть один пунктик: если у кандидата в сотрудники имеются немецкие корни, значит, человек им подходит. Это глупо, порядочность и работоспособность никак не связаны с национальностью, но из песни слов не выкинешь!

Я поменяла Гензе памперс, пообедала, немного посидела у стола в раздумьях и собралась пойти на кухню к Анне Степановне, но тут раздался телефонный звонок. Вопрос, прозвучавший из трубки, удивил меня своей несуразностью:

— Сколько стоит превратить человека в жабу?

В первую секунду я растерялась, но потом спокойно ответила:

— Номер справочной оканчивается на цифру «шесть». Вы не туда попали.

— Нет, — возразила тетка, — я ищу именно вас. Это же я.

Следовало повесить трубку, но во мне не к месту разыгралось любопытство.

— Кто?

— Ну я!

— Как вас зовут?

— Карина, — охотно представилась незнакомка.

Я быстро порылась в памяти, убедилась, что не имею знакомых с таким именем, и, стараясь сохранять вежливый тон, сказала:

— Вы ошиблись номером.

— Мне не нужна справочная, мне нужны именно вы, — занервничала Карина. — Давайте договоримся. Вы обещали! Надо держать слово!

Пока на мой временный номер, приобретенный Чеславом для зоопсихолога, стучались странные личности, пытавшиеся получить справку, я соблюдала спокойствие, но Карина буквально вывела меня из себя.

— Ничего никому я не обещала! Внимательно нажимайте на кнопки с цифрами — и попадете туда, куда хотите. Прощайте.

— Стойте! — завопила Карина. — Я не прошу об одолжении! Заплачу вам любые деньги! Просто скажите: сколько стоит превратить человека в жабу? Зависит ли цена от возраста и вредности объекта? Ау, ответьте! Эгей! Вы же жрец вуду!

От злости я так сильно топнула ногой, что привычно устроившаяся около меня ящерица кинулась под кресло, а Гензя пукнул от страха.

— Успокойся, пожалуйста, — велела я рукохвосту и бросилась открывать окно.

— Я не нервничаю, — тут же отозвалась Карина, принявшая мои слова на свой счет.

Я прислонилась спиной к подоконнику, наконец-то сообразив, с кем говорю.

— Вы женщина, искавшая Мишу, но не того,

который на швейной машинке сидит, а с набойками.

— Обалденная память! — на всякий случай подольстилась к «колдунье» Карина. — А вы обещали превратить в жабу мою свекровь. Сказали, что для вас такой фокус — как карамельку из бумажки вынуть.

Вообще-то, пытаясь избавиться от надоедливой тетки, я решила временно взять пример с Марты Карц и озвучила другую фразу: «Если не отстанешь, превращу тебя в жабу». Вот последнее, чистая правда, я добавила для пущей убедительности: «Мне это, как конфету развернуть».

— Так сколько стоит превратить свекровь в жабу? — тупо повторила Карина.

Я вновь разбудила в себе Карц.

— Тебе это не по карману. Забудь.

— Скока? — ныла собеседница.

— Миллион, — отчеканила я, надеясь, что несуразно большая сумма отпугнет заказчицу.

— И она навсегда лягушкой останется? — спросила дурища.

Я развеселилась: ну неужели взрослый человек способен всерьез вести подобную беседу?

— Разве можно превратиться в квакушку временно?

— Конечно, — возразила Карина. — Читала я про таких, что об пол бились и красавицами делались, готовили, стирали, гладили, а утром — опаньки — вновь жабенка.

— Хочешь, чтобы днем свекровь сидела в аквариуме, а после полуночи занималась хозяйством? — уточнила я.

— Неа! — испугалась Карина. — У меня домработница хорошая, лучше Галину Михайловну навсегда в болото отправить.

— Ладно, вези миллион, — хихикнула я. — Наличкой в мелких купюрах. Доставишь в офис всю сумму разом, тогда и продолжим беседу.

— Я согласна! — воскликнула любящая невестка. — А нельзя по карточке платеж провести?

От неожиданности я вздрогнула, но тут же опомнилась:

— Нет! Только налом!

— Хорошо, — слегка погрустнела «клиентка». — Но вам придется подождать, банк сразу всю сумму мелочью не выдаст. И от мужа надо скрыть операцию.

— Торопиться мне некуда, набивай кейс пачками без спешки, — оптимистично заявила я и отсоединилась.

Надеюсь, Карина больше не позвонит. Сейчас она слегка поразмыслит и поймет, что над ней подшутили.

Генза высунул наружу свою очаровательную мордочку, из-под кровати выбралась ящерица.

— Ну раз наша компания в полном сборе, пошли на кухню, — объявила я, — хочу кое-что уточнить у Анны Степановны. Кстати, надо бы тебя, милая ящерка, как-нибудь назвать...

Темная фигурка замерла, я склонила голову к плечу.

— Похоже, ты девочка. Будешь у нас Элей. Красиво, а? Нравится?

Генза потрогал мой подбородок лапкой, потом скорчил гримаску.

— Ревность — разрушающее чувство, — укорила я рукохвоста и вышла в коридор.

Анна Степановна отдыхала, сидя у стола. Посреди кухни стояла согнувшись тощая брюнетка и тряпкой без помощи швабры мыла пол.

— Проходи, — обрадовалась повариха.

Я ступила на плитку, темноволосая горничная разогнулась и сердито прохрипела:

— Куды прешь? Помыто! Че, не из наших? К порядку не приучена?

Я растерянно заморгала. Незнакомка была очень некрасива: нос — картошкой, щеки похожи на ватрушки, черные глаза с белесыми ресницами, и в качестве особо пикантной детали — крупная родинка на подбородке. Хороши были лишь волосы, длинные, густые, слегка вьющиеся, блестящие. Наверное, баба их красит, у человека не бывает бесцветных ресниц и шевелюры, как у цыганки.

— Че уставилась? — хмыкнула поломойка, обнажив желтые кариесные зубы. — Дырку глазьями просверлишь!

— Амалия, ты что себе позволяешь? — возмутилась Анна Степановна.

Горничная шмыгнула носом.

— А че она прется на чистое? Я еле плитку отшкрябала! Грязищи тута, прямо страсть, а теперича все блестит. До меня здеся безрукие убирались.

Анна Степановна выпрямила спину.

— Видишь на груди у Татьяны брошку? Тебе объяснили, что она означает?

Амалия выпучила глаза, потом бухнулась на колени и завыла:

— Простите, барыня! По глупости вас не распознала! Не гоните вон, я исправлюсь! Только второй день тута, звиняйте милосердно! Я хорошая девушка, честная, просто грязи не люблю, неаккуратности, беспорядка. Орднунг[1], вот главное. А еще пословицу уважаю: «Морген, морген нур ништ хойте, заген алле фауле лейте!»[2] Я не таковская. Меня папа и мама в правильных традициях воспитали.

— Встаньте, пожалуйста, — пролепетала я, — никакого отношения к хозяевам я не имею. Меня наняли, как и вас.

— Нетушки! — убивалась Амалия. — Вы наверху, я внизу!

— Забирай ведро и ступай черный ход мыть, — строго приказала Анна Степановна.

Амалия вскочила и унеслась.

— Вот чудо со шваброй... — покачала головой повариха.

— Кто это? — спросила я.

Повариха включила чайник.

— Садись, кофейком побалуемся. Лаура Карловна новенькую наняла. Видала кадр? Такое ощущение, что Амалию из глухой деревни выдернули. Но она москвичка, отец шофер, мать в частной гос-

---

[1] Порядок (*испорченный немецкий*).

[2] Завтра, завтра, не сегодня, так лентяи говорят (*испорченный немецкий*).

тинице убирается. Манер у девчонки никаких, но трудолюбива до изумления, рукастая, быстрая, глазастая. Лауре Карловне она сразу по душе пришлась. Во-первых, и отец, и мать у нее этнические немцы, а это Лауре маслом по сердцу. Во-вторых, Амалия поговорками сыплет, которые наша экономка обожает и сама постоянно повторяет. В-третьих, девка — метеор. Ее вчера привезли, разместили в комнате, так она всю ночь свою спальню мыла, а заодно отдраила общий коридор и санузел. Сказала Наде: «Не могу в грязи мыться». Лаура ее сразу сюда и перевела. Амалия на кухню вошла в два, а теперь глянь вокруг — все начистила. У меня от нее в глазах зарябило: одной рукой стену трет, другой окно намывает, ногами пылесос пинает. Торнадо! Зато красота. Даже на Рождество у нас столь чисто не бывало. За пять минут до того, как ты появилась, она мне заявила: «Рабочий день закончится, я занавески сниму и в свободную минуту их постираю-накрахмалю». Если ей темную не устроят, далеко новенькая пойдет.

— Горничные могут наказать слишком ретивую коллегу? — уточнила я.

— Работать Амалию родители научили, уважать хозяев тоже, а общаться с коллегами нет, — удрученно заметила повариха. — Она уже сегодня выступила.

— И что же случилось? — прикинулась я любопытной.

Анна Степановна поставила передо мной чашку с кофе и рассказала о событиях за день.

Медсестра Людмила никогда не ест в общей столовой и не трапезничает на кухне. Каждое утро повариха готовит завтрак для медички и ее подопечной Лизы, поднос с едой ставит на стол, у окна. Всем известно, что поднос оттуда брать нельзя. Медсестра в одно и то же время приходит и уносит приготовленное к себе в домик. То же самое повторяется в обед и в ужин. Люде разрешено покидать больную три раза в день на очень короткое время. Ночной сиделке еда не положена, она сменяет Людмилу или ее коллегу в девять вечера, а в семь утра уезжает.

— Завтрак для Лизы? — прервала я Анну Степановну. — Несчастная ведь в коме. Разве она способна жевать пищу?

Повариха разгладила ладонью складки на скатерти.

— Конечно, нет. Я ей делаю особый коктейль, типа сока. Врач велел ей в рот вливать, чтобы желудок работал. Иногда она так пару ложек проглотит, иногда побольше. Думаю, Лиза вкус разбирает. Доктор меняет состав питья. Когда в нем была смородина, больная только капельку принимала, а смесь из абрикоса и манго хорошо пила. С папайей удивительно получилось. Она ее вообще не глотала, а на днях прихожу сюда и вижу пустой стакан.

Речь поварихи журчала монотонно, меня стало клонить в сон, но тем не менее я постаралась следить за рассказом.

Не успела Людмила зайти за ужином, как Амалия сделала ей замечание:

— Че, так и попрешь посуду по улице, не прикрыв от пыли? Ну и грязнуля!

Повариха растерялась. В грубом упреке был резон, оставалось только удивляться, почему никто раньше не вспомнил о крышках.

— Гнать таких нерях со службы надо, — бубнила Амалия. — А еще белый халат нацепила!

Люда покраснела, схватила полотенце, собралась набросить его на поднос, но Амалия взвизгнула:

— Ну ты и дура! Утиралку-то с порошком и ополаскивателем в барабане крутили, нажрется твоя калека химии и сыграет в ящик. Люди давно специальные купола-крышки придумали. Небось они и у вас есть, да лень достать!

Медсестра прожгла Амалию взглядом и улетела, бордовая от гнева. Следующим объектом нападок новенькой стала горничная Роза. Та прискакала со второго этажа, схватила стакан с водой, одним махом выпила его и услышала:

— Ну блин, грязнуля! Рук не помыла, кран залапала! Почему волосы не под косынкой? И ногти длинные, а под ними микробы!

Ясное дело, горячей любви Роза к Амалии не испытывала.

— Уже двоих против себя восстановила, — качала головой повариха, — и тебя попыталась прогнуть. Ну и характер!

— Посеешь поступок — пожнешь привычку, посеешь привычку — пожнешь характер, посеешь характер — пожнешь судьбу, — процитировала я известное выражение.

— Точно! — кивнула Анна Степановна. — Хотя мне таких, как Амалия, не жаль. И Лиза сама во всем виновата. А вот Эрика! Такая девочка была, десять лет балетом занималась, танцевала красиво.

Тихая, слова лишнего не говорила, училась отлично. Все читала или в Битцевском парке гуляла, у нее там было любимое место.

— Почему именно там? — удивилась я.

— До того как в этот дом переехать, Кнабе в двух шагах от леса жили, — пояснила Анна Степановна. — Правда, Герман Вольфович Эрике туда запретил ходить, там зверский маньяк объявился. Я бы таких на месте убивала!

— Зверский маньяк? — не поняла я.

Повариха поморщилась.

— Какая-то сволочь животных стала убивать. Подманивала собак и давала им отравленное крысиным ядом мясо. У соседей Кнабе по дому так пудель погиб. Герман Вольфович как про то услышал, сразу сказал: «Эрика, никаких прогулок. Сегодня мерзавец на беззащитных зверушек нападает, завтра за людей примется». Как напророчил! Хочешь еще чаю?

Мы выпили по чашечке, и я встала.

— Пойду, прогуляюсь.

— Ступай, — улыбнулась Анна Степановна, — погода хорошая, дождика нет.

— Можно спросить? — робко прошептала я.

— Что случилось? — сделала боевую стойку повариха.

— Я обошла парк, хотела в лесу возле церкви побродить, на развалины полюбоваться, но вспомнила про вашу встречу с Клаусом и струсила.

— Да-да, не ходи туда! — предостерегла повариха.

— А где именно вы его видели? — пытаясь стать ниже ростом, пролепетала я.

Анна Степановна ткнула пальцем в окно.

— Дорожку различаешь?

— Конечно, — подтвердила я, — по бокам цветы розовые.

— Если до конца по ней идти, упрешься в калитку, от нее тропинка вьется, на полянке заканчивается. Справа овраг, слева остов церкви. Упаси тебя бог там бродить!

— Никогда даже не приближусь к развалинам, — пообещала я.

— И к беседке не шляйся, — продолжала инструктаж повариха. — Она прямо над овражиной висит. Ведьмино сооружение, кто туда сунется — семь лет без счастья живет.

Я съежилась.

— Правда?

Анна Степановна встала и пошла к холодильнику.

— Проверить хочешь?

— Ой! Ни за что! — взвизгнула я, не забыв прикрыть ладонью голову Гензы. — Боюсь колдунов, вампиров, вурдалаков и оборотней.

— Нечисть только божьим словом победить можно. Читай молитвы и спасешься, — торжественно заявила хозяйка кухни.

Глава 25

Очутившись в саду, я посмотрела на окна кухни и с удовлетворением отметила: Анны Степановны не видно за стеклом, она занята хлопотами по хозяйству.

Ноги резво пошагали по желтой дорожке, и через пять минут я уперлась в полуоткрытую калитку. Садово-парковая часть территории поместья закончилась, началась лесная.

Дорожка превратилась в узенькую тропинку, справа появилось полуразрушенное здание, слева нарисовалась беседка. Я хотела свернуть к развалинам церкви, как вдруг услышала женский голос:

— Значит, гонишь меня вон?

Сообразив, что в беседке сидят люди, я юркнула за толстое дерево и замерла, боясь пошевелиться. Рабочий день в имении завершился, у слуг настало свободное время, наверное, какая-то из горничных закрутила роман с охранником, шофером или садовником. Парочка бурно выясняет отношения в укромном уголке, отлично зная: сюда из страха перед Клаусом никто не придет. Мне нужно затаиться, подождать, пока Ромео с Джульеттой отправятся восвояси. Не дай бог под ногой затрещат ветки, мне потом не отбиться от вопросов: зачем я ходила к развалинам? Что там искала?

— Прошла любовь? — не успокаивалась женщина.

— Роза, перестань! — воскликнул мужчина.

Я вспомнила про свой мобильный и быстро его выключила. Вот и выяснилось одно имя — в беседке находится горничная Роза.

— Ты меня разлюбил?

— Хватит.

— Нет, ответь! — настаивала Роза.

— Помнишь наш уговор? Живем вместе год и тихо расходимся.

— Но я тебя люблю!

— Все, двенадцать месяцев истекло.

— Как ты можешь?

— Роза, мы взрослые люди. Наши отношения строились лишь на сексе, я постарался тебя отблагодарить. Теперь конец.

— Но что мешает нам и дальше встречаться?

— Я не хочу.

— Почему?

— Не хочу.

— Ты не можешь так со мной поступить, — заплакала девушка.

— Как?

— Жестоко, — всхлипывала Роза. — Нас связывают особые отношения.

— Нас объединяла только постель, — безжалостно сказал парень, — более ничего. Я женат.

— Женат? Ну и чушь! Покажи паспорт, штамп...

— Для меня формальности не имеют значения.

— Разве с ней можно жить?

— Да.

— Здорово!

— Нормально.

— Чего же ты с любимой не спишь?

— Хватит разговоров, — велел парень. — Я тебе что-нибудь обещал?

— Нет, — призналась Роза.

— Клялся в любви?

— Нет.

— Предлагал тебя в загс отвести?

— Нет, — монотонно повторяла Роза.

— Тогда какие претензии?

— Я думала...

— Был уговор?

— Да.

— Я тебя обманул? Не помог с карьерой? Не сделал второй по значению горничной? Если Надя уволится, ты станешь старшей. Верно?

— Да.

— И что?

— Я думала... надеялась... ни разу с тобой не поспорила, всегда была готова...

— Так ведь о том мы и договорились. Я честно предупредил: мне нужна баба, а к проституткам я не хожу, противно. Ты согласилась год со мной жить. Я тебе заплатил за услуги. Теперь давай разбежимся друзьями.

— И многие с тобой договоры заключали?

— Неважно.

— Я тебя люблю.

— Все, я ухожу. Уже поздно.

— Не боишься, что твоя фифа заревнует?

— Нет. Она ничего не узнает. И, увы, не поймет.

— Жизнь длинная!

— Пугать меня решила?

— Нет-нет, я люблю тебя.

— Отлично. Ты хороший человек. Я буду и дальше тебе помогать, но сюда больше не приходи.

— Другую приведешь? Уже присмотрел? Кто она? Лариска? Людка? Надька?

— Прекрати.

— Или новенькая? Амалия?

Парень засмеялся.

— Угадала! Обожаю уродин.

Послышался шорох, потом снова голос Розы.

— Милый, не бросай меня! Я на все готова! Какая тебе разница, с кем спать? Ты ко мне уже привык.

— Это-то и плохо, — ответил парень. — Прощай.

До моего слуха донесся шум шагов, я осторожно выглянула из-за ствола — по тропинке удалялась мужская фигура. Я видела лишь спину, обтянутую темно-синей ветровкой, форменной одеждой охранников. Любовник Розы предусмотрительно накинул на голову капюшон, руки спрятал в карманы. Узнать Казанову я не могла бы даже при самом сильном желании. Стройный спортивный парень среднего роста, подобных ему в имении легион.

Из беседки неслись горькие рыдания. Потом на тропинке показалась женская фигура в светлом платье. Роза вытерла лицо носовым платком и поплелась в сторону калитки. По ее походке и низко опущенной голове мне стало понятно: девушка морально сломлена.

У меня возникло желание окликнуть ее, подойти, обнять и сказать: «Роза, твое счастье впереди. В жизни действует закон равновесия: если сначала тебе очень плохо, то потом будет очень хорошо. Попался на пути записной бабник? Значит, следующим встретится верный человек».

Но, сами понимаете, свой порыв мне пришлось сдержать.

Когда согнутая фигурка Розы растаяла вдалеке, я выбралась из укрытия и собралась направиться к развалинам, но тут послышались шорох, сопение, кряхтение — сквозь лесную чащу ломился кто-то огромный. Я, вспомнив в недобрый час про Клауса, покрылась холодным потом и, почувствовав, как моей ноги коснулось нечто лохматое, заорала. Сзади раздался шум упавшего тела, я обернулась и увидела Емелю.

— Уф! — вырвалось из груди.

Волкодав приподнял голову, шевельнул ушами и снова лишился чувств, он явно испугался еще чего-то, и я на всякий случай юркнула за дерево.

На тропинке появилась Анна Степановна. Повариха, долго убеждавшая меня не ходить к развалинам и сообщившая о своей встрече там с Клаусом, резво, безо всякого страха, шагала в глубь леса. В одной руке у нее был судок, в другой — тарелка, прикрытая салфеткой. Емеля сел и фыркнул. Анна Степановна ойкнула, потом рассмеялась.

— Тебя только не хватало! Ну пошли со мной к Степе!

Волкодав, вероятно, хорошо знал, куда держит путь повариха, и побежал впереди нее.

Я стояла, прижавшись щекой к коре дерева. Вот кто подкармливает деда! Впрочем, это мне он кажется стариком, а для поварихи вполне справный кавалер. Ясно теперь, почему она так упорно пугает всех Клаусом и врет про свою встречу с привидением: Анна не хочет, чтобы люди узнали о ее романе. Может, и еще кто-то не заинтересован в походах любопытных на развалины и поэтому распространяет байку о мстительном призраке.

Разрушенная церковь была небольшой, я вошла в основной зал и замерла. Икон не сохранилось, над головой виднеется звездное небо, но пол, выложенный плиткой, почти цел, и остались алтарные ворота.

После некоторого колебания я прошла вперед. Отлично знаю, что внутрь алтаря женщин не пускают, но ведь здесь давным-давно не проводят службу. И я не являюсь воцерковленным человеком, меня воспитывали родители-атеисты и школа, в которой никогда не преподавался Закон Божий. Но все равно как-то боязно.

— Принес костюм? — вдруг произнес невдалеке густой бас.

Я, чуть не упав от ужаса, кинулась к алтарю, влетела внутрь, увидела чудом сохранившийся стол, нырнула под него и забилась за тумбу. Оставалось лишь удивляться, каким образом мне, мало напоминавшей Дюймовочку, удалось втиснуться в узкую нору. Наверное, гибкости придал страх. Я надеялась, что полумрак, царивший в церкви, меня скроет. Электричество тут не работало, стены освещала круглая луна, беззастенчиво заглядывавшая сквозь почти полностью разрушенную крышу. Июль в Подмосковье — месяц светлых ночей, но в развалинах было темнее, чем на улице.

Послышался грохот, затем тот же мужской голос раздраженно выругался.

— Осторожней! — откликнулся тенором другой парень.

— Споткнулся обо что-то, — пояснил первый, и я сразу поняла: это тот самый Казанова, от неразделенной любви к которому горько рыдала Роза.

— Повезло, — заржал тенор. — Знаешь анекдот? Приходит мужик к врачу и жалуется: «Доктор, я член повредил, капканом прищемил». Медик в непонятках: «Как такое вышло? Где ваш член и где капкан?..» А пациент отвечает: «Бежал я, доктор, споткнулся и на капкан упал».

Парни загоготали, а мне стало неприятно. Конечно, я понимаю, что мужчины наедине друг с другом ведут себя иначе, чем в компании с женщинами. Но анекдот-то совсем не смешной, пошлый, грубый. Надеюсь, мой муж Гри никогда не рассказывает подобные мерзости.

— Открывай, — велел, отсмеявшись, Казанова.

Послышались стук алтарных ворот, тихое покряхтывание.

— Смазали петли, теперь не скрипят, — отметил тенор.

— Везде подмазать надо, — философски констатировал Казанова. — Миша, ты бутылки припер?

— Обижаешь, начальник, — засмеялся тенор.

У меня закружилась голова. В поместье я пока знаю лишь одного Михаила — сына Германа Кнабе. Это он сейчас орудует в алтаре? Голос вроде похож, противно слащавый. И чем занимается парочка?

Затаив дыхание, я чуть-чуть выглянула из-за тумбы. Оба парня стояли ко мне спиной. Они были одеты в темные спортивные костюмы и выглядели близнецами: подтянутые, стройные, примерно одного роста, коротко стриженные. Казанова успел снять и оставить где-то ветровку охранника.

Один нажал на стену, расположенную напротив разрушенного окна, его спутник подхватил с пола сумку и шагнул в открывшееся в полу отверстие, второй последовал за товарищем. Люк бесшумно закрылся, в развалинах повисла тишина.

Некоторое время я сидела тихо, потом выползла из-под стола и на цыпочках подошла к тому месту, где только что исчезли мужчины. Если бы я собственными глазами не видела дыру в полу, никогда бы не подумала, что здесь есть лаз. Плиты идеально прилегали друг к другу, их соединяли довольно широкие серо-коричневые швы, никаких щелей с первого взгляда не заметно. Впрочем, со второго и третьего тоже.

Я довольно долго ощупывала руками стену, потом тонкий луч фонарика начал тускнеть, в нем явно садился аккумулятор. Испугавшись, что останусь в темноте, я выскользнула из развалин и понеслась по тропинке домой.

Неприятно признаваться в собственной трусости, и я для представительницы слабого пола достаточно храбрый человек, но сейчас прогулка по лесу не доставила мне ни малейшего удовольствия. За каждой елью чудился человек с пистолетом, кусты напоминали затаившихся диких животных, а когда на тропинку прямо перед моим носом упала шишка, я едва не грохнулась в обморок. В лесной части имения стояла оглушительная тишина, такая, что мне хотелось заорать от ужаса. Запыхавшись от марафона, я пробежала через калитку, не сбавляя скорости, пронеслась по дорожке, обогнула угол особняка и налетела на маленького старичка в круглых очках, делавших его похожим на сову. Хорошо, что над центральным входом в дом и по всему парку ярко горят фонари, разгоняющие ночную тьму, иначе я могла бы не заметить дедушку и затоптать его.

Старик выронил портфельчик и ойкнул.

— Простите, — пропыхтела я, пытаясь хоть чуть-чуть привести дыхание в норму, — не ожидала здесь кого-то увидеть. Надеюсь, не ушибла вас?

— Все в порядке, душенька, — ласково пропел дедуля. — Вам плохо? Похоже, давление подскочило.

— Таня? — удивилась Лаура Карловна, выныривая из особняка. — Почему ты не спишь?

Я смущенно кашлянула.

— Совершала пробежку.

— Зачем? — не удовлетворилась моим ответом Лаура.

— Надеюсь, вы не станете надо мной смеяться? Я очень хочу похудеть, — выпалила я чистейшую правду.

И в самом деле я горю желанием избавиться от лишнего веса. Давно планирую пойти в фитнес-клуб, вот только напряженный рабочий график не позволяет выкроить свободный часок.

— Зарядкой следует заниматься по утрам! — менторски объявила экономка. — Вечером положено смотреть телевизор.

Я потупилась.

— Знаю, что похожа на бегемотиху, а в имении много служащих. Конечно, никто мне и слова не скажет, но что бы вы подумали, увидев меня несущейся утром по дорожкам? Я стесняюсь своего вида, вот и упражняюсь в темноте.

— Глупости! — вспылила старуха. — Следует в первую очередь заботиться о собственном здоровье, а не о том, кому что в голову взбредет. Бег после ужина вреден! Ведь так, Бруно Леопольдович?

Дедуля поправил очки.

— Увы, милейшая Лаура Карловна, вынужден с вами не согласиться. У каждого человека свой личный биоритм, кому-то хорошо от ранних упражнений, кому-то от вечерних. Здесь нужно ориентироваться исключительно на собственное самочувствие. Как врач могу дать пару советов.

— Таня, слушай внимательно, — засуетилась экономка. — Бруно Леопольдович гениальный доктор, профессор, академик.

Старичок смутился.

— Лаура Карловна, голубушка, не пугайте девушку. Знаете, когда врач становится действительным членом академии наук? Лишь после того, как его мозг перестает действовать. Забудем о регалиях, я самый обычный практик, этим и ценен. Итак, дружочек. Купите тонометр и обязательно проверяйте давление до и после пробежки. Не упражняйтесь на полный желудок, после трапезы должно пройти не менее шестидесяти минут, но и голодать нельзя. Лучше всего часа за два до начала тренировки съесть банан. И не останавливайтесь резко после завершения дистанции, надо снижать нагрузку постепенно, походите, подышите.

— Ну, выполняй, — велела Лаура Карловна.

Я послушно принялась вышагивать на месте. Старичок снял очки, открыл портфель и воскликнул:

— Опять взял план церкви! Перепутал!

Лаура Карловна улыбнулась.

— Пустяки, давайте поменяю.

Бруно Леопольдович протянул хозяйке папку в темно-коричневом кожаном переплете, старушка взяла ее и ушла.

— Можно уже остановиться? — осведомилась я у профессора.

— Конечно, мой ангел, — спохватился врач. — Теперь приступайте к водным процедурам. А вот принимать пищу лучше не сразу, а через час.

— Давайте постою с вами для компании, пока Лауры Карловны нет, — предложила я.

— Очень мило с вашей стороны, — обрадовался доктор. — Ах, какой восхитительный воздух.

— Погода прекрасная, — подхватила я. — Неприятно болеть летом.

— Зимой тоже не радостно слечь в постель, — кивнул Бруно Леопольдович.

Я решила действовать напролом, врач кажется простачком, сейчас он мне расскажет про Лизу.

— У нас кто-то подцепил вирус? Или, наоборот, внезапно выздоровел?

Старичок снова водрузил очки на нос.

— Слава богу, все здоровы. А вы о ком беспокоитесь?

Сообразив, что Бруно Леопольдович вовсе не так прост и наивен, как кажется с первого взгляда, я моментально дала задний ход.

— Если поздно вечером из дома выходит знаменитый врач, значит, в особняке есть больной. Логично?

Доктор широко улыбнулся.

— Ох уж эта женская логика! Душенька, есть еще одно объяснение моему визиту. Врач вполне может прийти в гости к приятелям, а поскольку рабочий день у него длинный, то для отдыха остается лишь ночное время. Я увлекаюсь старинными планами, обожаю их разглядывать, копировать, у меня с Германом Вольфовичем общее хобби. Видели в библиотеке на стенах чертежи в рамах? Это работа господина Кнабе. Он неутомимый энтузиаст и регулярно приобретает новые уникумы. Увы, покупка старинного плана дорогое удовольствие, мне это не по карману. Но Герман Вольфович разрешает мне «полакомиться» из его запасов. В последний раз я брал план церкви, ну той, что в лесу в развалинах стоит. Очень, очень интересное строение. Мда-с. Сейчас Лаура Карловна принесет схему провиантских складов времен Александра Третьего. Меня ждут часы восторга.

Глава 26

Когда Бруно Леопольдович, нежно прижимая к боку портфельчик, удалился, я спросила у Лауры Карловны:

— Разрешите я загляну в библиотеку? Не могу заснуть, если перед сном не почитаю.

— Похвальная привычка, — одобрила экономка. — Конечно, ступай, дверь там всегда открыта.

— Можно взять любое издание?

— Естественно. Только потом поставь на прежнее место, не спутай полки, — проинструктировала старушка.

— А планы старинных зданий? — рискнула я ступить на тонкий лед. — Бруно Леопольдович так о них увлекательно рассказывал! У меня в детстве по черчению всегда были пятерки, я обожала тушь, рейсфедеры, остро наточенные карандаши, циркули. Может, сейчас вспомню прежние навыки и тоже увлекусь копированием планов. Герман Вольфович не рассердится?

Лаура Карловна легонько похлопала меня по плечу.

— Господин Кнабе будет рад, если кто-то еще разделит его хобби. Планы находятся в шкафу, что стоит между скульптурами Зевса и Афродиты, ключ торчит в дверце. Изучай, на здоровье. Если решишь-таки вычерчивать копию, обратись ко мне, я поговорю с Германом Вольфовичем, он поделится с тобой бумагой, предоставит готовальню, настоящую, истинно немецкого качества.

— Огромное спасибо! — начала кланяться я. — У вас в имении как у Христа за пазухой. Ощущаешь себя защищенной от всех бурь и невзгод. Герман Вольфович мне как отец, а вы как мать! Ой, только не подумайте, что я намекаю на ваш возраст, я в моральном плане говорю.

Лаура Карловна ласково обняла меня.

— Танюшенька, я совершенно не мучаюсь от осознания прошедшей молодости. Вместе с юностью ушли глупость, ветреность и острота нелепых желаний. Сейчас я намного счастливее, чем сорок лет назад, а по годам и правда гожусь тебе в матери. Очень рада, что тебе хорошо в нашем доме, ты милая, воспитанная, очень приятная, настоящая немецкая девушка. Ну, майн либхен[1], иди в книгохранилище. Да, не забудь после ухода выключить свет.

---

[1] Выражение в данном контексте лучше перевести как «моя дорогая».

В библиотеке пахло пылью и старыми бумагами. Прежде чем открыть нужный шкаф, я обозрела стены. Бруно Леопольдович был прав, господин Кнабе невероятно трудолюбив. На темно-синих шелковых обоях практически не осталось свободного места, каждый уголок был занят планами разных размеров, окантованными дорогим багетом и помещенными под стекло. Герман Вольфович трудился с похвальной тщательностью, использовал особую желтоватую бумагу и чернила, явно сделанные по технологии прошлых лет. Такой профан, как я, легко мог принять творение рук Кнабе за подлинник. Но Герман Вольфович не собирался никого вводить в заблуждение, в правом нижнем углу каждой «картины» красовалась его четкая подпись и стояла дата завершения работы.

Я сопоставила цифры и поняла: Димон прав, скорей всего Кнабе в своем офисе занимается черчением. Герман приезжает туда для отвода глаз, говорит домашним: «Отбыл на работу, дел по горло, совещания, встречи, вернусь поздно», а сам в это время преспокойненько отдается своему хобби.

Почему Герман мотается в офис, отчего не остается дома? Тогда ему придется открыто признать: бизнес продан, и отец потеряет всякое право упрекать Михаила в лени. Старшему Кнабе хочется по-прежнему изображать из себя крутого бизнесмена, роль тихого рантье не для него. И, вероятно, Дрон не желает привлекать к себе внимания, требует соблюдать секретность, вот и заставляет Германа куковать за рабочим столом. Но, похоже, Кнабе совсем не против такого положения вещей.

Как я догадалась, что Герман Вольфович не занимается бизнесом? По датам под планами. Например, за май Кнабе ухитрился скопировать две схемы. Я на самом деле любила в школе черчение, мне всегда нравились не спортивные, а, так сказать, сидячие хобби, поэтому я хорошо знаю, как трудно с аптекарской точностью повторять детали. Если ты занят службой, чертеж быстро не выполнить.

Шкаф с планами я нашла сразу, ключ, как и говорила Лаура Карловна, торчал в замке дверцы. Минут через десять я отыскала нужную папку, раскрыла ее и принялась внимательно изучать схему.

В тот год, когда неизвестный (монах? священник?) составил этот план, рядом с церковью были кладбище, огород и пара небольших домиков. Похоже, маленькая каменная постройка, в которой живет сейчас лже-Степан Могила, является одним из тех старинных зданий. На месте огорода ныне разбит газон, а вместо кладбища шумит лесок. Я вгляделась в цифры, помещенные наверху, в витиеватой рамочке: «1704». Да уж, за триста лет от погоста ничего не осталось. Интересно, почему там перестали хоронить умерших?

— У церкви трагическая судьба, — раздался за спиной громкий голос.

От неожиданности я вскочила и увидела самого Германа.

— Напугал вас? Простите, Танечка, — сказал хозяин. — Лаура Карловна доложила, что вы увлекаетесь черчением. Планы когда-нибудь делали?

— Самые простые, — кивнула я. — Вот, решила снова попробовать. Конечно, до вас мне как до солнца, но любая дорога к вершине начинается с первого шага.

— Золотые слова, — кивнул псевдобизнесмен. — Но, кроме умения, надобен еще и интерес. Я пытался увлечь своим занятием Мишу и Эрику, но дети воспринимали черчение как наказание. Приятно найти в вас родственную душу.

— Похоже, церковь была красива, — вздохнула я. — Одного не пойму: зачем божьему дому такие подвалы? Прямо катакомбы!

Кнабе опустился в глубокое кресло.

— Самое начало восемнадцатого века было тяжелым временем для простого человека. Жизнь обычного крестьянина ничего не стоила, мужика легко могли убить, тогда его семья, жена и дети, погибала от голода. Постоянно случались войны, стычки между владельцами угодий, порой барин впадал у государя в немилость, и тогда прискакивали из столицы всадники, которые без разбора рубили головы всем, кто попадал под горячую руку. Церкви же служили убежищами. Едва на дороге начинало клубиться облако пыли, как деревенские жители хватали детей и бежали к батюшке. Большинство культовых зданий тех лет имели хорошо законспирированные тайные ходы, достаточно просторные для того, чтобы провести по ним корову или лошадь.

Я удивилась:

— Зачем прятать животных? Их можно на время оставить в сарае!

Герман посмотрел на меня снисходительно.

— Речь идет о восемнадцатом веке! О тракторе

тогда никто не слышал. Основная рабочая сила — лошадь, а корова — кормилица, без нее совсем голодно. И конь, и буренка стоили немалых денег. Да крестьянин тех лет скорей уж дочек в избе бросил бы, чем скотину. Какой от девки прок? Корми ее, расти, приданое собирай, потом отдавай в чужие руки. Да и других родить можно. А коняшку поди купи, она совсем не каждому по карману была.

Кнабе помолчал немного, затем протяжно произнес:

— О тэмпора, о морэс... в переводе с латыни это значит...

— О времена, о нравы, — поспешила я блеснуть эрудицией.

Хозяин кивнул.

— Верно. Поэтому церковные подвалы были огромны. Толстые стены не пропускали звуков, враг не знал схемы расположения входов-выходов, у людей появлялся шанс на спасение. Наши предки были крайне предусмотрительны. Знаете, как, по-моему, обстояло дело? В подвале молельного дома заранее складировали запасы продуктов, воды, корма. Едва караульный подавал знак, мужики брали лошадей, коров и вели их к широкому проходу. Бабы подхватывали младенцев, девки — стариков, и все шли к узкому лазу. Никакой толчеи, никто не мешал друг другу, действовали оперативно, но без паники. Священник ждал, пока заполнится подвал, потом запирал церковь изнутри и спускался под землю через так называемый лифт, расположенный в алтаре. Это совсем несложная система: некий механизм открывает потайную дверь, за ней находятся шахта и канат, надо лишь соскользнуть по нему вниз. А иногда просто врывали в землю хорошо отполированный шест. Разбойники и государевы люди, хоть и были безбашенными, но бога побаивались, в присутствии икон робели. Вот татары, те жгли любые постройки, но они не православной веры. Люди, укрывшиеся под землей, оставались живы даже после уничтожения храма. Древние архитекторы были на редкость умелыми, прокладывали хитрые системы вентиляции, отопления, канализации. Не спорю, в истории православия много темных страниц, но давайте вспомним о том, сколько невинных душ спасли священники? Подчас батюшка и матушка были на селе и врачами, и учителями, и ветеринарами, и психологами. В подвалах храмов прятались и в двадцатом веке. Во время Второй мировой войны туда бежали в момент налета авиации, кое-кто укрывался там от сталинских репрессий, но наша церковь имела только подвалы, никаких подземных ходов, как видите, нет. Думаю, обширная подземная часть служила для хранения припасов. Мне план этой церкви достался случайно, я купил его у Степана, который продолжает жить на территории моего владения. Ну да это совсем другая история. Кстати, уже час ночи, пойду отдыхать. Если при работе с чертежом у вас возникнут вопросы, можете смело стучать в мой кабинет. Естественно, не сегодня.

Герман Вольфович удалился. Я вынула мобильный, сфотографировала несколько раз схемы и тоже отправилась на боковую.

— Пожар, пожар! Горим! — заорали как будто прямо над ухом.

Я очумело села в постели, пытаясь сообразить, что происходит. В ту же секунду завыла сирена.

— Пожар, пожар! Горим! — надрывался кто-то визгливым голосом.

Споро накинув халат, я выбежала во двор и увидела, как из флигелей выскакивают горничные и охранники.

— Соблюдайте спокойствие, нас снова разыгрывают, — загремел знакомый голос. — Непременно найдем шутника и накажем негодяя со всей строгостью.

— Вот сволочь! — с чувством сказала подошедшая ко мне Роза. — Сама ей, когда поймают, волосы выдеру.

Но я не ответила девушке, мой взгляд был прикован к Константину, который привычно командовал людьми.

И секьюрити, и девушки не успели как следует одеться, женская часть прислуги выбежала во двор в халатах и пижамах, мужчины — второпях нацепили футболки и джинсы. Один из парней не застегнул молнию на брюках, другой натянул их наизнанку, и у всех на ногах красовались пластиковые тапки. Ну да, если над ухом душераздирающе орут: «Пожар!» — нет времени на завязывание шнурков. Так вот, на фоне кое-как одетых людей Костя выглядел образцом аккуратности. Мастер на все руки успел не только облачиться в спортивный костюм и уличную обувь, но и причесаться.

Неожиданно в голове всплыло воспоминание. Один раз родители отвели меня семилетнюю в цирк. Поход мне запомнился по двум причинам. Это было наше единственное совместное — с мамой, папой и бабушкой — посещение культурного мероприятия. А еще там выступала артистка, которая демонстрировала мгновенную смену нарядов. Фокусница заходила на долю секунды за ширму и появлялась из укрытия в новом платье.

Но навряд ли Костя обучен подобному трюку. Есть лишь одно объяснение его тщательно зашнурованным кроссовкам: несмотря на то, что сейчас пять минут третьего, Константин не ложился спать. Чем же занимался красавчик? Думается, я могу дать исчерпывающий ответ на этот вопрос. Вечером он разорвал отношения с Розой, а затем вместе с Михаилом пришел в развалины церкви. Я поняла, чей голос слышала, стоя за деревом у беседки и сидя под столом в алтаре.

— Эй, ты напугалась до отключки? — толкнула меня локтем в бок Роза. — Очнись! Пожара нет! В особняке завелась гадина, которой каждый день первым апреля кажется.

— Вот нахалка, — пробормотала я, не в силах оторвать глаз от Константина.

Роза примолкла, а потом чуть изменившимся тоном поинтересовалась:

— Чего на Костю уставилась?

Я опомнилась.

— Просто так!

Горничная поджала губы.

— Он тебе понравился!

— Вовсе нет, — дрожащим голосом ответила я.

Роза взяла меня за руку.

— Даже не надейся, что Костик обратит на тебя внимание. Лучше сразу забудь о нем.

— Никаких планов на его счет я не строю, — попыталась я оправдаться. — Ты абсолютно права, я просто испугалась. А парень такой спокойный...

— Ага, — с мрачным видом кивнула Роза, — Костя никогда чувств не демонстрирует. Он... э... сдержанный.

— Хорошее качество, — вздохнула я. — Хуже нет мужика-истерика!

Роза дернула меня за руку.

— Пойми, лучше вообще никогда замуж не выходить, чем с таким, блин, как Костя, связаться.

— Он плохой? — по-детски спросила я.

Горничная зябко поежилась.

— У тебя мужик есть?

— Нет, — соврала я. И продолжила в том же духе: — Вот похудею, и тогда кавалеры ко мне слетятся. Правда, Костя мне вчера сказал, что только глупышки садятся на диету, нормальным мужчинам нравятся женщины в теле.

В глазах Розы метнулось беспокойство.

— Не общайся с ним!

Я прикинулась полной дурой.

— Почему?

Роза нахмурилась.

— Он гад!

Я призвала на помощь все свои актерские способности и попыталась изобразить изумление:

— Вау! Вы с ним... того, да?

Горничная сжала губы, потом процедила:

— Конечно, нет. Но я слышала, что Костя непорядочный человек.

Глава 27

Не успела я вернуться в свою спальню и свернуться калачиком под одеялом, как дверь распахнулась и вошла нахалка Амалия. Я оторвала голову от подушки.

— Чего тебе надо?

— Во супер! — объявила грубиянка. — Какого хрена ты в моей кровати валяешься?

Продолжая громко возмущаться, новенькая щелкнула выключателем, под потолком ярко вспыхнула лампа. Я зажмурилась и сказала:

— Ты живешь во флигеле, а не в хозяйской части дома, перепутала коридоры.

— Точно, — не смутилась горничная, уже осознав свою ошибку. — Но мне бы в такой грязной комнате, как эта, не заснуть. Жуткий бардак!

От злости с меня слетели остатки сна.

— Потуши свет и убирайся.

— Не командуй, не нанимала, — огрызнулась Амалия. — Ладно, отвалю, а то от беспорядка тошнит. Здесь че, никогда не мыли?

— Тебя ждали! — схамила я. — Кстати, воспитанные люди всегда стучат в дверь перед тем, как ее распахнуть.

— Типа, придут домой и тук-тук? — заржала Амалия. — Сами у себя интересуются, можно ли войти. Стебно. Похоже, у тебя шиза обострилась! А вообще, тута по всему зданию помойка. Ща рулю по коридору, спотыкаюсь о ковер, шарахаюсь о стенной шкаф, он приоткрывается, и че я вижу? Внутри всего одна полка, и на ней стоит, типа, игрушка, часы в виде пожарной машины, на крыше лампочка синяя мигает! За каким, ежкин хвост, счастьем их туда засунули?

У меня похолодели руки и ноги. Когда я получила чемодан с вещами, то была несказанно удивлена — кто-то заполнил его не моими шмотками. Нужно признать, что нижнее белье, платье, костюм и прочее не только сели на меня как влитые, но и оказались намного лучше как по качеству, так и по виду, чем мой личный гардероб. Но больше всего меня поразил будильник в виде ярко-красной пожарной машины. Я поставила его на тумбочку, а потом...

В голове ожили воспоминания: вот я держу автомобильчик, пытаясь разобрать, который час. Из коридора доносится вопль Нади, она кричит: «Помогите!» Я с будильником в руках выбегаю в коридор, делаю пару шагов, вижу Надю, которая рассказывает про мышь, ставлю часы на полку, объясняю перепуганной девушке, что грызун убежал, и... ухожу, забыв часы в шкафу. И, что интересно, до сих пор я о них даже не вспомнила, потому что привыкла определять время по мобильному.

— И зачем часы в говорильном шкафу? — болтала без умолку Амалия.

— Где? В каком шкафу? — покрываясь холодным потом, чуть слышно спросила я.

Амалия вздернула густые, похожие на мохнатых гусениц брови.

— Давно тута обретаешься?

— Всего несколько дней, — подавив желание сию секунду помчаться за будильником, призналась я.

— Ну ты и тормоз! — ядовито ухмыльнулась

Амалия. — Я позже нанялась, а уже во всем разобралась. В здоровенных домах хозяевам друг до дружки не доораться, вот они и придумывают фортеля.

— Я плохо понимаю, о чем ты ведешь речь, лучше отправляйся во флигель, — попыталась я избавиться от дурно воспитанной простушки.

Вероятно, Амалия самая аккуратная и умелая горничная Москвы, она очень ловко моет полы и стены, но ясно излагать свои мысли девица неспособна. Наверное, она не прочитала ни одной книги, вот и не овладела нужным запасом лексики.

— Допустим, ты сидишь в гостиной, как мужа из кабинета вызвать? — проигнорировала мои последние слова Амалия.

— Надо крикнуть: «Милый, иди сюда!» — непроизвольно вступила я в глупейший диалог.

— Этот вариант хорош для квартиренки, а тут на втором этаже особняка никто твоего визга не услышит. А если супруг в бильярдной, в подвале, а? — прищурилась Амалия. — Как тады до него доораться?

— Понятия не имею, — растерялась я.

— О! — торжествующе воскликнула новенькая. — Вот и чудят хозяева. Одни с рациями ходят, другие с мобильниками. Или в гонги стучат, в колокольчики звонят. А Кнабе трубу соорудили. Подходишь к шкафу в коридоре и рявкаешь в отверстие: «Эгей! Психолог! Вали в кабинет!» Звук в секунду по зданию разнесется, и нужный человек причапает. Но потом они от этой затеи отказались, очень большое беспокойство всем выходило, зовут девку чай подать, а переполошат весь дом. Кнабе теперь интеркомом пользуются, а шкафчики остались, выламывать их геморройно. Если заведенный будильничек в него пихнуть, звон поднимет всех на ноги. Ну, чао, бамбина, сори!

Амалия выскочила за дверь, а я незамедлительно схватила халат, закуталась в него и босиком, на цыпочках, прокралась к «говорильному» устройству. Я ведь даже не предполагала, для каких целей выстроен в коридоре шкаф, и часы в нем оставила совершенно случайно!

Слава богу, в доме царствовал Морфей, ни одна душа не заметила, как я, схватив машинку, метнулась назад в свою спальню. Сев в кресло, я внимательно изучила будильник и поняла, что некто завел его на час пятьдесят пять минут ночи. Часы оказались недешевой игрушкой, они имели много функций и не стали бы звенеть днем, сигнал подъема срабатывал, когда в окошке появлялись цифры «1:55», а не «13:55».

Слегка успокоившись, я отключила будильник, потом для надежности вытащила из агрегата батарейки, спрятала обезвреженное устройство на дно чемодана и лишь тогда перевела дух.

Иногда со мной происходят глупые истории. В свое время, когда я работала в школе, мне поручили организовать праздничный вечер в честь юбилея директрисы. Отчего-то считается, что преподаватель словесности непременно обладает литературным даром и ему очень легко написать сценарий любого действа.

В принципе, я нормально справилась с задачей, сделала вечер в лучших традициях школы. Наша Зоя Федоровна со своей неизменной залаченной

до цементного состояния прической-халой торжественно восседала в первом ряду. На сцену один за
другим поднимались педагоги и дети. Сердце Зои
Федоровны должно было плавиться от восторга.
Я строго предупредила школьников:

— Раз в жизни оденьтесь прилично: белый верх,
черный низ.

Странное дело, но дети не спорили. Училки тоже не подвели, все, как одна, навертели кудри, нацепили платья и туфли на каблуках. Я даже сообразила выделить четырех десятиклассников, которые принимали из рук поздравителей букеты,
подарки и складывали все элегантной пирамидой.
Еще мне удалось выпросить у районного начальст-
ва грамоту для Зои Федоровны, и я договорилась с
представителями местного кабельного телевиде-
ния, чтобы они приехали на торжество с камерой.
Не стану сейчас рассказывать, какие усилия потре-
бовались, чтобы заставить раскошелиться родителей детей на банкет...

Думаете, после этого я стала ходить у начальни-
цы в любимчиках? Как бы не так! Директриса пре-
кратила со мной разговаривать. И виной тому оказалось музыкальное сопровождение вечера.

Желая придать празднику помпезность, я долго
рылась в записях, пока не обнаружила торжествен-
ную и одновременно нежную песню, которую ис-
полняла на французском языке неизвестная певи-
ца. Тот, кто любит Шарля Азнавура, Джо Дассена,
Мирей Матье и прочих парижан, великолепно знают: шансонье очень четко произносят текст.

То, что с музыкой вышла накладка, я заподоз-
рила в самом начале, когда в момент раздвигания

на сцене занавеса песня прозвучала первый раз. Дети в зале захихикали, а Настя, преподавательница французского, вытаращила глаза. Я запланировала музыкальную перебивку между всеми выступающими, и к середине вечера школьники хохотали в голос, а Настя покраснела как рак и, сверля меня взглядом, делала странные движения рукой. Пика веселье ребят достигло в момент, когда Зоя Федоровна в завершение торжества произнесла благодарственную речь, а я, задвигая занавес, включила песню во всю мощь. Учащиеся зарыдали от смеха, директриса недоуменно озиралась. Она, как и я, не понимала, в чем причина подобного поведения школьников. А Настя втянула голову в плечи и стала удивительно похожа на испуганную черепаху.

И вот все отправились на банкет. Не успела я войти в столовую, где он проходил, как ко мне со всех ног кинулась Настя, затолкала в самый дальний угол и заявила:

— Зойка тебе этого не простит!

— Чего? — вздрогнула я. — По-моему, торжественная часть прошла без сучка и задоринки.

Настя заморгала.

— Песня!

— А с ней что? — недоумевала я.

— Так ты не нарочно? — с сомнением поинтересовалась коллега. — Не издевалась над директрисой?

— Нет, — испугалась я, — всем известно о ее мстительности.

Настя прикрыла рот рукой.

— Ну и прикол! Знаешь перевод текста?

— Откуда? — легкомысленно отмахнулась я. — Впрочем, догадываюсь. В припеве постоянно повторяется «амур», «амур», значит, песня о любви. Очень нежная, трогательная и одновременно торжественная мелодия, какая разница, о чем она? Да и Зоя Федоровна иностранными языками не владеет.

— Верно, — хихикнула Настя. — Но ты случайно забыла, что у нас общеобразовательное учреждение с углубленным изучением языка Дюма, Флобера, Гюго и прочих. Школьники отлично все поняли, а Катька уже переводит Зойке смысл песни.

— Он неприличный? — пролепетала я, косясь на директрису, чьи щеки медленно багровели.

Настя тоже оглянулась.

— Попробую вспомнить точно. «Сегодня, когда конец твоей жизни близок, помни, что следовало любить людей. На том свете ангел спросит: много ли ты сделал хорошего? Каков будет твой ответ? Соврать нельзя, придется признать: нет, я никого не любил, кроме себя». Далее припев: «Любовь, любовь, любовь, все любили друг друга, а ты, эгоист, не захотел никому помочь». Дальше продолжать?

— Лучше не надо, — прошептала я.

Настя понизила голос до минимума.

— Все же переведу последний куплет. «Теперь, когда до твоей смерти остались считаные часы, знай, мы не хотим более встречаться с тобой даже в загробном мире. Прощай, ты не дал нам любви, а мы забрали у тебя свою». Ладно, я побегу. Похоже, теперь разговаривать с тобой опасно для жизни. Зойка будет рвать на части каждого, кто к тебе приблизится.

Ну скажите, чем я виновата? Не владею французским языком, песню выбрала исключительно из-за мелодии. Кто мог подумать, что на нежный, торжественный напев положены злые слова? Но сколько я ни пыталась объяснить потом коллегам, что не задумывала никаких гадостей для Зои Федоровны, мне не поверила ни одна душа. Коллеги тайком подходили ко мне и бубнили:

— Ну ты даешь! Все, конечно, порадовались, но наша мать тебя со света сживет.

Я покрывалась холодным потом и отвечала:

— Ей-богу, это случайно вышло.

— Конечно, — кивали товарки и живо смывались. Портить отношения с мстительной, как граф Монте-Кристо, директрисой никто не желал.

Вот и с будильником произошла незадача. Но в нее никто не поверит. А оправдания типа: «Люди, я выскочила на улицу вместе с вами, не осталась мирно сопеть в теплой постельке, значит, я не виновата», — вызовут лишь ухмылку.

Мне чрезвычайно повезло, что грубиянка Амалия перепутала коридоры и очутилась в моей спальне, поведав про находку в шкафу.

На следующее утро я вышла после завтрака в сад, сделала вид, что наслаждаюсь природой, а сама пыталась сориентироваться на местности. Герман Вольфович сказал, что к церкви подземных ходов нет, но подвалы ее огромны. Вчера на моих глазах Миша с Костей открыли люк. Значит, старший Кнабе не прав, просто на чертеже не указаны туннели. Но я должна их найти!

Частые взгляды на экран мобильного, где высвечивался план церкви, не очень-то помогали, и я попыталась мыслить логически. Как должен выглядеть вход в подземелье? Да никак. Вероятно, это люк, который крестьяне открывали, услышав предупреждение караульного. И крышка тщательно замаскирована, враги не должны были обнаружить ее.

Глава 28

Прошатавшись по территории больше часа и не добившись никаких результатов, я развернулась и отправилась в сторону церкви. А когда сбоку от тропинки возникла беседка, мне пришло в голову отдохнуть в ней.

Я устроилась на жесткой лавочке и уставилась на лес. Итак, что мы имеем? Варвара Богданова находится где-то в поместье. Это факт, который не подвергается сомнению. Я облазила весь дом, подружилась кое с кем из прислуги и узнала интересные факты.

Эрика Кнабе — возлюбленная Кости. К сожалению, после нападения маньяка дочь Германа оказалась в коме, а очнувшись, превратилась в неразумное дитя, которое начисто забыло об отношениях, связывавших ее с молодым человеком. Поэтому ни о какой свадьбе пока и речи нет. Правда, и хозяин имения, и Лаура Карловна не прочь пристроить девушку, они думают о том, что будет с бедняжкой после их кончины, да и Костя готов «окольцевать» невесту. Но Эрика не способна должным образом вести себя во время бракосочетания, и, похоже, она не имеет с парнем интимной связи. Костя вполне здоров физически, поэтому последний год он тайком спал с Розой, не забыв предупредить горничную, что их отношения — это исключительно секс, любовью тут и не пахнет, она не должна надеяться на брак.

Случайно я нашла в пристройке горничную Лизу, в свое время вывалившуюся из окна и впавшую в кому. Непонятно, почему Герман Вольфович тратит большие деньги на уход за совершенно посторонней девицей, которая получила травму исключительно по собственной глупости.

Мне стало известно, что дед Степан Могила умер, а под его фамилией в домике живет неизвестный пенсионер. Я многократно слышала страшилку про Клауса и чуть не отдала богу душу, когда, находясь во флигеле у горничных, услышала звук тяжелых шагов и звон колокольчиков.

Теперь я в курсе, что у Михаила отвратительные отношения с отцом, который не одобрял желание сына стать дрессировщиком, а сейчас кривится при слове «художник». А еще, судя по всему, молодой человек нюхает кокаин.

Не составляет теперь тайны и материальное положение Кнабе — хоть Герман Вольфович только изображает бизнесмена, но денег у него уйма.

Следующее. Я подозреваю, что Майя Лобачева умерла, была тайком вывезена из имения и похоронена где-то в лесу.

Меня настораживает исчезновение Светланы, карьера которой пошла на взлет. Ну какая горничная покинет службу, если хозяева собрались ее повысить и, как следствие, больше ей платить?

Одним словом, я узнала много интересного. В том числе не осталась для меня тайной и любовь Лауры Карловны к людям с немецкими корнями. Старуха полагает, что девушка, имеющая в предках германцев, всегда отлично воспитана и трудолюбива. Но все эти знания ни на сантиметр не приблизили меня к Варваре Богдановой, спортсменке, чемпионке, красавице.

Из леса донеслось громкое и бодрое «ку-ку». Я невольно вздрогнула. Немцы, спортсмены, балерина... Я схватилась за мобильный.

— Экстренная помощь тупсикам, — отрапортовал Димон. — Желаете спросить, как заваривать чай в пакетике?

— Жертвы маньяка, — перебила я хакера. — Эрика Кнабе случайно осталась жива, остальным не повезло.

— Верно, — перестал паясничать Коробок.

— Сделай одолжение, поройся в биографии несчастных, были ли у них родственники-немцы.

— Секундное дело, — пообещал Димон. — Ага, слушай. Первая убитая Галина Крафт. Ее отца звали Генрих Францевич. Понятно?

— Дальше! — нетерпеливо сказала я.

— Вторая погибшая Зоя Караваева, ее мать этническая немка. Третья пострадавшая Эрика Кнабе, про нее все известно, — отрапортовал Димон.

— Галина бывшая спортсменка, мастер спорта по художественной гимнастике, искала работу и нашла в конце концов место, куда ее взяли на испытательный срок. Зоя — воздушная гимнастка, у нее на глазах разбилась коллега, девушка испугалась, ушла из цирка, начала искать другую работу.

И Крафт, и Караваева красавицы, были замечательно сложены, могли легко управлять своим телом. Шпагат, мостик, стойка, колесо — простые элементы, но большинство женщин их не выполнит. Кое-кто не сможет сделать даже «березку» или перекувырнуться через голову, а Галя с Зоей были способны на многое. Кнабе же увлекалась балетом. Так?

— У тебя изумительная память! — отозвался Димон. — Удивлен, восхищен, поражен, напуган твоим талантом, придавлен собственной никчемностью...

Забыв попрощаться с зубоскалящим Коробком, я засунула трубку в карман.

Люди, занимавшиеся поиском маньяка, не усмотрели никакой связи между жертвами, отметили лишь пару моментов: все они являлись молодыми девушками и были идеально сложены. Спортсменка, циркачка, балерина-любительница. Две по разным причинам потеряли работу. Но это все. В конце концов следователи решили, что маньяк выбирал женщин по внешности, его привлекала молодость, хорошая осанка и физически развитое тело. Но я сейчас установила еще одну общую черту: все жертвы имели немецкие корни.

Рискну сделать предположение: и Галя, и Зоя приходили к Кнабе наниматься на службу. Вероятно, они хотели стать горничными. Маньяк живет в имении, он видел красавиц, завязывал с ними знакомство, заманивал в парк и там убивал. В конце концов мерзавец напал на дочь хозяев.

Генза зашевелился под кофтой. Наверное, мое

сердце стало стучать сильнее обычного, и чуткий рукохвост уловил изменение ритма.

Я начала поглаживать питомца. Маньяк не насиловал девушек, получал удовольствие от самого убийства. Он импотент? Законченный садист? Как он не побоялся покуситься на Эрику? Одно дело простые девушки, желающие стать прислугой, и совсем другое — любимая дочь господина Кнабе.

Послышался шорох, и я вздрогнула. Но звук более не повторился. Я подумала, что с одной из елок свалилась шишка, и вернулась к своим мыслям. А что, если убивать Эрику не входило в планы мерзавца? Может, девушка случайно стала свидетелем преступления и ее пришлось убрать, так сказать, за компанию?

Я на секунду прикрыла глаза и вновь услыхала тихое шлепанье. Понимаю, что с елей падают шишки, но мне почему-то вдруг показалось, что сейчас из чащи выйдет тигр.

Голову словно ошпарили кипятком, уши загорелись, щекам стало жарко. Я вскочила, потом снова села на скамейку. Запись в Интернете! Девушка с закрытым маской лицом дерется с тигром, который имеет те же приметы, что и Артур... Бой транслируется для тех, кто платит за видео, а еще можно поставить на его результат в тотализаторе... Герман Кнабе продал бизнес, но живет припеваючи, каждый месяц на его счет невесть откуда поступает триста тысяч евро, якобы «работает» наследство латиноамериканского дядюшки... В церкви есть обширные подвалы, предназначенные для спасения людей, их проектировали так, чтобы враг не услышал шума, плача детей, ржания лошадей, мычания коров...

Что ж, теперь я уверена: бои происходят в подземелье под церковными развалинами. Обитатели имения напуганы сказочкой про Клауса и боятся приближаться к тому, что осталось от церквушки. А погибшие девушки приходили наниматься... для участия в боях! Не зря обе они имели серьезную физическую подготовку. Надеялись выстоять против хищного животного, рассчитывали на свою ловкость, гибкость, силу. Коробков сказал мне: «Бой состоит из трех раундов. Если тигр не убивает женщину в течение определенного времени, то считается проигравшим. Кровожадная тварь не так уж часто оказывается победителем. Интересно, где устроители находят соперниц для тигров?»

Меня затрясло в ознобе. Варвару Богданову определенно прячут внизу. Она тоже гладиаторша. Надеюсь, девушка пока жива, ведь она устояла в драке, которую я видела, но в любой день может погибнуть. Ну как можно согласиться на такую работу? Даже если за бой обещают большие деньги, каждая амазонка должна понимать: жизнь стоит дороже.

Дрожь сменилась жаром, я снова вцепилась в мобильный.

— Ни минуты покоя, ни секунды покоя, не могу без тебя, не могу без тебя, что же это такое... — заорал Коробок. — Любимая, меня вы не любили, не знали вы, что в сонмище людском я был как лошадь, загнанная в мыле, пришпоренная смелым ездоком!

— Разделяю твою любовь к Сергею Есенину, — оборвала я Димона, — а вот эстрадные песни меня не восхищают. Но о наших пристрастиях потолкуем позднее. Можешь полазить по объявлениям в бесплатных газетах?

— Для тебя пророю носом туннель от Европы до Азии, — пообещал хакер. — Что искать?

— Текст примерно такой: «Ищу актрис для участия в видеосъемках. Вы — физически развиты, хорошо двигаетесь, были в прошлом гимнасткой, балериной, дрессировщицей. Предпочтение отдается этническим немкам. Вознаграждение большое. Не порно».

— В особенности меня умиляют последние слова, — хмыкнул Димон. — Не порно... Работодатели хотят заснять построение гимнастической пирамиды!

— На свете существуют вещи пострашнее порнографии, — вздохнула я. — Давай, шевели мышкой! А когда отыщешь нечто похожее, пробей телефоны, выясни, кто жаждет встречи с красавицами. И еще — собери все сведения о Михаиле Кнабе.

— Слушаю и повинуюсь! — провозгласил Димон. — А ты чего на лавочке так долго сидишь?

Я удивилась, но разобраться в том, что показалось мне странным, не успела: Коробок уже прервал связь.

Я вернула трубку в карман, встала и, стараясь производить как можно меньше шума, пошла к развалинам.

Днем церковь выглядела не так таинственно, как поздним вечером: всего лишь старое здание с ободранными стенами и полуобвалившимся потолком. Алтарь тоже не вызвал особых чувств, я без внутренней дрожи распахнула на удивление хорошо сохранившиеся воротца и уставилась на стену напротив. Раз мне не удалось найти вход в галерею, по которой проводили животных, я просто обязана обнаружить «лифт» для священника.

Сделав пару глубоких вдохов-выдохов, я принялась шарить руками по стене, потом стучать кулаками по всем выступающим камням, нажимать на выпуклости и в конце концов устала. Механизм хитрый, но он должен срабатывать быстро, значит, он приводится в движение совсем простым действием. У батюшки не было много времени на манипуляции, если враг во весь опор скачет к деревне, нужна оперативность. Сомневаюсь, что в начале восемнадцатого века на Руси существовали цифровые коды. Здесь, вероятно, применялось что-нибудь несложное, допустим: топнуть ногой по плитке, повернуть рукоятку, нажать на определенный камень и — «сезам» открывался. Вот только прямоугольных плит под ногами много, никаких ручек в поле зрения не наблюдается, а булыжников здесь тьма-тьмущая.

В первую секунду я пригорюнилась, потом взяла себя в руки. Никогда нельзя сдаваться. Ну-ка, что мне было видно из-под стола?

Я напрягла память. Костя, похоже, стоял вот тут, а Михаил держался чуть поодаль. Один из мужчин спросил: «Ты не забыл костюм?» Не ручаюсь за точность цитаты, но речь совершенно точно шла об одежде. Второй ответил утвердительно, потом бросил на пол спортивную сумку. И как поступил первый? Встал лицом к стене, поднял руку, и спустя секунду в полу открылся люк. Следовательно, механизм, приводящий в движение крышку, находится на уровне моих глаз или чуть выше.

Битый час я изучала кладку, ничего не обнаружила, но твердо решила не отступать. В конце концов мне пришла в голову идея встать на скамеечку и как следует рассмотреть ту часть стены, которая находится выше моей головы.

Как понимаете, никаких стульев, табуреток или складных лестниц здесь не было, из мебели в алтаре — только стол. Кажется, он вырублен из цельного ствола дуба и намертво вмурован в стену. Во всяком случае, выдрать его не получилось даже у людей, когда-то в азарте грабивших церковь.

Я еще раз внимательно осмотрела помещение и приметила под столом камень, на который вполне можно взгромоздиться. Присев на корточки, я вползла туда, где вчера пряталась от мужчин, и уже хотела вытолкнуть булыжник, как раздалось тихое скрежетание. Без раздумий я спряталась за тумбой. Очень надеюсь, что сейчас здесь не появятся ни Константин, ни Михаил, ни еще кто-то, кому придет в голову наклониться и заглянуть туда, где притаилась любопытная «мамаша» Гензеля. Ночью-то моя фигура тонула в темноте, а сейчас на дворе белый день...

Послышался тихий кашель, я выглянула из-за тумбы. Из пола торчала голова со светлыми волосами, собранными в пучок, потом показались плечи. Незнакомка выбралась наружу, со смаком потянулась, положила руку на один из кирпичей и толкнула его. Вновь раздалось скрежетание, часть пола легко поехала и закрыла спуск в подвал. Девица прошла в центр бывшего алтаря, встала спиной ко мне, вытащила из кармана спортивных брюк телефон и тихо, но четко сказала:

— Все о'кей! Проверь счет по Интернету. Не, отлично. Ясненько. Бой во вторник, ставь на меня, я заломаю Артура. Ты чего, он милый, думаю, очень расстраивается, когда я сержусь. Угу... Ага... Ну пока, нам лучше часто не общаться, а то получится нарушение контракта, рублем накажут.

Девушка запихнула мобильный на место, повернулась, и я разглядела ее лицо — передо мной стояла абсолютно живая и, по первому впечатлению, совершенно здоровая и довольная Варвара Богданова. К сожалению, я не всегда могу быстро среагировать на неожиданные обстоятельства, вот и сейчас растерялась, а Варя тем временем прежним движением открыла вход в подземелье и была такова. Напольное покрытие через пару секунд после того, как белокурая голова пропала из виду, со скрежетом вернулось в исходное положение. Древний механизм работал, как часы.

Едва плита встала на место, оцепенение меня отпустило. С грацией бегемота я выбралась из-под стола, подскочила к нужному камню и начала его ощупывать. Минут через десять секрет был разгадан, на кирпиче имелись еле заметные вмятины, в них следовало вложить пальцы руки и одновременно нажать на камень. Если не знать, где он находится, его никогда не найти. И только когда плита послушно поехала влево, мне в голову пришла мысль: Герман Вольфович говорил, что «лифт» —

это чаще всего канат или хорошо отполированный шест. Но я патологически не спортивный человек, мне слабо спуститься по веревке или соскользнуть под землю по деревяшке!

Я посветила вниз предусмотрительно захваченным фонариком и испытала радость: в этой церкви для священника сделали лестницу, правда, весьма хлипкого вида — вниз уходили деревянные боковины, между ними были натянуты сплетенные косичкой полоски кожи. Мне снова стало страшно: что, если я упаду, сломаю позвоночник, разобью голову? У «эскалатора» нет перил, лезть вниз неразумно, рискованно, глупо! Я почти уговорила себя закрыть вход в подвал, вернуться в дом и позвонить Чеславу с сообщением о выполнении задания. Но потом вдруг представила, как Марта презрительно спрашивает:

— Ты упустила возможность лично разобраться в деле? Бросила Богданову, не оказала ей помощь? Вау! Да уж, трус не играет в хоккей!

Еще раз обозрев лестницу, я ступила на кожаную перекладину и чуть не завизжала от ужаса. Ступенька качалась! Но еще хуже мне стало, когда мое тело оказалось в подвешенном состоянии. Повторяя, как мантру, фразу «Трус не играет в хоккей!», я, мокрая от пота, доползла до самого конца лестницы. Когда ноги ощутили наконец твердый пол, колени мои подломились, я осела на утрамбованную землю, из желудка поднялась тошнота, а сердце застучало как взбесившийся церковный колокол. При мысли о том, что придется проделывать и обратный путь, разом похолодели ступни и ладони.

Проведя некоторое время в оцепенении, я встряхнулась, встала и пошла по довольно широкому коридору.

Глава 29

Потолок был невысоким, но я спокойно могла двигаться в полный рост. Несколько раз на дороге попадались ответвления, и я из чистого любопытства светила в них фонариком и понимала, что вижу нечто вроде комнат. Потом слева заметила дверь, сделанную из современного пластика. Я, забыв об осторожности, повернула ручку и засунула нос в просторное помещение.

Тонкий луч моего фонаря заскользил по стенам, сложенным из тщательно отесанных серых прямоугольных камней, напоминавших кирпичи, потом перешел на пол, покрытый коричневой керамогранитной плиткой, один ряд был двухцветным, частично белым. Пятно света медленно поплыло по периметру и вдруг натолкнулось на... кровавую лужу, глянцево сверкавшую метрах в трех от входа.

Я чуть не выронила фонарь, ноги снова похолодели, сердце затряслось, и отчаянно зачесалась спина. Серые камни, темно-коричневый пол и один ряд с белыми плитками, кровь... Похоже, я нашла помещение, в котором проводят бои. Отлично помню кадр из видеозаписи: девушка лежит ничком, виден коричневый кафель на полу и несколько белых заплат. Каков размер зала, не скажу, понятно лишь, что он огромный и сейчас тут, на мое счастье, никого нет.

Захлопнув дверь, я прошла немного вперед и очутилась на пороге уютной комнаты. У одной стены стояла широкая кровать, покрытая клетчатым пледом, на ней, уставившись в экран телевизора, лежала Варя, одетая в футболку и мятые джинсы. Под потолком горела лампа-тарелка, на тумбочке стоял поднос с фруктами, а на полу, около уютного кресла, валялась кипа глянцевых журналов. Меньше всего спальня походила на тюремную камеру, и Богданова ничем не напоминала несчастную узницу.

Я кашлянула. Девушка, даже не вздрогнув, нажала на пульт, картинка на экране замерла, Варя смотрела сериал на DVD.

— Чего пришел? — лениво поинтересовалась гладиаторша и лишь потом соизволила повернуть голову. Глаза Богдановой расширились. — Эй, ты кто? — с удивлением спросила она. — Как сюда попала?

Я помахала Варе рукой.

— Привет, меня зовут Таня, я давно тебя ищу.

— Зачем? — поинтересовалась Богданова.

Я решила наладить с ней контакт.

— Можно сесть?

— Валяй, — пожала плечами Варвара. — Ну, отвечай, что тебе надо?

— Я работаю в частном детективном агентстве, — начала я, — к нам обратились за помощью. Родственники обеспокоены твоим исчезновением.

— О нет! — простонала Варя. — У меня никого нет, кроме матери. Я понимаю, кто волну погнал. Ненавижу! Терпеть не могу! Всю жизнь мне сломала! И опять лезет! Сволочь! Сука!

Богданова схватила подушку и запустила ею в стену. Я невольно пригнулась. А девушка внезапно успокоилась.

— Слушай, ты работаешь на хозяина? — был ее следующий вопрос.

— Да, — кивнула я, не понимая, куда вырулит разговор.

— Получаешь зарплату? Фиксированное вознаграждение?

— Конечно, — согласилась я.

— Сумма в три тысячи долларов тебе нравится? — не успокаивалась Богданова.

— Очень, — честно призналась я. — А ты хочешь мне ее подарить?

— Значит, мы договорились, — обрадовалась Варя. — Слушай сюда... Я дам тебе номер телефона, позвонишь по нему, подойдет девушка по имени Аня. Она тебе три штуки гринов отсчитает.

Я прикинулась идиоткой.

— Просто так?

Варвара широко улыбнулась:

— Угадала. Сегодня твой день. Ничего делать не потребуется, а тугрики в кошельке зашуршат. Редкое везение!

— Бесплатный сыр бывает только в мышеловке, — благоразумно заметила я. — Первый раз мне предлагают такую сумму за ничегонеделанье.

— Ты правильно ухватила суть, — вкрадчиво завела девушка. — Я заплачу именно за твое бездействие. Никто не должен знать, где я. Скажи своему боссу, что не нашла объект.

— Мне объявят выговор, — жалобно заныла я, — лишат квартальной премии.

— И сколько тебе должны заплатить? — оборвала мои стоны Богданова.

— Двести баксов, — гордо сообщила я.

— Ты дура? — с жалостью спросила отважная амазонка. — Я предлагаю три тыщи гринов. Включи мозги! Молчишь — гора зелени твоя, болтаешь — имеешь две жалкие сотни. Что больше?

Я шмыгнула носом.

— Три штуки.

— Молодец, — не поскупилась на похвалу Богданова. — Вижу, ты уже разогрела полушария, осталось лишь принять правильное решение.

Я сделала постное лицо.

— Не могу.

— Почему? — занервничала девушка.

— Хозяин получил задаток, в случае невыполнения условий договора он должен его вернуть с процентами.

— А тебе-то что? — повертела пальцем у виска Варя. — Бабки-то у босса срежут! Не у тебя. Ферштеен?

Я кивнула.

— Шикарно! — воспряла духом Богданова. — Договорились, записывай номер.

Я вбила цифры в потерявший сеть сотовый и заявила:

— Все равно не могу.

Богданова закатила глаза.

— Ты, блин, тупая?

— Нет, — парировала я. — Человек, который сделал заказ на твой розыск, рассказал ужасную историю о твоем похищении, о том, что твоя жизнь висит на волоске, что со дня на день тебя могут убить.

— Вранье! — уверенно заявила Богданова. — Мать страху нагоняет, чтобы я опять дома очутилась. Фиг ей! Сука! Скотина! Сволочь!

Я попыталась отрезвить грубиянку.

— Не знаю, что у вас произошло с родительницей, но здесь неподалеку есть зал, где сверкает лужа крови. А по Москве ползет слух о каком-то платном сайте, где демонстрируют бои между девушками и тиграми. Можно выиграть в тотализатор приличную сумму, если угадать, кто после схватки жив останется.

— Жесть! — Варя засмеялась.

Но я не дала сбить себя с толку.

— Вероятно, ты сейчас находишься под воздействием наркотика и не способна в полной мере осознать опасность. Тебе лучше вернуться к маме.

Богданова скорчила гримасу, почесала нос, потом весело спросила:

— Кровь, говоришь?

— Целая лужа, — подтвердила я.

— Блестит? — еще больше развеселилась девушка.

— Прямо сверкает, — кивнула я.

Варя сложила ноги по-турецки.

— Похоже, ты настоящий Шерлок Холмс! Имей в виду, кровь быстро сворачивается на воздухе, блестит она недолгое время.

Я растерялась.

— Не понимаю.

— «Не понимаю...» — передразнила Варвара. —

Ладно, давай так. Я рассказываю честно, что здесь происходит и ты проваливаешь прочь. Идет?

— Если получу веские доказательства твоей безопасности, готова за три тысячи американских рублей выполнить твое пожелание, — с жаром пообещала я.

Богданова откинулась на кровать, воскликнув:

— Родственная душа! Люблю говорить с деловыми людьми. Деньги всегда нужны, и неважно, какая дорога привела их в твой кошелек.

Я старательно кивала. Я тоже люблю иметь дело с теми, у кого основным инстинктом является жадность. Такого человека не только можно купить или перекупить, но еще и очень легко убедить, что его собеседник тоже способен за доллары на любой поступок. Вот и сейчас Варя ни на секунду не сомневается: детектив забудет о ее существовании, надо лишь объяснить сребролюбивой ищейке, почему мамочка с таким рвением отыскивает дочку, — заплатить тетке, и та уйдет, крепко заперев рот.

Богданова повернулась на бок, подперла голову кулаком и повела рассказ:

— Мать моя, Беата, чистокровная немка, бабушка с дедушкой были родом из Германии. Я их не застала живыми, поэтому не знаю, как они в Москве очутились...

Беата не рассказывала дочери семейную историю, вероятно, и сама ее не знала. Женщину в жизни интересовали лишь вечеринки, гулянки, танцы. Беата родила Варю, едва выйдя из школьного возраста — десятого мая будущей маме исполнилось семнадцать, а тринадцатого на свет появилась Варвара.

Кто занимался младенцем, Варя, естественно, не помнит. Наверное, все-таки какой-то уход за малышкой был, раз девочка благополучно дожила до года и была определена мамочкой в круглосуточные ясли. Из этого учреждения тюремного типа для младенцев Варечку перевели в такое же для детей постарше, а потом настала пора идти в школу.

Беата решила сдать дочь в интернат, но выяснилось, что очереди придется ждать около трех лет. Пришлось матери селить Варю в своей квартире, вполне просторной двушке. Многие москвички ютятся с ребенком в коммуналке и несказанно рады наличию собственного угла, но Беата была крайне недовольна.

Варю требовалось кормить, девочка, приученная спать в общей спальне с одногруппниками и дежурной ночной няней, пугалась темноты и отдельной комнаты, плакала, звала мать в самый неподходящий момент. Варя была полностью адаптирована для жизни в детском коллективе. В школе-то она мгновенно завоевала авторитет и благодаря закалке, полученной на пятидневке, стала лидером класса, а вот дома первоклассница превращалась в пугливое существо, ни под каким видом не соглашалась оставаться в одиночестве.

Сначала Беата уговаривала дочь, потом начала наказывать: ставила в угол, отвешивала оплеухи, уносилась из дома, не обращая внимания на вопли испуганной девочки. Но долго гулять молодой мамочке не удалось. В блочном доме звуки хорошо разносятся, и соседи пригрозили безалаберной

Беате, что сообщат в милицию о ее безответственном поведении. Пришлось гулёне коротать вечера дома, что, как понимаете, любви к девочке мамуле не прибавило.

А потом кто-то посоветовал нежной мамаше отвести до зубовного скрежета надоевшую девчонку в спортивную школу.

Варя отлично помнила, как рано утром, еще затемно, Беата приволокла ее в холодный зал и поставила перед тощей черноволосой теткой в красном спортивном костюме. Малышку вынудили проделать простенькие упражнения, и тренер вынесла вердикт:

— Беру.

И началась другая жизнь. К семи утра Варя приезжала на первую тренировку. Тренерша Виолетта Евгеньевна нещадно гоняла детей, не лучше был и хореограф Андрей Павлович, вооруженный длинной линейкой.

— Держи спину, — беспрестанно повторял он, — подними подбородок.

Если балетному репетитору казалось, что ученица недостаточно старательна, он без зазрения совести щелкал ее по спине тонкой деревяшкой. Это было очень больно! Вообще боль теперь стала постоянной спутницей малышки. Особенно тяжело ей пришлось, когда начались упражнения на растяжку.

Виолетта Евгеньевна звала четырнадцатилетних гимнасток и коротко приказывала:

— Тяните.

Те сажали Варечку на мат, одна держала ступни, другая садилась ей на спину, добиваясь, чтобы девочка сложилась, как перочинный ножик. Если та начинала плакать, рьяные помощницы тренера отвешивали ей оплеухи и орали:

— Не фиг сопли лить! Нас растягивали, и мы молчали, вот и ты заткнись!

После утренней тренировки строем шли в классы. Слава богу, учителя к спортсменкам не придирались. Наверное, понимали, что наука не полезет в их головы, поэтому дипломатично ставили тройки, но от домашних заданий не освобождали, наоборот, требовали писать доклады. Напомню вам, что во времена детства Богдановой готовую работу скачать из Интернета было невозможно, приходилось самой корпеть над учебниками.

Отсидев школьную смену, Варя вновь оказывалась в зале. Домой девочек отпускали часов в девять вечера. Уроки ученица Богданова чаще всего пыталась приготовить в метро. Около половины одиннадцатого Варечка вваливалась в квартиру, и, поверьте, теперь ей было глубоко наплевать на то, что Беата не встречает дочь с горячим ужином в руках. У малышки было лишь одно желание: доползти до кровати и рухнуть в нее. Часто сил не хватало даже на то, чтобы снять одежду. А еще ее все время мучил голод, гимнасток держали на постоянной диете, полакомиться мороженым приравнивалось к измене Родине. Если Виолетта Евгеньевна, глянув на весы, кривила губы, у Вари начинал болеть желудок. Она великолепно знала, что следом раздастся команда:

— Надеваешь две пары треников, цепляешь на ноги утяжелители и бегаешь кросс вокруг здания до тех пор, пока можешь дышать. Если совсем будет невмоготу, делаешь еще пять кругов.

Это была любимая присказка тренерши.

— Устала? Еще пять раз выполни упражнение, и хватит, — частенько повторяла она.

Первое время Варя ненавидела гимнастику, потом привыкла и поняла, что Виолетта не злая. Строгая, требующая результатов, не терпящая лени, лжи, любящая говорить: «Человек должен трудиться, выспишься в гробу», — тренерша заботилась о воспитанницах.

Кто купил Варе на окончание второго класса красивое платье и туфли? Виолетта. Кто дарил ей дефицитные по тем годам махрушки, наклейки и прочие милые детскому сердцу фенечки? Тренер. Кто постоянно давал житейские советы и улаживал конфликты с учителями? У кого на плече рыдала Варечка, когда с ней приключилась несчастная первая любовь? Кто каждый день проверял ее дневник? Ответ всегда будет один — Виолетта Евгеньевна. Беату дочь порой не видела неделями. Когда она убегала на первую тренировку, заботливая мамочка спала, когда возвращалась, родительница отсутствовала.

Однажды в пятом классе училка задала сочинение на тему «Мои родители».

— Напишите, где они работают, как отдыхают, куда вместе ходите, — дала примерный план работы русичка.

Одноклассницы лихо заскрипели перьями, одна Варя впала в ступор. Ну нельзя же честно настрочить в тетради: «Мою мать зовут Беата, а больше я о ней ничего не знаю. Мама со мной никогда не разговаривает, а отца я ни разу в жизни не видела»... За такую откровенность ей влепят двойку! Пришлось пятиклашке выдумывать историю о милой мамуле, которая печет пироги и водит дочь в зоопарк.

Свои первые награды Варечка стала зарабатывать, чтобы порадовать Виолетту Евгеньевну. Гимнастка Богданова старалась изо всех сил, легко получила звание мастера спорта, побеждала на соревнованиях, подавала огромные надежды, девочку включили в юношескую сборную, сделали запасной в команде взрослых. Пошел, как говорят спортсмены, результат. И тут умерла Виолетта, у нее случился инфаркт.

Варечка тяжело пережила кончину наставницы, заболела, попала в больницу.

Примерно через год после смерти тренерши Богданова пыталась восстановиться в сборной. К ней отнеслись с пониманием, передали ее милейшей Людмиле Николаевне, но тандем наставник — ученик не сложился. Накануне восемнадцатилетия Варя оказалась у разбитого корыта: образования она не имела, читала с трудом, писала с ошибками, ни о каком поступлении в вуз речи не было. Беата, обнаружив дочь дома, пришла в глубочайшее негодование:

— Иди работать, — приказала она Варе, — я не собираюсь кормить бездельницу. Кстати, пора матери помогать, с тебя плата за коммунальные услуги. Хватит барыней жить!

Варечка посмотрела на серую от злости женщину, взяла сумку и ушла вон из дома. Куда? В никуда.

Глава 30

Первое время Варя ночевала у подруг, потом ей удалось устроиться танцовщицей в стрип-клуб. Больше года Богданова вертелась у шеста и пользовалась неизменным успехом, для бывшей гимнастки не составляло труда проделывать головокружительные трюки. В конце концов девушка познакомилась с одним клиентом, богатым холостым Борисом, и забеременела от него. Кавалер велел ей рожать, Варя не хотела оставлять ребенка, поэтому тайком легла в больницу. Операцию сделали плохо, в клинике спортсменка провалялась больше месяца, а поправившись, не пожелала возвращаться в стриптиз. До Богдановой дошли слухи, что Борис ищет ее, вроде очень зол за сделанный аборт.

Варвара сняла комнату в квартирке на окраине и начала искать работу. Хозяйкой жилплощади была некая Анечка, работавшая в редакции газеты на приеме бесплатных объявлений. Девушки быстро подружились, и именно Аня принесла Варе несколько интересных предложений...

Богданова встала и потянулась.

— Вот так я здесь и очутилась. Платят мне шикарно, если и дальше не обманут, я накоплю на первый взнос в жилтоварищество. Мне Анька нашла контору, платишь тридцать процентов стоимости — и двушка твоя, остальное в рассрочку.

— Ага, — не выдержала я, — отличная перспектива! Маленькая деталька: хоромы тебе могут не понадобиться.

— Почему? — изумилась собеседница.

— Потому что тигр в любую секунду может сожрать гладиаторшу, — ляпнула я. — Зачем покойнице уютные апартаменты?

Варя заморгала, я устыдилась собственной горячности.

— Прости, грубо сказала, но это правда. Понимаю, у тебя было не лучшее детство, и хочется наконец-то обрести свой угол, но бой с хищником весьма опасная затея. Напомню: в соседнем помещении, в зале, где устраивают сражения, на полу сверкает лужа крови! Я ведь тебе о ней рассказывала.

Богданова села на кровать, усмехнулась.

— Говорила же! Кровь блестит недолго, она быстро сворачивается. И где у меня раны, а? Смотри!

Девушка быстрыми движениями стащила с себя одежду, и я подавила завистливый вздох. Если занятия спортом выковывают такую фигуру, то я дура, что не ходила ни в одну секцию.

— Убедилась? — торжествующе спросила Варя. — Несколько царапин и синяков, но они получены случайно.

— А где следы от когтей и зубов? — изумилась я. — Сама видела, как во время схватки кровь летела в разные стороны, ты вся была красная! А тигр походил на людоеда!

— Совсем дура, да? Уж который раз твержу: кровь сворачивается, а лужа до сих пор свежая. Значит...

— Дрались, вот-вот! — продолжала я свое. — Недавно!

— Ой, не могу! — захохотала собеседница. — Так где они, мои раны? Что, так и будем по кругу бегать? Кровь не настоящая!

— А какая? — не поняла я.

— Для кино, — пояснила Варя. — Даже вблизи натурально смотрится, а на экране вообще чума. Где пацаны «кровушку» покупают, не спрашивай. Ну? Доехало до тебя? Бои — дурилово! А царапины у меня от малыша, его Миша сейчас обучает, тигренок совсем маленький, еще не понимает, как лапами орудовать.

Я попыталась осознать услышанное. Наверное, умственное напряжение отразилось на моем лице, потому что спортсменка развеселилась еще больше. Между взрывами смеха она выдавала отдельные фразы:

— Никто всерьез не дерется. Мы с Артуром работаем, как в цирке, номер с тигром... Хищника Михаил выдрессировал...

У меня пропал дар речи, а Богданова весело затараторила:

— Я приехала сюда на кастинг, к воротам подошел симпотный парень, представился Костей, отвел меня с черного хода в дом. Там вроде мастерская художника и еще один мужик, Михаил. Сказали — снимают видео.

Варя взяла с тумбочки бутылку минералки, отпила из нее и продолжила рассказ.

Сначала девушка насторожилась, никому не хочется попасть в лапы сексуально озабоченных мужиков. Но Костя отвел ее в подземелье и познакомил с Лилей, симпатичной брюнеткой, которую Богдановой предстояло сменить.

Лиля успокоила Варю:

— Костик и Миша хорошие, платят шикарно, кормят хорошо, рук не распускают. Одна беда —

одной тут скучно, контакт с внешним миром запрещен, жить придется в изоляции. Правда, условия комфортные, книги, журналы, DVD-проигрыватель. Но общаться ни с кем нельзя, гулять на воздухе тоже, мобильный телефон придется сдать. Я выдержала три месяца и устала.

Варя решила, что ей выпал шанс, и согласилась. Она-то полагала, что предстоит участвовать в проекте типа «За стеклом», спать, есть, одеваться-раздеваться под прицелом камер, которые будут транслировать изображение в Интернете. Но когда ей показали тигра... В первую секунду Варя хотела удрать, однако Михаил удержал бывшую гимнастку, а Лиля подошла к зверю и фамильярно забралась к нему на спину.

Некоторое время Богданова обучалась бою. То ли Михаил был гениальным дрессировщиком, то ли Артур уникальным животным, но хищник оказался деликатным, нежным, трепетным и очень умным. А еще Артур обладал явным актерским талантом, и они с Варей составили замечательную пару.

— Миша говорит, что я лучшая из всех, кто тут работал, — не без гордости похвасталась девушка, — и платят мне, как звезде! Костя часто повторяет: «Знаю, что вижу спектакль, а жуть забирает. Ты, Варька, талантище!» Скоро год будет, как я здесь поселилась, и уходить не собираюсь. Только дураки бросают работу, которая и нравится, и классно оплачивается!

Я потерла ладонью вспотевший лоб и накинулась на Варю:

— Если все живы-здоровы, то откуда кровь? Я видела один бой и чуть не умерла от ужаса.

Спортсменка захихикала:

— Фокус-покус! Несколько емкостей с жидкостью спрятано в моих нарукавниках, их содержимого вполне хватает, чтобы произвести нужное впечатление. Есть еще запас в накладке, прикрывающей шею.

Получив один ответ, я захотела узнать второй.

— Мне рассказывали, что девушки, сражающиеся с тигром, разные: блондинки, брюнетки, у них маленький или большой бюст. Но ты утверждаешь, что живешь тут одна. Как такое может происходить?

Варя встала, подошла к шкафу, занимавшему почти всю стену, и отодвинула переднюю панель.

Я взвизгнула и закрыла лицо руками.

— Круто, да? — рассмеялась Богданова. — Издали кажется, что внутри куча голых, обезглавленных теток. Не бойся, смотри смело! Ты и правда такая трусиха? А еще детектив... Можешь пощупать прикиды.

Собравшись с духом, я рискнула еще раз глянуть на содержимое гардероба. Потом подошла к коллекции странной «одежды».

— Это латекс, — объяснила Вера, — разных цветов. Вот комбинезон, как видишь, потемнее, а тот совсем бледный. Сидят, как кожа.

— Грудь у них словно настоящая, — восхитилась я.

Богданова снисходительно улыбнулась.

— Даже вблизи поражает, а на экране выглядит круче некуда. На голове парик, на лице полумаска, ноги в кедах, кисти рук в перчатках да еще нарукавники, верх вроде как оголен, но это латекс, а низ слегка прикрыт шортиками или мини-юбкой. На шее полоска кожи. Вчера я была загорелая брюнетка, сиськи пятого размера, сегодня — блондинка со скромной грудью, завтра крепко сколоченная азиатка, плоская, как доска. Родная мать не узнает!

— Офигеть... — выдохнула я. — Но неужели тебе тут не скучно? Не хочется поболтать с подругой, сбегать в кино?

Варвара закрыла шкаф.

— Иногда и правда наваливается тоска. Я чуток схитрила, один мобильный Косте отдала, а второй припрятала. Станет невмоготу, Аньке звоню. Здесь электричество есть, заправить аккумулятор легко, вот только под землю сигнал не проходит, надо наверх вылезать.

Я кивнула. Вроде ничего ужасного в одиночестве нет, но мало кому оно нравится. И если вспомнить подслушанный мною недавний разговор, то Варя не только жалуется Ане на тоску, она еще и подсказывает подруге исход следующего боя, чтобы та поставила хорошую сумму на тотализаторе.

Варя, не подозревавшая о моих мыслях, продолжала:

— Я не дура, свой шанс не упущу! Хочу получить квартиру, обставить ее, поэтому буду сидеть под землей, сколько потребуется. Знаешь, чему спорт в первую очередь учит человека? Терпению и умению преодолевать трудности. Мы с Костей и Мишей подружились, они мне обещали потом хорошую работу подыскать. А тут ты! Надо же, я мамаше понадобилась... Детектива она наняла... Во

как в жизни бывает! Пинала ребенка, издевалась
над ним, унижала, а потом, хоп, и не у кого помощи попросить, кроме как у дочери, ею же затюканной. Беата еще полтора года назад меня отыскать
пыталась. Приперлась к Леньке, управляющему
стрип-клубом, с заявой: «Здесь кривляется моя
дочь, Варвара? Отведи меня к ней». А Леня, не будь
дурак, ответил: «Бабушка, канайте отсюда! Гоу хоум, старушка! Мы к танцовщицам никого не пускаем, ни мужа, ни брата, ни сестру, ни мать-перемать!» Беата скандалить начала. Ее охрана к выходу поволокла, а эта сука орала: «Передайте Варьке,
все равно ее найду! Бросила больную маму! Денег
не дает! В суд на алименты подам!» Шикарная история?

— Да уж... — вздохнула я. — Многие люди считают свое детство не очень счастливым, но как других послушаешь, понимаешь — ты жила нормально. Скажи, неужели за целый год с тобой никто из
служащих поместья или членов семьи Кнабе не
столкнулся? Ты ведь порой вылезаешь на поверхность, чтобы позвонить Ане.

Варя улыбнулась:

— Я совой стала, по ночам гуляю. Неподалеку
беседка есть, иногда я там сижу, наслаждаюсь свежим воздухом, или вокруг развалин бегаю. Подземелье все изучила. Например, до питомника легко
добраться под землей. Одна галерея ведет прямо к
вольеру Артура. Здесь вообще много тайных ходов,
и все в прекрасном состоянии. Миша с Костей, когда бизнес затевали, тщательно план церкви изучили. Умели раньше строить! Костя рассказывал, что
все туннели, когда они их исследовать начали, вы

глядели безупречно, сухие, вентиляция отличная. Такими и остались.

Я вынула мобильный, открыла снимок карты, сделанный вчера в библиотеке, и показала Варе со словами:

— Я тоже раздобыла чертеж. Но здесь нет никаких подробностей! В катакомбах не указаны входы-выходы.

Богданова посмотрела на дисплей.

— Естественно, нет. Ты получила только общий план, а подробный спрятан от любопытных глаз.

— На территории имения живет пожилой человек с оптимистичной фамилией Могила, — я решила вытянуть из Вари максимум информации. — Он, в отличие от служащих Кнабе, не подчиняется хозяину и, похоже, знает то, что осталось от церкви, как содержимое собственного комода. Что будешь делать, если Степан сюда спустится?

Варя усмехнулась:

— Для начала старикашка вход не найдет!

— Я же обнаружила, как сдвинуть плиту в полу!

— Но ведь старик тоже состоит на службе у Кости с Мишей, — сообщила бывшая спортсменка. — Если я расскажу тебе все, что знаю, ты уйдешь отсюда? Получишь у Аньки три тысячи баксов и скажешь своему начальству: «Варвары в имении нет, пустая затея ее искать». Я не хочу Беату содержать, ничего ей не должна.

— Мы уже договорились, — кивнула я. — Никогда не нарушаю своего слова, но хочу знать о происходящем здесь до мельчайших подробностей.

Варвару не смутило любопытство сотрудницы детективного агентства, и она спокойно продолжила рассказ.

Глава 31

Когда Герман Вольфович покупал землю, он не смог отселить Степана. Вредный Могила не тронулся с места. Старик требовал от бизнесмена огромной суммы за свой сарай, строчил на Кнабе жалобы, натравил на него представителей подмосковной администрации, сигнализировал о незаконной вырубке леса. И в конце концов Герман Вольфович понял: лучше просто раздавать взятки алчным чиновникам и прекратить попытки сковырнуть вздорного деда с насиженного места. Степан же, наоборот, распоясался окончательно. Он словно вызывал нового хозяина угодий на бой. Но поскольку Герман не обращал внимания на происки дедушки, Могила притих. Вернее, это Кнабе казалось, что старик смирился с его соседством.

Но однажды, приехав проконтролировать стройку, Герман обнаружил, что бригада каменщиков, всегда горланивших во время работы песни, в полной тишине пакует вещи.

— Извините, мы уезжаем, — пробормотал бригадир.

Бизнесмен насел на мужика и узнал правду. Оказалось, что строители видели, как по ночам из леса выходит привидение. Оно появлялось со стороны заброшенной церкви и выло на луну. Суеверные гастарбайтеры решили поскорей убраться с проклятого места.

Герман Вольфович сразу смекнул, чьих это рук дело, и вне себя от гнева пошел к Степану. Деда он обнаружил на полу избы в плачевном состоянии, похоже, вредного старикашку разбил инсульт. Пока «Скорая помощь» добиралась в бывшую Харитоновку, Могила умер. Кнабе похоронил старика и забыл о нем.

Каменный дом деда ранее принадлежал местному священнику. Герман Вольфович приказал вынести из здания вещи покойного, а человек, которому поручили эту работу, обнаружил среди хлама много старинных богословских книг и план церкви. Вот тогда-то Кнабе и узнал о существовании катакомб.

Когда Михаилу пришла в голову идея трансляции боев через Интернет, Кнабе сообразили, что лучшее место для их проведения — обширные подземные помещения. Подвалы оборудовала бригада немцев, вызванных из Германии, рабочие не изъяснялись на русском языке и уехали на родину, выполнив задание. Потом Герман Вольфович уволил всех служащих, оставил только повариху Анну Степановну и Костю. Эти люди давно считались членами семьи и умели держать язык за зубами.

Чтобы новые горничные или охранники не полезли по глупости в развалины и вообще держались от них как можно дальше, была придумана легенда про Клауса. В доме Могилы поселили сердечного друга Анны Степановны, который за небольшую зарплату и еду согласился изображать сельского колдуна Степана.

В громадном имении работает большое количество служащих, кто-то получает постоянный оклад, а кто-то трудится сезонно — зимой нужны люди для чистки дорожек и крыш от снега, летом требуются дополнительные руки для стрижки травы на газонах. Лаура Карловна и Анна Степановна находили время всем рассказать о Клаусе.

— Лаура Карловна и от меня не отставала, — не выдержала я, перебив Варю, — пока не изложила мне в деталях эту сказочку. Действовала она очень умно, с одной стороны, прямо говорила: «Боже, в какую глупость только не верят малограмотные женщины!», а с другой — так повернула разговор, что я почти уверилась: Клаус существует. Анна Степановна поступила более прямолинейно — поведала о потрясающих способностях Степана предсказывать будущее, а Надя напугала меня рассказом о горничной Нине, которую вытолкнул из окна призрак...

Варя расхохоталась.

— Анне Степановне надо фантастические романы писать! Никакой Нины в поместье никогда не было. Повариха про девушку всем врала для большего страха. А потом уже без ее помощи легенда обросла подробностями, стала распространяться. Надя, старшая горничная, всех уверяет, что чуть ли не сама видела, как привидение вышвыривало девушку вон. Да только Нина — выдумка! У хозяев отлично расписаны все роли. Лаура Карловна изображает, что не верит в россказни про Клауса, и открыто заявляет Косте: «Перестань безобразничать! Знаю, это твоя работа. Девушек дразнишь, звенишь колокольчиком». Константин со старухой не спорит, на обвинения не отвечает, а потом кому-нибудь из дворни говорит: «Если Лаура

Карловна, когда она слышит ночью звон бубенцов, думает, что это я хулиганю, не стану ее разубеждать. Лучше пусть меня приколистом считает, чем призрака боится».

Понимаешь, как хитро все придумано? Его слова лишь укрепляют веру людей в Клауса!

Я молча кивнула. Сама была свидетельницей того, как Лаура отчитывала парня.

А Варя тем временем продолжала:

— Герман Вольфович вроде всегда на Мишу злится, ругает его в присутствии посторонних, называет алкоголиком и делает вид, что занят исключительно работой. Некая доля правды в этом есть, Михаил в свое время отца не послушал, ушел на несколько лет из дома, стал дрессировщиком, с папашей не общался. Но потом все наладилось. Это Миша гениально Артура выдрессировал и придумал бои. Кстати, Михаил не пьет.

— Поняла, — кивнула я, — он нюхает кокаин.

— Совсем чуть-чуть, — встала на защиту работодателя девушка, — только для тонуса. Кокс не страшен, это не герыч. Но Герман Вольфович все равно недоволен.

— Мне бы тоже не понравилось смотреть на то, как сын себя травит, — хмыкнула я. — А если учесть, что Артур не вечен и рано или поздно потребуется дрессировать какое-нибудь новое животное, то недовольство старшего Кнабе вполне объяснимо. Знаешь, я ведь поняла, что Степан врет.

— Да? — изогнула бровь Варя. — Мы тут все насобачились спектакль играть, и пока ни у кого из посторонних сомнений в достоверности происходящего не возникало.

— Лже-Могила перестарался, — улыбнулась я. — Он решил произвести впечатление на зоопсихолога и начал плести про мою жизнь, а в результате Степан показался мне излишне информированным обо мне. Думаю, Анна Степановна снабжает сердечного друга не только пирогами с черникой на красивых и дорогих фарфоровых тарелках, но и сведениями о служащих.

— В точку! — кивнула Варя. — Дуры девки чуть в обморок не падали, когда им дедок про их прошлое рассказывал. Да что там горничные! Охранники и те трепетали. Ну да, у парней оружие, дубинки, электрошокеры, да только с привидением им не справиться. Недавно курьез вышел. Мне Миша рассказал, так я чуть не умерла со смеху! Ты не против еще поболтать? Я давно с женщинами не общалась, только Костю и Мишу вижу.

— Мне спешить некуда, — заверила я спортсменку. — А твои работодатели сегодня сюда не заявятся? Не хочется с ними столкнуться! Для меня это может плохо закончиться.

— Не бойся, — засмеялась Варя, — парни людей дурят, но они не преступники. Конечно, могут в рыло насовать, но потом просто бабла отсыпят, чтобы молчала. И сегодня они не придут.

Я расслабилась. Варя, похоже, очень соскучилась по общению, ведь она фактически находится в одиночном заключении. Конечно, ей платят хорошие деньги, у нее есть цель — покупка квартиры, но порой так хочется поболтать. А я уже не представляю для нее опасности, согласилась за три тысячи долларов молчать. Надо немного посидеть с Богдановой, дать ей возможность встряхнуться, а затем, покинув подземелье, позвонить Чеславу и в деталях передать ему рассказ Вари о ее матери. Если девушку и впрямь разыскивает Беата, то стоит ли сообщать ей, где находится дочь? Не слишком-то счастливое детство она устроила единственному ребенку.

Варя начала рассказывать очередную историю.

Я случайно оказалась права: Артур уже немолод, через некоторое время его отправят на заслуженную пенсию, будут кормить, любить и, вероятно, разрешат раз в полгода поучаствовать в бою. Нужна молодая смена, и сейчас Михаил занимается с тигренком. Чтобы приучить «котенка» к шуму, дрессировщик надевает специальную накидку, рукава которой обшиты бубенчиками, а на шею вешает сумочку, смахивающую на небольшой барабанчик, в нее он кладет специальные дропсы, лакомство, которое обожает тигренок. Процесс дрессировки происходит просто. Миша принимает разные позы, садится на пол, становится на корточки, то сильно, то едва-едва трясет бубенчиками, иногда резко бьет по барабану. Тигренок должен понять: шум не принесет ему вреда. Если малыш, преодолевая страх, подходит к Мише, то моментально получает вкусный кусочек.

Один раз у Миши закончились дропсы. Не снимая рабочего костюма, он спустился в самый нижний подвал, где Лаура Карловна складирует корма для домашних животных, начал искать нужную пачку и вдруг услышал бормотание. Михаил удивился, повернул голову и приметил за упаковками туалетной бумаги и бумажных полотенец съежившуюся фигуру охранника. Поняв, что его обнаружили, бравый секьюрити уткнулся носом в колени и забубнил:

— Отче наш! Спаси и сохрани! Сгинь, Клаус! Изыди, рассыпься!

И тут младший Кнабе сообразил: на нем плащ с бубенчиками, на шее барабан. У страха глаза велики, охранник принял Мишу за Клауса. Дрессировщик любит пошутить, и он великолепно знал, что из нижнего подвала есть проход в одно из помещений, ранее принадлежавших церкви и превращенных Германом Вольфовичем в домик для гостей. И Миша решил окончательно добить трусливого секьюрити. Он быстро поднялся наверх, завыл, заржал, затопал ногами. Затем закричал: «Выходи, а то убью!» Снизу послышался громкий плач, а в воздухе повис специфический запах.

— Нормально вышло! — хохотала Варя. — Парень обделался со страху! Вот прикол!

Я опустила глаза. Учитывая, что местная прислуга верит в существование Клауса, мне шутка не показалась смешной. Бедный Леонид мог получить инфаркт. И хорошо, что отделался лишь испачканными брюками. Кстати, мне охранник рассказал адаптированный вариант этой истории.

— Супер? — веселилась Варя. — Полный идиот!

— Зря Михаил ходит по поместью в накидке с бубенцами, — вздохнула я. — Кто-нибудь мог его встретить и умереть от страха.

— А он никуда не ходил! — снова бросилась защищать младшего Кнабе Варя.

— Ты же минуту назад рассказала про дрессировку тигренка, — удивилась я. — От вольера хищников до дома довольно далеко!

— Тигренок — крошка, — заулыбалась Богданова, — совсем малипусенька, его нельзя в вольере держать, пока он живет у Миши в спальне. А тренировки проходят в цоколе, в фитнес-зале, туда никто из прислуги не заглядывает. Поэтому Михаил балахон свой не снял, он в соседнее помещение шел. Кто ж знал, что там этот идиот притаился?

— Значит, все рассказы о картинах, над которыми работает Миша, ложь? — внезапно осенило меня.

Варя хлопнула себя по бедрам.

— Ну конечно!

— Зачем надо было выдумывать очередную байку? — не сдержалась я. — Без нее и так горы вранья наворотили.

— Думаешь, ты самая умная? — прищурилась Варя. — А остальные брешут от нечего делать? Наоборот, все тщательно продумано! Я — звезда. Лучшая из всех, кто работал с Артуром, самая терпеливая и талантливая. Уже год здесь, а другие по две-три недели выдерживали, тут прямо круговорот девчонок был. И как объяснить их появление в усадьбе? Костик сначала слух пустил: Миша — бабник. Целую пьесу разработал, дескать, отец на него за это сердится. Но Михаилу его идея не понравилась, и тогда он сам про свое увлечение живописью придумал. Очень удачно получилось, художнику нужны натурщицы.

— Вот только версия про бабника прижилась и до сих пор гуляет по поместью, — фыркнула я. — А ты не в курсе, зачем на днях горничных пугали

Клаусом? Я сама слышала звон бубенцов и барабанную дробь.

— Не знаю, — ответила Варвара.

— А про Майю Лобанову тебе рассказывали? —
Я пыталась разузнать как можно больше.

— Неа, — зевнула Богданова.

— Уверена? — настаивала я.

Бывшая спортсменка снова легла на кровать.

— Угу, — пробормотала она. — Интересно, который теперь час?

Я сделала вид, что не понимаю откровенного
намека, и ухватилась за другую тему.

— Слышала про Лизу?

Варя открыла глаза.

— Это кто?

— Горничная, которая лежит в коме.

— Да ну? — без особого изумления отреагировала Богданова. — С чего бы ей здесь болеть?

— Елизавета упала из окна, — пояснила я. —
Предполагаю, что хозяева не захотели видеть в поместье милицию и решили не предавать происшествие огласке. Интересно, как они поступят, если
Лиза очнется?

— Из бессознанки не выходят, — лениво протянула Варя. — У нас в команде одна гимнастка во
время вольных упражнений упала, башкой неудач-
но тюкнулась, лето в клинике овощем провела, и
прощайте, ребята!

— Эрика очнулась, — возразила я.

— И кому от этого хорошо? Потом за ней так
ухаживали, пылинки сдували... — с завистью сказала Варвара.

— Лиза тоже не брошена, — продолжила я никчемный спор.

— Ей без шансов, — уперлась гладиаторша.

Я всегда выхожу из равновесия, когда люди упорно отстаивают то, о чем понятия не имеют.

— Не говори, если ты не в курсе, — отрезала я. — Лиза открыла глаза! Значит, процесс выздоровления пошел!

Богданова резко села.

— А ты откуда знаешь?

— Зашла случайно в домик, — начала я и замолчала.

Бывшая спортсменка демонстративно, с протяжным стоном зевнула.

— Извини, я спать хочу.

Я поднялась и направилась к выходу.

— Это ты меня прости — пришла непрошено.

— Пока, — помахала рукой Варя и натянула на голову одеяло.

Я притормозила.

— Эй!

— Ну чего еще? — донеслось из-под пледа.

— Не знаю, как открыть люк изнутри и боюсь без страховки лезть по лестнице, — честно призналась я.

Варя закряхтела, спустила ноги с кровати, нашарила тапочки, и мы вместе пошли к потайному ходу.

Когда над нашими головами сдвинулась часть потолка, Богданова велела:

— Карабкайся, не тормози.

— Ступеньки хлипкие, — пролепетала я.

— Крепкие, — стала закипать «узница» подземелья. — Для священников сделаны, а батюшки все животастые.

— Вдруг они сгнили? — тряслась я.

— А сюда ты как попала? На эскалаторе съехала? — обозлилась Варя.

— С трудом сползла, вниз легче лезть, вверх страшнее, — всхлипнула я.

— Хватит ныть! — оборвала меня Варвара. — Все очень просто. Ставишь ногу на шнур, руками хватаешься за боковушку. Ну! Слушай мои команды!

— Не надо, — прошептала я, — сама попробую.

— А мне молча стоять? — обиделась гимнастка. — Не любишь, когда умный человек советы дает?

Глава 32

Мысленно перекрестившись, я вцепилась в отполированные деревяшки. Похоже, древние строители были намного совестливее современных, они качественно выполняли свою работу, а не тяп-ляп, как гастарбайтеры из ближнего зарубежья. Что же касается чужих советов, то чем больше мне их дают, тем меньше хочется их слушать, дабы не попасть в идиотскую ситуацию.

Когда я училась в восьмом классе, бабушку положили в больницу, и наша семья фактически осталась голодной. Мама готовила отвратительно, даже дворовые собаки отворачивали морды, когда я выносила им состряпанные мамулей котлеты. Помните анекдот про холостяка, который кладет в кастрюлю разные вкусные продукты, варит их по правилам, но нормально у него, хоть тресни, получаются только пельмени? Вот и с моей матерью происходило то же самое. Картошка, мясо, вермишель, яйца, рыба — все, что проходило через ее руки, неминуемо приобретало вкус размокшего картона, проглотить «вкуснотищу» не смог бы и пять месяцев ничего не жравший волк. Скандалы между родителями приняли тогда хронический характер.

— Безрукая тетеря! — орал отец, ковыряя вилкой ком из рожков и мясных лохмотьев. — И это ты называешь макаронами по-флотски? Да в любой забегаловке лучше кормят! Я мужчина, мне необходимо разнообразное питание.

— Везде-то ты побывал, в каждую дыру заглянул, — огрызалась мать. — И хорошо, что уточнил, что ты мужик, а то я все не понимала, за кого имела несчастье замуж выйти! Вроде брюки носишь, а зарплата как у последней поломойки!

Устав пинать друг друга, предки накидывались на меня.

— Немедленно ешь! — визжала мама. — Чтоб тарелка была чистой!

— Девочки должны уметь готовить, — вторил ей отец, — мать не успевает, она работает, а ты лентяйничаешь!

В пятницу, спустя четыре дня после того, как бабуле сделали операцию, ситуация в доме накалилась до предела, и я тайком удрала к ней в больницу. Отлично помню длинный коридор, пол, выложенный мелкими желтыми плитками, запах хлорки и лекарств, большие белые двери и кровати, стоявшие вдоль стен. Моей бабушке повезло, ей досталось место в палате.

Когда я вошла, она сразу насторожилась.

— Что случилось?

Мне едва исполнилось тринадцать, поэтому со свойственным подросткам эгоизмом я думала лишь о своих проблемах и, не пощадив бабулю, в красках живописала ей семейные сцены.

— Папа прав, — спокойно сказала она, — сейчас я научу тебя готовить курочку. Возьми на тумбочке блокнот и записывай рецепт.

Домой я вернулась, горя желанием побыстрее ринуться к плите, положила на стол листок бумаги и принялась действовать по плану. Вымыла тушку, обсушила полотенцем, посолила, поперчила, положила ей в брюшко мелко нарезанную морковь, зашила кожу суровой ниткой, обмазала птичку майонезом, скрепила ей ножки, чтобы они не растопыривались, с большим трудом зажгла газовую духовку, дотошно отрегулировала пламя, поместила будущий ужин на сковородку и, ощутив себя маленькой хозяйкой большого дома, отправилась читать очередной том Майн Рида.

Через полчаса хлопнула входная дверь, появились родители, которые с порога завопили:

— Чем это воняет?

— Почему в квартире так жарко?

— Готовлю на ужин цыпленка, — гордо объявила я. — Его уже можно доставать из плиты!

Отец глянул на жену, та посмотрела на него, потом недовольно протянула:

— Ну... посмотрим.

Мы вошли на кухню, я открыла духовой шкаф и растерялась, сковородка испарилась без следа.

— Где еда? — пролепетала я.

Отец совершенно неожиданно захохотал.

— Вот она! На мойке!

Мы с мамой одновременно повернулись, и я увидела чугунину, из которой торчали политые излюбленным соусом россиян ножки курчонка. Я добуквенно выполнила указания бабушки, только забыла поставить тушку в духовку...

— Чего застряла? — ущипнула меня за ногу Варя.

— Будет лучше, если ты вылезешь в алтарь и дашь мне руку, — чуть не плача попросила я.

— Жесть! — оценила мое предложение бывшая гимнастка, но спорить не стала.

Глядя, как ловко стройная красавица взбирается наверх, я ощутила очередной приступ комплекса неполноценности и, почти ненавидя себя, медленно потащилась по хлипкой лестнице.

В момент, когда жизнь кажется вам беспросветной, нужно помнить, что любая неприятность рано или поздно заканчивается. Сильные руки Варвары буквально выдернули меня из люка.

— Ну, жива? — с пренебрежением поинтересовалась она.

Сил на ответ не хватило, я едва кивнула. Хорошо хоть Генза спал и не шевелился у меня под одеждой.

— Плохо трусу, — ехидно заметила Варя, — еще ничего не случилось, а он уже умер. Ой! Это кто?

Голос ее задрожал, и я перепугалась, потом перевела взгляд туда, куда смотрела Богданова, и испытала невероятное облегчение.

— Ты никогда не видела ящериц? Ее зовут Эля. Очень милое существо...

Варя пронзительно взвизгнула и бросилась под землю. Похоже, отчаянно смелая гладиаторша скатилась кубарем по веревочной конструкции, потому что люк задвинулся спустя секунду после ее панического бегства.

И она упрекала меня в трусости? Да, я боюсь высоты, не хочу упасть и переломать кости, не имею хорошей физической подготовки и не считаю позорным в этом признаться. А вот трястись, завидев крошечную рептилию, просто смешно. Не ожидала этого от девушки, которая выделывает с тигром головокружительные трюки. Варвара позволяет ему таскать себя за волосы и испугалась ящерки! Правда, Артур выдрессирован, но все равно, предложи мне кто выбрать — сражаться с абсолютно послушным хищником или терпеть рядом дикую ящерицу, я бы без колебаний предпочла последний вариант.

Ладно, хватит рассусоливать, пора бежать в дом. Вот вам еще одно интересное наблюдение: в лесу одной страшно. Но я сейчас не боюсь, потому что со мной друзья, на груди сидит Генза, по пятам тащится Эля. Чем помогут мне малыши, если на тропинке неожиданно возникнет медведь-гризли? Вроде бы ничем.

Но если Генза пукнет, никакой Топтыгин не устоит на лапах, рукохвост намного лучше пистолета, потому что никогда не промахивается.

Я что было сил побежала к забору, отделявшему лес от парка.

Муж энергично подергал меня за плечо.

— Милый, — простонала я, — очень баиньки хочется.

Но Гри проявил несвойственную ему настойчивость. Не сумев разбудить супругу с первой попытки, он удвоил старания и начал меня трясти, как бутылку с загустевшей простоквашей.

— Гри, — взмолилась я, — не мешай спать! Сделай завтрак сам! Пожарь яичницу!

— Таня, — произнес знакомый голос, — очнись.

Я села, открыла глаза и увидела... Костю. Вот так и разоблачают шпионов. Подойдут фашисты к Штирлицу в час между волком и собакой, начнут расталкивать советского чекиста, а он им на чистейшем русском языке объявит: «Товарищи, я устал»...

Нехорошо, однако, получилось, надо быстро исправить свою оплошность!

— Костя! — залепетала я. — А мне приснилось, что я лежу дома и разговариваю со своей собакой. Гри милый, но он имеет отвратительную привычку будить меня ни свет ни заря, кушать просит.

Запас фантазии был исчерпан, я пробудилась окончательно и вспомнила, как предлагала Гри самому пожарить яичницу. Если Гри пес, то моя просьба к нему звучала немного странно.

— Извини, — зашептал Константин, — не хотел тебе мешать, но мне нужна твоя помощь.

Я мигом забыла про дурацкую историю с собакой, готовящей глазунью.

— Что случилось?

— Лаура Карловна упала. Похоже, ногу слома-

ла, — объяснил мастер на все руки, — помоги ее
поднять.

Меня будто ветром сдуло с матраса.

— Конечно! Куда бежать?

Костя дипломатично кашлянул.

— Ты сначала оденься, в ночнушке неудобно.
Я отвернусь!

Чтобы не задерживаться, я схватила висевшее
на кресле платье, в котором бегала весь вчерашний
день, и в одну секунду натянула его. Лауре Карловне небось очень больно, нет времени рыться в
шкафу в поисках чистых вещей.

— Готова? — прошептал Костя. — Тогда рванули!

Мы быстро поднялись на второй этаж, минова-
ли круглый холл с картинками и вошли в квадрат-
ную комнату, застеленную серым ковром.

— Где Лаура Карловна? — тревожно спросила я.

Костя отодвинул одну из занавесок, за ней, во-
преки моим ожиданиям, оказалась дверь, парень
распахнул ее.

— Там!

— Темно, — промямлила я, — ничего не видно.

— Иди давай, — бесцеремонно толкнул меня
Константин, — пожилой женщине плохо! Вой-
дешь — электричество вспыхнет. Слышишь стон?

На всякий случай вытянув вперед руки, я смело
шагнула вперед, в ожидании яркого света зажмурилась, ощутила, как ладони наткнулись на стену,
и услышала сзади тихий щелчок. Глаза открылись,
вокруг стояла кромешная темнота.

— Костя! — заорала я. — Хороша шутка! Немедленно выпусти меня!

— Не визжи, — донеслось до моего слуха, —

никто не услышит. Ничего плохого тебе не сделают, ведь Генза стоит огромных денег, а без матери
он погибнет. Но разрешить тебе бегать по поместью
и совать нос не в свои дела мы не можем. Ты у нас,
оказывается, детектив, которого мать Богдановой
наняла! Ай-яй-яй, как нехорошо! Мы тебе поверили, приняли как родную, дали на воспитание рукохвоста, и что получили взамен? Черную неблаго-
дарность!

Мне стало жарко.

— Я здесь задохнусь!

— Нет, вентиляция хорошая, — успокоил меня
Костя.

— Устану стоять!

— Двигайся влево, наткнешься на маленький
диванчик, — вполне мирно посоветовал Константин. — Сиди молча! Орать не советую, только зря
силы потратишь.

Вдруг в кромешной темноте замерцал тусклый
свет. Сначала я не поняла, что является его источ-
ником, лучик почему-то шел от моей фигуры, но
потом в голове прояснилось. Я второпях нацепила
платье, в котором ходила вчера, а в его кармане
лежит мобильный, поставленный в режим «без
звонка».

— Успокоилась? — донеслось из-за стены.

— Пошел ты! — гаркнула я и удивилась самой
себе — ранее мне не приходило в голову употреб-
лять подобные выражения.

Вытащила сотовый, нажала на нужную кнопку,
и слабый свет дал возможность осмотреть чулан.

Никаких окон, примерно пять квадратных метров площади, крохотная софа. Это все. Почему

Константин решил изолировать зоопсихолога, да еще выбрал для этой цели укромное местечко на половине Лауры Карловны? Что ж, у меня есть ответы на эти вопросы. Варвара сначала хотела просто откупиться от детектива, которого, по ее мнению, в поместье отправила мать, но потом я стала активно расспрашивать про Лизу, и Богданова сообразила: сыщица излишне любопытна. И гладиаторша предпочла сообщить о визите детектива Константину. Во всей этой малоприятной ситуации меня радует лишь одно: похоже, меня не собираются убивать. Варя, сказавшая, что ее хозяева предпочитают решать все проблемы при помощи наличных, очевидно, права. Ну а сюда меня заманили, так как в покои старухи никто не сунется без приглашения.

Я села на продавленный матрас и набрала номер Коробкова.

— Неспящие в Сиэтле слушают, — захрипел Димон, — девять один один невер слип. Кто тута?

— Меня вычислили и заперли в чулане, — прошептала я.

Хакер мгновенно потерял желание шутить.

— Секундочку! Так... Ты на втором этаже?

— Да, — растерялась я.

— Комната в центре дома?

— Верно, — еще сильнее поразилась я. — Но как тебе удалось это узнать?

— В твоем сотовом маячок, — пояснил Коробок. — Жди помощь. Я объявил SOS.

Я уставилась на мобильный. Маячок! С моей стороны глупо было забыть о предусмотрительности Чеслава, он всегда заботится о нашей безопасности. Значит, Димон может наблюдать на экране компьютера мои передвижения. Так вот почему вечером он спросил у меня, отчего я так долго сижу на лавочке. Я тогда удивилась экстрасенсорным способностям Коробка, но быстро забыла о незначительном эпизоде. Теперь же все стало ясно.

Послышался шорох, стена отъехала в сторону.

— Тань, ты здесь? — прошептал знакомый женский голос.

— Да, — еле слышно ответила я.

— Выходи осторожно, — приказала невидимая спасительница. — Вечно с тобой проблемы! Чуть всю операцию не провалила. И долго ваше высочество ждать прикажете? Костя скоро вернется!

Я кинулась к полоске света, очутилась в комнате, увидела ведро, швабру и горничную Амалию в голубых резиновых перчатках. Услыхав от Димона, что помощь придет быстро, я сразу поняла: в поместье находится еще один человек Чеслава, не постоянный член нашей следственно-розыскной бригады, а временно нанятый. Но меньше всего я ожидала, что им окажется наглая горничная.

— Ты?! — вскричала я.

Воняющая дезинфекцией перчатка зажала мне рот.

— Соображать надо! — одними губами сказала Амалия. — Ползем в конец коридора, до служебной лестницы. Молись, чтобы нам никто навстречу не попался.

Слава богу, все спали, а мягкий ковер скрадывал звук шагов. Но когда мы очутились во флигеле для горничных и вошли в комнату Амалии, мне стало жарко от стресса.

— Прикинь, какую рожу скорчит Костя, — вдруг тихонько хихикнула моя спасительница. — Это нормально, а? Запер Таньку, спокойно ушел, вернулся, а клетка пустая. У меня бы мозг скукожился!

Я открыла рот, Амалия быстро приложила ладонь к моим губам.

— Ш-ш-ш! Погоди-ка...

Я не успела вздрогнуть, как она сдернула с кровати одеяло, накинула его нам на головы и, сделав импровизированную палатку, сказала:

— Теперь можем поболтать, но все равно шепотом, без воплей и истерик. Я тебя отсюда выведу.

— Как? — недоверчиво спросила я.

— Спокуха, — приказала Амалия, — главное, ноги унести.

— Меня не тронут.

— У тебя дипломатический иммунитет? — серьезно спросила горничная. — В имении живет маньяк, это он убил Крафт и Караваеву. Все следы ведут сюда.

Я решила растолковать Амалии суть дела.

— Я «мать» Гензы, значит, крайне ценна для семьи Кнабе.

Амалия чихнула.

— Супер! Когда захочешь стать Наполеоном, хоть императором, хоть тортом, предупреди.

Я расстегнула верхнюю пуговицу платья, Гензель не замедлил высунуть наружу очаровательную мордочку.

— Фу! — подскочила Амалия. — Что за гадость?

— Не смей оскорблять малыша! — возмутилась я. — И веди себя тихо.

— Таскать хрен знает что на груди! — не успокаивалась Амалия. — У него, наверное, блохи есть!

— Паразиты завелись у тебя в мозгу, — отбрила я.

— Раньше ты не проявляла особой любви к мохнатым уродцам, — свистящим шепотом сказала горничная.

— Просто я не думала, что они такие милые, — начала я и осеклась. — Эй, откуда ты это знаешь? Мы разве раньше встречались?

Амалия прыснула.

— Не узнаешь?

— Извини, нет. Намекни, где мы прежде виделись, — попросила я. — Пойми меня правильно, я вовсе не имею в виду, что у тебя серая незапоминающаяся внешность, но...

Амалия ущипнула меня за запястье и прошелестела:

— Завянь. Я в марте.

— Что в марте? — чуть приподняв край одеяла, чтобы впустить немного свежего воздуха, спросила я. — Ты родилась весной?

— Сходи к отоларингологу, пусть он тебе уши прочистит. Хотя в твоем возрасте уже могли начаться старческие изменения, — схамила Амалия. — Я Марта. Марта Карц. Ферштеен, майне либе?

Глава 33

Мне понадобилось одно мгновение, чтобы отреагировать на ее заявление:

— Врешь!

Моя спасительница изогнула одну бровь.

— Чем мотивируешь свой вывод? Тем, что бедная прислуга внешне не похожа на красавицу Марту?

Но я не попалась на эту удочку.

— Парик, цветные контактные линзы, защечные вкладки и грим могут творить чудеса. Но навыки ловко мыть полы и с дикой скоростью наводить порядок не купишь за деньги. Карц не способна даже шнурки себе завязать!

Собеседница чуть выпятила вперед подбородок.

— Не думай, что знаешь человека, если постоянно сталкиваешься с ним в офисе. Кстати, я до сих пор не купила тебе новую кружку взамен той, с цветочками, что случайно столкнула на пол. И, поверь, мне неприятно, что ты порезалась, собирая осколки. Ты считаешь Марту Карц профессиональной хамкой, но даже я иногда признаю свою вину!

Воздух под одеялом окончательно пропал. Я вспомнила ту ситуацию. Месяц назад я пошла в офисе в туалет, прихватив с собой любимую чашку, подарок Гри на Восьмое марта. Помыла, поставила ее на рукомойник, заперлась в кабинке, а выйдя из нее, услышала характерный звон бьющейся посуды, увидела кучку фарфоровых осколков на полу и Марту, взиравшую на них.

— Моя кружечка! — чуть ли не со слезами сказала я и присела на корточки.

— Брось, — буркнула Карц, — уборщица заметет.

Но мне не хотелось, чтобы подарок Гри, пусть и разбитый, остался валяться на полу, я начала подбирать осколки и порезалась... Больше там никого не было, только мы с Карц...

— Марта! — ахнула я.

— Тсс, — поднесла она палец к губам.

Сначала у меня отлегло от души — хорошо, когда в тяжелую минуту рядом оказывается коллега и приходит на помощь. Ну да, как человек Марта мне совершенно не нравится, но следует признать, что как профессионал она безупречна. Но уже через секунду радость испарилась, появилась обида.

— Чеслав мне не доверяет? Решил, что одна я не справлюсь?

Марта укоризненно покачала головой.

— Чушь. Вообще-то я здесь из-за маньяка. Меня отправили помочь тебе после твоего звонка Коробкову. Неужто ты так мне завидуешь, что готова один на один с убийцей остаться, лишь бы со мной не связываться?

— Ты дура, — по-детски отреагировала я.

— От дуры слышу, — тоже не очень умно высказалась Карц.

Беседа захлебнулась. Потом Марта усмехнулась и вытянула ладонь с согнутым крючком мизинцем.

— Вот и поговорили... хватит нам ругаться. Мирись, мирись?

Я сделала тот же жест.

— И больше не дерись.

Карц подняла одеяло, впустила под него свежий воздух, снова закутала нас и сказала:

— Сиди здесь тихо. Сейчас горничные на работу убегут, и я за тобой вернусь. Знаешь, где в изгороди дыра?

Минут через пятнадцать я, никем не замеченная, выскользнула из флигеля и боковыми дорожками добежала до забора. Оставалось удивляться, каким образом Марта успела узнать об отсутствующем в ограде пруте. Сильно помяв бока, я выбралась на свободу и бросилась что есть сил к шоссе ловить машину. Надеюсь, кто-нибудь согласится подкинуть растрепанную женщину до города. Через некоторое время я подкатила к входу в нашу контору, позвонила Димону, чтобы он вышел и заплатил шоферу. И только увидев хакера, вспомнила про Гензу, который мирно сопел на моей груди. Надо же, я успела так привыкнуть к рукохвосту, что не заметила, как украла его.

— Где Чеслав? — налетела я на Коробка, едва мы вошли в лифт.

— Приедет через час, — мирно ответил тот. — Я узнал все про того, кто давал объявления о найме девушек для видеосъемок. Докладывать?

— Сама теперь знаю, — отмахнулась я.

— И про историю с отравленными собаками не говорить? — поинтересовался Димон. — Я еще по твоей же просьбе узнал кое-что интересное про Михаила и Эрику.

— Говори! — потребовала я.

Мы прошли в офис, расселись по местам, и Коробков завел рассказ:

— До переезда в роскошный особняк Кнабе жили в доме, расположенном неподалеку от Битцевского парка. Дом до сих пор на месте, соседи отлично помнят Германа Вольфовича, Лауру Карловну, Анну Степановну и Михаила с Эрикой. Большинство жильцов удивлялось: ну до чего разные дети у Кнабе! Девочка тихая, вежливая, молчаливая, она обожала гулять в парке, знала там все уголки и предпочитала проводить время в одиночестве. Эрика отлично училась, никаких проблем отцу не доставляла. Просто торт со взбитыми сливками, а не ребенок. Но у нее имелись и отрицательные качества. Она была жадной, никому не разрешала брать свои вещи. Правда, с деньгами расставалась спокойно.

— Что довольно странно для скупого человека, — не удержалась я от комментария.

— Ага, — кивнул хакер. — Если одноклассники, а большинство жили с Эрикой в одном дворе, просили у нее рубли на мороженое, та охотно их давала. Но когда Лена Морозова взяла без спроса одну из ее кукол, в Эрику словно черт вселился — она налетела на Морозову с кулаками и жестоко избила ее. Когда Герман Вольфович потребовал у дочери объяснить свое поведение, та хладнокровно заявила: «Куколка моя, а мое никогда трогать нельзя. Мое — это мое!» К патологической жадности присоединялась и злопамятность. Разорвав дружбу с Леной Морозовой, Эрика более никогда с девочкой не общалась.

— Замечательный характер! — резюмировала я.

— Но подобные инциденты случались нечасто, — продолжал Димон, — и они не портили благоприятного впечатления, которое Эрика производила на окружающих. А вот Миша считался безобразником. Учился он плохо, на уроках откровенно зевал, получал охапками двойки, любил шумные компании, постоянно затевал романы с девочками, на каждое замечание взрослых имел пять ответов, мог стащить у Лауры Карловны небольшую сумму из денег на хозяйство. А когда она поняла, кто занимается воровством, и стала тщательно прятать «кассу», Миша начал таскать книги из отцовской библиотеки и продавать их букинисту. Справедливости ради следует отметить и положительные стороны подростка. Михаил обожал животных, вечно подкармливал дворовых собак и мечтал стать дрессировщиком.

Коробков положил ногу на ногу.

— Сергеева, ты прослушала краткое вступление, теперь основная часть марлезонского балета...

На одном этаже с Кнабе жила Олеся Николаева, одинокая дама, у которой была болонка Туся. Однажды болонка подобрала на лестнице конфету и умерла, в карамельке был крысиный яд. Похоронив любимицу, Николаева пришла к Герману и заявила:

— Тусю отравил Миша.

— Вы сошли с ума! — возмутился старший Кнабе. — Мой сын не способен причинить вред животному!

Но соседка упорно твердила:

— Это его рук дело! Я видела, как Михаил нес на помойку пустую упаковку из-под яда.

Герман не поверил Олесе. Но через год погибла собака других соседей, и Петр, глава семейства, тоже уверял:

— Я заметил Михаила, он выбрасывал в бачок упаковку от крысиной отравы.

А уж когда сдохли две псины из дворовой стаи, которых никто, кроме Миши, не кормил, Герман призвал сыночка к ответу.

Парень все отрицал, но отец не отпускал его, и тогда Михаил сообщил:

— Да, я носил коробки из-под отравы в мусорник, но собак я не трогал, их лишила жизни Эрика.

Герман Вольфович возмутился:

— Мерзавец! Хочешь свалить на девочку свою вину!

— Папа, — попросил Миша, — выслушай меня.

— Даже не мечтай! — заорал отец. — Ты позор семьи — школу закончил на одни тройки, в институт поступать не пожелал! Дрессировщиком он станет! Не смей порочить Эрику! Вон из моего дома.

Михаил направился к двери, но на пороге обернулся и сказал отцу:

— Отведи сестру к врачу, она с приветом.

Разговор происходил в столовой, было лето, балконная дверь стояла нараспашку, и соседка, Олеся Николаева, курившая на своей лоджии, слышала всю беседу.

Парень исчез из семьи, Эрика по-прежнему казалась всем безупречной. Вот только через год после ухода Миши кто-то придушил во дворе щенка. Герман Вольфович был дома, когда с улицы донеслись разгневанные голоса людей, обнаруживших трупик, Кнабе почему-то стало не по себе, и он пошел искать Эрику.

Дочь была в ванной — она судорожно мыла руки, терла их щеткой, губкой, а на брюках Эрики виднелись клочки желто-серой шерсти. Отец понял все. Герман Вольфович немедля отвел дочь к врачу.

Доктор обстоятельно побеседовал с пациенткой и сказал Кнабе:

— Девочка нуждается в пристальном внимании. Поскольку ваша жена умерла в родах, у Эрики возникла стойкая уверенность: всегда найдется тот, кто отнимет у нее самое дорогое, любимое. Отсюда корни ее странной жадности. Ваша дочь просто защищается, деньги она отдает спокойно, а вот куклу... Думаю, выйдя замуж, Эрика станет патологически ревнивой, из-за этого ее семейная жизнь может рухнуть. Кстати, моя пациентка совсем даже не глупа, она понимает, что вспышки ярости, направленные против того, кто покусился на ее собственность, необходимо давить. Но постоянно держать пружину в сжатом состоянии невозможно, чем сильнее давление, тем стремительнее потом выпрямится железка. Знаете, почему Эрика часто ходит в парк? Там есть тайное место, где она чувствует себя в полнейшей безопасности, только там девушка плачет, кричит, ломает ветви у деревьев — короче говоря, выплескивает агрессию, дает волю эмоциям. Но иногда она не способна справиться с собой. Болонка Николаевой случайно оцарапала сумочку Эрики, собака другого соседа измазала ей пальто, дворовые псы облаяли, щенок просто кинулся под ноги и испугал. Казалось бы — какая мелочь, но только не для того, кто постоянно находится на грани срыва.

Герман Вольфович с трудом осознал услышанное и возразил:

— Припадок ярости, аффект — это изменение сознания, неадекватность. Но отравить животное совсем другое дело, действие совершается осознанно, обдуманно. И, поверьте, Эрика обожает все живое, как, впрочем, и я, и Лаура Карловна, и Анна

Степановна, в нашем доме обитают разные представители фауны.

— Охотно верю, — не удивился врач. — И насчет осознанности действий вы правы. Эрика контролирует себя, а потом бац — и идет вразнос. Но своих она не тронет, гнев всегда будет направлен вовне. Если вы, допустим, женитесь и оставите дочь в семье, она продолжит вас любить, а вот мачеху возненавидит.

— И что теперь делать? — растерялся Кнабе.

— Мы с ней поработаем, — пообещал доктор. — Эрика понимает проблему и готова к борьбе с демонами. Могу вам посоветовать помириться с сыном, попросить у Михаила прощения. Он любит вас и сестру и давно понял, чем занимается Эрика. Когда он находил у нее упаковку с ядом, быстро выбрасывал ее. Надеялся, что сестра одумается.

Закончив рассказ, Димон посмотрел на меня.

— Понятен расклад?

Я хотела кивнуть, но тут в кабинет быстрым шагом вошел Чеслав и, глядя на Коробкова, объявил:

— Они ее похоронили. Вернее, кремировали. Есть справка о смерти, но врач... Привет, Таня!

— Здрасти, — кивнула я. — О ком речь? Кто-то умер?

Чеслав сел за стол Марты.

— Да горничная, Майя Лобачева. Я нашел кардиолога, заведующего отделением, Анатолия Паперного, который подделал документы. По бумагам выходит, что Лобачеву привезли в клинику и поместили в реанимацию с диагнозом отравление морепродуктами, там она и умерла.

— Ой, неправда! — засуетилась я. — Майе стало плохо у меня на глазах!

Чеслав потер рукой лоб.

— Татьяна, езжай домой. Выспись, приведи себя в порядок и завтра в одиннадцать приходи на работу.

— Но... — заикнулась я.

— Завтра! — повторил Чеслав, вставая с места и направляясь к двери. — Сегодня ты здесь не нужна.

— Он меня даже не выслушал! — возмутилась я, когда начальник исчез.

— Пункт первый: босс всегда прав, — назидательно сказал хакер. — Пункт второй: если босс не прав, читай пункт первый. Как тебе будильник?

— У Майи Лобачевой были часы? — напряглась я.

Димон крутанулся на стуле.

— Наверное, но я сейчас о будильнике в виде пожарной машины.

— Значит, это твой прикол! — обозлилась я. — Мне следовало сразу сообразить, кто из наших способен на такую идиотскую шутку!

Хакер стал похож на обиженного детсадовца.

— Кто жаловался, что не может вовремя встать, если рядом нет Гри, который по часу трясет женушку по утрам?

Я потупилась.

— Ну, имел место такой разговор.

Коробок выпрямился.

— Вот видишь! Когда Карц для тебя чемодан сложила, я попросил ее туда часики сунуть. Марте они офигенно понравились. Мы их тут опробовали, так на вой сирены народ со всего здания сбежался. Здоровская фенька!

— Да уж, отличная штука! — пытаясь побороть желание пнуть Димона, прошипела я. — А зачем вы с Мартой их завели на ночное время?

— Правда? — изумился Коробок. — Наверное, это случайно получилось! Он зазвенел, да? Разбудил тебя не вовремя? А почему ты сама завод не поправила? Ой, совсем забыл! Чеслав велел мне одно дело выполнить! Все, побежал к компу, обращайся по мере надобности. Всегда готов, как Гагарин и Титов!

Мне оставалось лишь злиться, глядя, как хакер спешно покидает помещение. Хотя какой в этом смысл? Дима продемонстрировал типичное мужское желание не участвовать в конфликте и трусливо удрал. А еще он умудрился свалить вину на женщину. Признал, что запихнул будильник в чемодан, но тут же оправдал себя: якобы хотел помочь соне без труда вставать по утрам. Я, мол, сама виновата, не подкорректировала время побудки, а Димочка хороший, он ни при чем.

Вот Гри не такой, он всегда самокритичен и готов отвечать за свои просчеты. Правда, я не помню, чтобы мой муж когда-нибудь напортачил. Коробкову, несмотря на весь его гениальный компьютерный ум, далеко до Гри. Своего супруга я всегда поставлю на первое место, второе достанется Чеславу, третье Димону, а Марта окажется в лузерах. Хотя сегодня она утерла мне нос. Ну кто бы мог подумать, что дочурка миллионера профессионально управляется со шваброй и за одни сутки ухитрится сделать карьеру в доме Кнабе? До сих пор Карц при мне даже чашку за собой со стола не убирала.

Я вспомнила, как Амалия, согнувшись в три погибели, терла плитку на кухне, и испытала к коллеге уважение. Чего еще я не знаю о Марте? Может, капризная дочь олигарха — это тоже роль? Ну что ж, Карц с ней замечательно справляется.

Кстати! Вот почему «Амалия» влетела ночью в мою комнату и, соврав, что перепутала спальни, сообщила о будильнике, оставленном в шкафу. Марта не имела права открыться даже мне, но хотела помочь. Интересно, ею двигали рабочие интересы или она не так уж плохо ко мне относится и решила уберечь коллегу от неприятностей?

Глава 34

На следующий день Чеслав явился в офис около одиннадцати, сразу вызвал меня в свой кабинет и велел отчитаться. Когда я описала происшествие с Майей, он крякнул:

— Ясно.

— Что? — спросила я. — Майя умерла, да? Ее убили? Почему?

Чеслав взял из коробки скрепку и начал гнуть ее в разные стороны, обронив:

— Чтобы ответить на этот вопрос, необходимо сначала разобраться в происшествии с Лизой.

— Там все ясно, — легкомысленно отмахнулась я. — Могу изложить свою версию. Повариха Анна Степановна, мастер художественного свиста, рассказала мне интересную историю о Елизавете, глу-

ой бесшабашной девице, которой, как и всем
орничным, нравился красавчик Костя. Барышню
Маркину отправили мыть окна, Лиза встала на подоконник, увидела внизу мачо, запрыгала от восторга и свалилась вниз. Но Анне Степановне со
всей ее фантазией далеко до писательницы Смоляковой, повариха повторяется. Упавшая из окна девушка в ее сагах уже встречалась. Именно Анна
Степановна придумала Нину, жертву Клауса, и
самозабвенно пугает всех сказкой об ее ужасной
смерти. Она столько раз повторяла эту историю,
что, наверное, сама в нее поверила. И по тому же
шаблону составила байку о Лизе. Впрочем, можно
было поверить в ее россказни, если бы не маленькая деталь: глупая горничная шлепнулась со второго этажа, так откуда же у нее на шее взялся
шрам? Подобные следы остаются, когда человека
душат проводом, проволокой, шнуром. Не вяжется
эта отметина с падением.

— Так-так... — с интересом кивнул Чеслав.

Реакция начальника меня ободрила.

— Еще одно соображение. Прислуга получила
травму хоть и на службе, но по собственной глупости. Как поступит в такой ситуации работодатель,
чьей вины в происшествии нет? В лучшем случае
выдаст дуре месячный оклад, устроит в больницу и
умоет руки. Кнабе повел себя иначе: оборудовал
палату, нанял медсестер и обеспечил Елизавете отличный уход. То есть тратит немалые деньги на абсолютно постороннего человека. Можно было бы
предположить, что Герман Вольфович сентимента-
лен, его дочь вышла из комы, вот он и решил пре-

доставить шанс другой молодой женщине, почти одногодке Эрики. Но! Маньяк напал на дочь Кнабе уже после того, как Елизавета слегла в кровать. Понятно?

— Весьма внимательно слежу за ходом твоих мыслей, — подтвердил Чеслав.

— Напрашивается только один вывод! — торжественно заявила я. — И он такой: маньяк обитает в поместье. Его первой жертвой стала Елизавета, но он не успел убить ее, ему кто-то помешал. Герман Кнабе побоялся отправить несчастную в клинику, ведь любой врач, увидав след на ее шее, мгновенно вызвал бы милицию, а бизнесмен изо всех сил хочет прикрыть преступника, вот почему он тратит деньги на Елизавету. В свете вышеизложенного мое следующее заявление может показаться странным: Герман Вольфович неплохой человек. Да, он продал свой бизнес Дрону, делает вид, что не имеет никакого отношения ни к боям-спектаклям, ни к тотализатору. Да, он установил для служащих суровые правила и безжалостно увольняет лентяев. Однако к хорошим работникам Кнабе весьма расположен, без задержек выдает достойную зарплату, кормит-поит, поощряет пользование библиотекой, не жалеет DVD-диски. И по менталитету он точно не убийца, поэтому отдать приказ перекрыть кислородный шланг, поддерживающий жизнь Лизы, не способен. Но он также не может сдать бедняжку в медучреждение. Маньяк, сообразивший, что первое убийство сошло ему с рук, наглеет и одновременно делается более хитрым. Теперь он лишает жизни Галину Крафт и Зою Караваеву, заманив их в парк. Отчего именно туда?

Я сделала театральную паузу, Чеслав кашлянул:

— Говори уж!

— Преступник знает Битцевский массив, он член семьи Кнабе и долгое время жил в минуте ходьбы от парка. Я могу назвать его имя — это Михаил Кнабе.

— Потрясающе, — кивнул Чеслав. — Почему он?

— Зоя и Галина приходили на кастинг, — снисходительно пояснила я. — Пока в подземелье не поселилась Варя Богданова, гладиаторши постоянно менялись, не каждая выдерживала одиночество в катакомбах. Михаил познакомился с Крафт и Караваевой, назначил им свидание... Дальше можно не продолжать.

— А почему ты сбрасываешь со счетов Костю? — спросил Чеслав. — Он почти родственник, жених Эрики.

— Вот именно, *почти*, — подчеркнула я, — ради знакомого, даже близкого, Герман не стал бы так стараться.

— Эрика сейчас по разуму соответствует пятилетней девочке, — напомнил Чеслав. — Наверное, и отец, и Лаура Карловна обеспокоены ее будущим.

— Да, — кивнула я. — Надя, старшая горничная, один раз услышала диалог Германа и старухи. Хозяин говорил что-то вроде: «Ну почему я ей охрану не нанял! Вдруг к ней память и соображение вернутся, как тогда жить?» Думаю, с одной стороны, он хочет увидеть Эрику здоровой, с другой —

понимает: потеря разума большое счастье для бедняжки, она забыла о маньяке и пережитом ужасе.

— А Костя любит Эрику, — сказал Чеслав, — и готов на ней жениться. Где Герман найдет дочери мужа? Кто позаботится о девушке, если старшие родственники умрут? Нет, если следовать твоей логике, то Костя для отца очень ценен.

— Мало найдется папочек, согласных отдать любимую дочь маньяку, — не сдалась я. — Нет, это Михаил.

— Молодец, — похвалил меня Чеслав, — ты проделала за короткий срок огромную работу.

Я решила быть самокритичной.

— Вот только не узнала, что случилось с Маей Лобачевой и куда так внезапно подевалась горничная Света.

Чеслав выбросил сломанную скрепку в корзину и проговорил задумчиво:

— Герман очень любит членов своей семьи. Да, он ругался с Мишей, но все равно души не чает в сыне, а Эрика для отца как солнце. Ты права в отношении Лизы. Ее пытался задушить маньяк, поэтому девушка лежит в поместье. Больная горничная никому не мешает, но есть человек, который крайне недоволен тем, что на содержание полутрупа тратят большие деньги.

— Михаил? — предположила я. — Он не довел дело до конца и теперь хочет убить Лизу?

— Нет, — не согласился начальник. — Кто постоянно озабочен расходами, гасит свет в особняке, ругает горничных за перерасход моющих средств?

— Лаура Карловна!

— Верно, — кивнул Чеслав. — У старухи сердце переворачивается, когда она думает о том, как дорого обходятся медсестры, лекарства и все то же пресловутое электричество. Но она молчит до тех пор, пока из комы не выходит Эрика. Теперь к негодованию на почве трат присоединяется страх. А что, если Лиза восстанет из небытия, как Эрика? Вдруг к горничной вернется память, и она расскажет о том, что с ней случилось на самом деле?

— Лаура Карловна знает, что Михаил серийный маньяк, — прошептала я.

— У Германа от старухи нет тайн, — подтвердил Чеслав. — Лаура долго мучается и в день твоего появления в имении наконец решается. Вспомни, что тебе говорила Анна Степановна о том, как кормят Елизавету.

Я напрягла память.

— Полноценное питание получают медсестры, а для Лизы делают жидкий коктейль. Еду ставят на поднос, который забирает либо Людмила, либо ее сменщица. Чаще всего больная отпивает совсем немного.

— Отлично, — кивнул Чеслав. — А что повариха говорила про папайю?

— Лизе она не нравилась, бокал обычно возвращался полным, а потом вдруг оказался пустым, у больной изменился вкус.

Чеслав порылся в коробке и нашел новую скрепку.

— Лаура Карловна подлила в сок папайи яд. Она, ради спокойствия семьи, решила отравить Лизу. Старуха уже дала показания, твердит, что бедная горничная все равно вроде как мертвая, даже гуманно будет усыпить бедняжку. Но пожилая дама не учла один момент: Лиза могла не выпить коктейль. Так и произошло, полный стакан вновь оказался на кухне. Анна Степановна отлучилась, и тут в пищеблок вошла Майя, у которой на самом деле была язва. У девушки очень болел желудок, а сок папайи считается лечебным средством при любых неприятностях с пищеварительным трактом. И как поступила Лобачева, увидев целый бокал с целебной выжимкой?

Меня передернуло:

— Небрезгливая прислуга его выпила. Вот вам еще один аргумент, чтобы никогда не доедать и не допивать за другими: можно слопать чужую отраву. Мне понятно теперь!

— Что? — прищурился Чеслав.

— Когда Майя упала на лужайке, Лаура Карловна перепугалась. Она, наверное, сообразила, что яд таинственным образом попал не туда, куда надо. Но старуха не потеряла голову и приказала Косте спрятать труп Лобачевой в огромном холодильнике, а всем сказать, что у горничной прободение язвы и ее отправили в больницу.

— Точно, — подтвердил Чеслав.

— Я слышала, как Костя с помощником искали в кладовке мешок, видела момент погрузки длинного свертка на электроплатформу, — забормотала я. — А когда я нашла в кладовке колечко с надписью «Майе от Гоши», повариха снова завела речь про Клауса. Либо она великая актриса, либо на самом деле была напугана!

Чеслав оперся локтями о стол.

— Зачем им лишний свидетель? Поэтому Анне Степановне не открыли правду о смерти Майи. Увидев твою находку, она встревожилась. Смекнув, что дело нечисто, Анна Степановка попыталась придумать для тебя рациональное, с ее точки зрения, объяснение появлению колечка Майи в кладовке. Мол, она пряталась там от призрака, швырнула в него серебряным перстеньком, и Клаус ушел. Косте тоже пришла в голову мысль использовать в своей игре привидение, напугать прислугу Клаусом, надеть на себя балахон Михаила, в котором тот занимается с тигренком, и побренчать бубенцами, постучать, потопать, повыть.

— Зачем? — заорала я. — Что за глупость! Люди и так были шокированы происшествием с Маей, к чему еще трепать им нервы?

— Именно потому и понадобился Клаус, — загадочно ответил начальник.

— Не понимаю, — сказала я.

— Лаура Карловна и Костя не хотели, чтобы прислуга обсуждала внезапную болезнь Лобачевой, — пояснил Чеслав. — А как заставить народ не болтать на животрепещущую тему?

— Подсунуть ему более интересную новость, — мрачно ответила я.

— Молодец, — снова похвалил меня начальник. — Вот Костя и организовал сенсацию. Да какую! «Клаус» прошелся по флигелю, про Майю все забыли, и в последующие дни разговаривали исключительно о призраке.

— Хорошо, что никто со страха не умер, — не успокаивалась я.

— Константин пошатался по помещению для горничных, потом собрал вещи Лобачевой и унес. А горничные до утра боялись нос из своих комнат высунуть. Надо же быть такими глупыми! — в сердцах воскликнул Чеслав. — Двадцать первый век на дворе, а люди верят в чепуху.

Я отвела глаза в сторону. Интересно, согласился бы наш храбрый и до мозга костей материалистичный руководитель войти без сопровождающих ночью в египетскую пирамиду или отправиться ночью на кладбище?

— Что же касается Светланы, — продолжал Чеслав, — то она жива, здорова и весьма довольна. Ей заплатили отличное выходное пособие, дали замечательную рекомендацию и пообещали в течение двух недель устроить на хорошую службу. Условие только одно: не болтать о том, что видела.

Я вскочила.

— А что она видела?

— Светлана пришла мыть палату, где лежит Лиза. Медсестра, воспользовавшись тем, что больная под присмотром, отошла позвонить. А Света работница аккуратная. Ей показалось, что спинка кровати покрылась пылью. И девушка, взяв влажную тряпку, потянулась, чтобы стереть ее. И тут заработал автоматический тонометр, уборщица вздрогнула и уронила тряпицу на лицо больной. Испугавшись, Светлана живо сдернула лоскут и увидела... открытые глаза Елизаветы. Когда медсестра вернулась, пациентка выглядела как обычно, — продолжал Чеслав. — Светлана, которой хотелось стать элитной горничной, не рассказала сиделке правду, побоялась, что повышение отложат. Но потом решила покаяться Наде. А та помчалась с этой вестью к Лауре Карловне...

— Вот почему придуманный мной идиотский тест сработал! — ахнула я. — Несчастная еще раньше стала пробуждаться! Дальше можно не продолжать, надеюсь, Елизавета окончательно придет в себя и даст показания против Михаила.

— Боюсь, ты ошибаешься, — мягко сказал Чеслав.

Я подскочила.

— Лаура Карловна довела дело до конца? Она сумела-таки отравить Лизу?

— Нет. Девушка находится в относительно стабильном состоянии, правда, никаких особых иллюзий в отношении ее медики не имеют. Все отмечают, что ухаживают за горничной замечательно, но навряд ли она начнет связно говорить. И уж совершенно точно Елизавета не обвинит Мишу. Он не преступник.

— Кто же тогда убийца? — растерялась я.

— Сделай еще одну попытку угадать, — предложил Чеслав. — Ты ведь верно рассудила: маньяк — член семьи Кнабе.

Я вскочила и забегала по кабинету.

— Костя?

— Холодно.

— Неужели сам Герман Вольфович?

— Еще дальше от истины, — покачал головой Чеслав.

— Издеваетесь, да? — жалобно спросила я. — Больше никого нет!

— Есть! — отрубил Чеслав.

Я снова заметалась по кабинету.

— Да кто? Доктор Бруно Леопольдович? Старик, играющий роль Степана Могилы?

— Это не семья, — справедливо заметил начальник.

— Кнабе закончились! — воскликнула я. — А Костика вы тоже отвергли.

— Есть еще один человечек. Думай.

Я застыла на месте.

— Анна Степановна?! Разве маньяки не всегда мужчины?

— Попадаются и женщины, но редко, — ответил Чеслав. — Только повариха не из их числа, и навряд ли Герман стал бы ее защищать.

— Лаура Карловна, — выдохнула я.

— Нет!

— Но... — окончательно растерялась я.

— Назови семейство Кнабе поименно, — велел Чеслав.

Я принялась загибать пальцы.

— Лаура Карловна, Герман Вольфович, Михаил, и еще Костя.

— Ну?

— Все.

— Разве?

— Эрика, — закончила я.

— Бинго! — стукнул кулаком по столу начальник. — Правильный ответ!

— Нет! — заорала я.

— Почему? — вскинул на меня глаза Чеслав.

— Она жертва!

— Она убийца.

— Ее душили, на шее остался след, девушка

долго лежала в больнице без сознания, и сейчас она как пятилетний ребенок! — воскликнула я.

— Сядь, — приказал Чеслав, — и слушай спокойно. Коробков рассказал тебе о психологической проблеме Эрики. Врач предупредил о ней Германа, сказал ему: «Если девушка кого-нибудь полюбит, то измучает избранника ревностью». Доктор словно в воду глядел, именно так и получилось. У Кости с Эрикой вспыхнул роман, но мастер на все руки ничего не сказал любимой о фальшивых боях.

— Понятно почему, — оживилась я, — пришлось бы вывалить слишком много информации: продажа бизнеса Германом, тотализатор, обман тех, кто платит за просмотр. Весьма некрасивая история.

— Поэтому Эрика жила в неведении, считая, что отец обеспечивает семью, — продолжал Чеслав. — Но в имение постоянно приезжали девушки, все, как на подбор, красавицы с шикарными фигурами, и у дочери Кнабе начались приступы ревности...

Резкий звонок мобильного в кармане заставил меня вскрикнуть.

— Ответь, — предложил Чеслав.

Я покорно взяла трубку.

— Скорей продиктуйте ваш адрес! — закричал женский голос.

Только тем, что незнакомка помешала нашей беседе, позвонила со своей странной просьбой в самый напряженный момент разговора, можно оправдать то, что я продиктовала название улицы, номер дома и квартиры. Незнакомка отсоединилась, меня царапнуло беспокойство.

— Кто звонил? — проявил несвойственное ему любопытство босс.

— Не знаю, — промямлила я, — спросили мой адрес.

— И ты сообщила его невесть кому? — укоризненно сказал Чеслав.

— Э... ну... да. С этим номером постоянная белиберда, — поспешила оправдаться я. — Он всего лишь на одну цифру отличается от телефона платной справочной! Трудно представить, как выживают ее сотрудники, если им ежедневно задают всякие дурацкие вопросы. Например, где купить отпугиватель от дивана. Каково? Но круче всех оказалась тетка, совершенно не понимающая шуток. Я представилась ей жрецом вуду, думала, идиотка прекратит трезвонить, а она стала требовать, чтобы я превратила ее свекровь в жабу!

Чеслав молча выхватил у меня трубку, вытащил из нее сим-карту, бросил в пепельницу и сказал:

— История завершена, этот номер более не нужен.

— Да, — обрадовалась я, — вернемся к Эрике.

— Итак, у Константина и дочери Кнабе вспыхнул роман, но молодые люди своих отношений не афишировали. Вероятно, парень понимал, что и Герман Вольфович, и Лаура Карловна могут усомниться в искренности его чувств. Когда наемный работник с жаром говорит о своей любви к единственной дочери хозяина, то у последнего возникают нехорошие подозрения, поэтому Костя попросил Эрику: «Давай пока не будем ничего никому говорить. Сначала я куплю квартиру, машину и лишь потом не нищим оборванцем приду к Герману

Вольфовичу тебя сватать». Эрика согласилась. Но, очевидно, ей показалось, что возлюбленный имеет еще одну подружку, и девушка принялась следить за Костей.

— Она даже купила прибор ночного видения! — вставила я свое слово в беседу. — Роза подслушала сцену ревности, которую Эрика закатила Константину, и так узнала о бинокле.

Чеслав сдвинул брови.

— Ревность — разрушающее чувство. Вот послушай, что рассказал мне Костя...

Молодой человек даже не предполагал, что испытывает Эрика, пока она ему однажды не позвонила и не скомандовала:

— Иди в мою комнату немедленно!

— Сейчас три часа ночи, — удивился Константин.

— Немедленно! — повторила Эрика таким тоном, что парень, забыв об осторожности, ринулся в спальню к любимой.

— Ага, явился... — с издевкой произнесла та. — Ступай в мою ванную и убери дерьмо!

— Ты заболела? — испугался Костя.

Эрика засмеялась.

— Нет, а вот твоей суке плохо! Можешь на нее полюбоваться!

Костя вошел в ванную и едва сдержал крик. На полу лежала горничная Лиза, шею девушки стягивал узкий кожаный ремешок.

Скрыть случившееся от старшего Кнабе было невозможно. Спешно был вызван Бруно Леопольдович, Эрике вкатили лошадиную дозу успокоительного, а в девять утра Костя поднял шум, что он якобы увидел, как Елизавета падает из окна. Прислуге объявили, что горничная свалилась по собственной глупости.

Позже Бруно Леопольдович разговорил Эрику и та призналась: она возненавидела Лизу после того, как увидела, что Костя целует девушку.

— Я даже не приближался к ней! — возмутился тот. — Я не волочусь за горничными!

Эрика потрясла биноклем.

— Вот! Я ночью и днем слежу за тобой! Своими глазами видела: ты дал ей коробочку и поцеловал.

— Тьфу, черт! — выругался Константин. — Верно, я поздравлял Елизавету с днем рождения, ну и чмокнул в щечку. Это же ни к чему не обязывающая вежливость.

— Ненавижу! — отчеканила Эрика. — Жаль, что эта сука не подохла! Слишком рано я позвала Костю убрать дерьмо!

— Деточка, — ласково заговорил Бруно Леопольдович, — но ведь Лиза крупная, сильная девушка, как же ты смогла ее побороть?

Лицо Эрики приняло мечтательное выражение.

— Я очень умна и все заранее спланировала. Позвонила Лизе ночью и велела срочно бежать в мою ванную, дескать, из-под раковины мышь вылезла. Ха! Негодяйка поверила, что я боюсь грызунов, принеслась с веником, присела, чтобы под умывальник заглянуть, а я ее шокером в спину чпок, и свалилась ваша Лизка без сознания. Я ей руки-ноги связала и придушила мокрым ремнем, чтобы не сразу померла, а помучилась. Пусть знает, как чужих парней отбивать!

Константин беспомощно посмотрел на Бруно Леопольдовича.

— Это лечится?

— Справимся, — самонадеянно пообещал профессор.

Эрику посадили на сильные лекарства, но бесконечно принимать их было нельзя, через некоторое время Бруно Леопольдович перевел девушку на другие препараты. Дочь Кнабе казалась совершенно нормальной, ходила на учебу, и Костя успокоился. Бруно Леопольдович объяснил парню:

— Эрика перенесла в детстве травму, смерть матери. Тебя она очень любит, боится потерять и защищает свое счастье. Будь осторожен, не приближайся к другим женщинам, и вспышек ярости у Эрики более не будет. Девочка поняла, что натворила, сейчас она раскаивается.

Как же милейший доктор ошибался!

Когда газета «Желтуха» вышла с броским заголовком «Страшная смерть в Битцевском парке», Костя, любивший читать подобную прессу, увидел статью, фотографию и перепугался. Молодую женщину, перед тем как убить, оглушили шокером, связали ей руки и ноги, затянули на горле мокрую кожаную удавку. Узнаваемый почерк, не так ли? Но самое страшное состояло в том, что Константин узнал несчастную, ею оказалась Галина Крафт, которая приезжала в поместье на кастинг. Девушка подошла по всем параметрам: красавица, физически развита, да еще имеет немецкие корни. (Миша и Костя попали под влияние Лауры Карловны и Германа Вольфовича, считали, что этническая немка — это самая подходящая кандидатура для съемок.) Крафт согласилась участвовать в боях с тигром, ей даже показали Артура, но в назначенный день «кинозвезда» не появилась, и парни решили, что Галина передумала. И вот теперь ее труп нашли в парке.

Костя бросился к Герману Вольфовичу, тот вызвал Бруно Леопольдовича. Эрика все отрицала:

— Я не имею никакого отношения к жертве, не встречалась с ней. Осознала ужас содеянного с Лизой и раскаиваюсь.

И вот сколь глубоко было желание отца и Кости считать Эрику обычной девушкой — они ей поверили! Эрика сумела убедить в своей невиновности даже Бруно Леопольдовича.

Герман по своим каналам узнал, что следствие зашло в тупик. Ведь тело Крафт обнаружили лишь спустя несколько дней после убийства, в Москве бушевал ливень, все следы на месте преступления оказались смыты. Вполне вероятно, что Эрика говорила правду о своей непричастности к этому убийству. И отец успокоился.

Костя тоже вздохнул с облегчением и попросил у Кнабе руки его дочери.

— Эрика должна окончить институт, — твердо заявил Герман Вольфович. — Получит диплом, тогда и подумаем о свадьбе.

Лучше бы старший Кнабе забыл об университете! Может, выйдя за Костю замуж, Эрика бы успокоилась. Но Герман хотел, чтобы дочь получила образование, поэтому Косте пришлось отложить мысль о женитьбе.

А потом та же «Желтуха» написала о смерти Зои Караваевой. Второе убийство походило на первое:

в том же лесопарке, ожог от электрошокера, связанные руки-ноги, кожаная удавка. И Зоя тоже приезжала в имение на кастинг. Эрика снова все отрицала, но у Кости уже роились в голове нехорошие мысли, а Бруно Леопольдович опять прописал Эрике сильные лекарства.

— Начнем пока с малых доз, авось большие не понадобятся, — бубнил врач. — И ведь никаких доказательств вины девочки нет. Мы занимаемся чистой профилактикой. Я абсолютно уверен — в столице объявился маньяк!

— Разве они не насилуют своих жертв? — поинтересовался Костя.

— Совсем не обязательно, — оживился Бруно Леопольдович, — и, знаешь, дружочек, серийные убийцы обычно мужчины. Женщины подобным не занимаются.

Неизвестно, хотел ли врач успокоить Костю или на самом деле полагал, что маньяками бывают только представители сильного пола. По статистике, действительно, подавляющее большинство серийных преступников — мужчины средних лет. Но иногда, крайне редко, встречаются и женщины.

И все же Костя потерял покой. Он очень хотел верить Эрике, но его мучил вопрос: почему маньяк расправляется с жертвами в том месте, где любила прятаться от людей его невеста?

Эрика пару раз привозила Костю в Битцевский парк, показала ему заветную полянку в глуши и честно призналась:

— Здесь мне лучше, чем дома.

А на фотографиях, опубликованных в прессе, парень узнал то место.

В день, когда Эрика подверглась нападению, она поругалась с Костей, устроила ему сцену ревности и умчалась прочь. Спустя некоторое время парню позвонила Алла Ламина, очередная кандидатура на роль гладиаторши, мастер спорта по борьбе, и сказала:

— Извините, но я не смогу сейчас приступить к работе. Мне только что предложили рекламный проект с невероятной оплатой. Сегодня я еду на первую съемку.

Костя мог спокойно ответить: «Не хотите, не надо» — и бросить трубку. Но он неожиданно для самого себя спросил:

— А где вас ждут?

— В Битцевском парке, — сообщила Алла, — мне по электронной почте прислали схему, как найти поляну. Я уже на пути к месту встречи.

— Нет, не ходи туда! — заорал Костя.

— Отличный способ лишить меня контракта, — засмеялась Ламина и повесила трубку.

— Вот как Эрика заманивала девушек в парк! — воскликнула я.

— Следует уточнить: «глупых девушек», — сердито поправил Чеслав. — Эти дурочки сначала без всякого страха откликались на объявление с приглашением на видеосъемку, не думали, что женщинам лучше не связываться с работодателем, который просит прислать фото в купальнике и номер телефона на адрес абонентского ящика. Сколько людей ни предупреждай об опасности, всегда найдутся те, кто наплюет на здравые советы!

— Костя с Мишей не обманывали девчонок, — напомнила я.

Чеслав нахмурился еще сильнее.

— Верно. И тем лишний раз убеждали глупышек: можно не волноваться, все будет хорошо. Когда Эрика предлагала им рекламный контракт и называла запредельную цифру гонорара, безработные дурочки неслись в парк. Крафт и Караваева просто не явились на съемку в имение, а Ламина оказалась хорошо воспитанной, хоть и подвела Костю, но решила объяснить ему, по какой причине разрывает договоренность. После разговора с ней он немедленно помчался в Битцевский лесопарк...

Глаза Чеслава сузились.

— Знаешь, я смотрел на снимки с места происшествия и думал: ну что тут не так? И только недавно сообразил: у Крафт и Караваевой были очень тщательно связаны руки и ноги. Похоже, убийца не торопился, знал, что на поляну никто не придет, на кустарнике не сломана ни одна ветка. А в случае с Эрикой все было иначе: девушку не связывали, и преступник явно в спешке удрал в лес. Парочка патологоанатомов-стажеров, искавших укромное местечко для свидания, спугнула маньяка, они слышали, как кто-то ломился сквозь кусты. Но чуть левее есть малозаметная тропка. Почему преступник не воспользовался ею и изменил свой почерк?

— Ты сам только что ответил на свой вопрос, — удивилась я. — Маньяка спугнули, вот он и полетел куда глаза глядят, не успев связать Эрику.

— Экспертиза установила, что Крафт и Караваеву связывали веревками до удушения, — уточнил Чеслав. — Мы имеем несколько смертей, а преступник всегда действует по накатанной схеме, он должен был проделать те же действия и с Эрикой. В тот же день, устроив Эрику в больнице, Костя позвонил Ламиной. Потом поехал к ней домой и обнаружил ее в состоянии паники. Но все же заставил несостоявшуюся гладиаторшу поведать о том, что произошло на поляне. Там Аллу ждала девушка, которая сказала, что съемочная бригада задержалась в пробке, а ей велено выстроить композицию. Ламина, никогда ранее не участвовавшая в фотосессии, приняла слова незнакомки за чистую монету и, когда та попросила Аллу стать к ней спиной и опустить руки вдоль туловища, беспрекословно выполнила ее приказ. Послышался тихий треск, затем на шею Аллы накинули петлю. Ламина всю жизнь занималась борьбой, поэтому сумела сорвать с себя удавку. Затем увидела на земле шокер и все поняла.

— Электродубинка не сработала? — предположила я.

— Верно, — кивнул Чеслав, — и это спасло жизнь Аллы. Не забывай, она профессионально занималась борьбой, кое-какие движения отработаны у Ламиной до автоматизма. А тренер вбил в голову девушки установку: никогда не позволяй противнику уйти безнаказанным. И Алла почти интуитивно накинула петлю на шею напавшей на нее Эрики и затянула удавку. Не успела дочь Кнабе упасть на землю, как послышались голоса влюбленной парочки. Ламина, испугавшись, что ее обвинят в убийстве, схватила шокер и унеслась. Ясное дело, Эрику посчитали очередной жертвой маньяка. Вот так.

— Зачем Ламина унесла электрошокер? — спросила я. — И где сейчас Алла?

— На первый вопрос ответа никто не знает, даже сама Ламина, а вот со вторым проще. Герман Вольфович устроил спортсменку на хорошую работу, ей вручили большую сумму за молчание, и Алла предпочла никому не сообщать о покушении.

— Вот почему бизнесмен сокрушался, что не приставил к дочери охрану, — прошептала я. — Он считает, что секьюрити могли предупредить преступления. И вот почему Кнабе боится момента возврата к Эрике ума и памяти. Сейчас она тихий пятилетний ребенок, который не помнит о совершенных преступлениях. Не дай бог девушка станет прежней! Интересно, чем Эрика заслужила такую любовь?

— Что ты имеешь в виду? — не понял Чеслав.

— Некоторые дети стараются изо всех сил, но родители все равно ими недовольны, — грустно сказала я. — У Эрики все иначе. Даже зная, что она убийца, и Герман, и Константин покрывали ее. Михаил, полагаю, тоже был в курсе дела и молчал. Более того, Эрике нашли оправдание: она постоянно испытывала стресс из-за смерти матери и до сих пор не оправилась. А Лаура Карловна даже решила отравить Лизу, чтобы та не выдала Эрику. Действовала старуха на свой страх и риск, не посоветовалась ни с кем. И ей даже в голову не пришло, что с Елизаветой можно будет договориться, заплатив ей за молчание. Лаура не подумала, что несчастная горничная может вообще ничего не вспомнить. Старуха так хотела обезопасить Эрику, что решилась на убийство. За что девушка получила такую любовь? Что она для этого сделала?

Чеслав встал.

— Чаще всего любовь достается даром. Пагубно считать, что ее нужно заслуживать. Если тебя не любят, то бесполезно стараться добиться любви, будет лишь хуже. Прими случившееся как данность и иди вперед, твердо зная: непременно встретится тот, кто тебя полюбит безо всяких условий. Не завидуй Эрике, ведь у тебя есть Гри.

— Мне и в голову не придет испытывать к убийце зависть! — возмутилась я.

— Правильно, — кивнул босс и ушел.

Эпилог

Забегая далеко вперед, расскажу, как сложилась в дальнейшем судьба Эрики.

Думаю, Герман Вольфович потратил огромное количество денег, чтобы замять дело. Дочь Кнабе сначала отправили на обследование в клинику, потом признали ее недееспособной и одновременно неопасной для общества и отдали на попечение отца. Герман Вольфович продал имение, зоопарк, распустил служащих, и они всей семьей, включая Константина, Лауру Карловну и Анну Степановну, перебрались на жительство в Таиланд, Кнабе стал, как сейчас модно говорить, дауншифтером.

Косте и Михаилу никаких обвинений предъявить не удалось. В отношении Интернета законодательство пока недостаточно развито, адвокаты нашли много лазеек, и организаторы фальшивых боев помахали следователю ручкой.

Варя Богданова неожиданно стала богатой женщиной. Ее, оказывается, разыскивала не Беата, ее непутевая мать, а бывший любовник, тот самый Борис, который просто влюбился в стриптизершу. Он решил, что девушка, некогда танцевавшая у шеста, будет очень ценить спокойную обеспеченную жизнь, перевез Варю в свой особняк, а потом и женился на ней.

Горничная Лиза умерла в больнице. Герман Вольфович до последнего дня оплачивал все расходы по содержанию несчастной и похоронил ее на кладбище.

Тигр Артур счастливо живет в зоопарке. За добрый нрав и приветливость его обожают и служители, и посетители.

В зоопарк я отнесла и Гензу, которого три месяца носила на груди. Не скрою, мне стало грустно, когда рукохвост, даже не попрощавшись с «мамочкой», отцепился от меня и ринулся в клетку к сородичам.

— Вот она, детская благодарность, — засмеялась смотрительница рукохвостов Машенька. — Воспитываешь их, воспитываешь, а потом — бумс! Кровиночка на тебя наплевала и смылась. Не переживайте, Генза вас будет узнавать, просто у него сейчас крыша поехала, ведь впервые за долгое время он себе подобных увидел. Приходите его навещать!

— У меня была еще одна подружка, — вздохнула я, — ящерка фиолетового цвета, очень милая, я назвала ее Элей. Представляете, она меня случайно укусила, кстати, довольно больно, а потом стала следом ходить, везде! Прощения просила, в глаза заглядывала.

Маша ткнула пальцем в большой террариум.

— Такая?

— Точно! — обрадовалась я. — Никогда не предполагала, что у рептилий есть совесть.

Маша расхохоталась.

— Пардон, если вас разочарую, но совести у них нет. Данная ящерица хищница. Она весьма оригинально охотится: цапнет добычу, впустит в нее яд, а затем преследует жертву, ждет, когда та копыта отбросит, чтобы насладиться ее плотью.

Я вздрогнула.

— Эля ждала моей смерти?

— Ага, — кивнула Машенька. — Но только ее яд рассчитан на мелких грызунов, слону он вреда не нанесет. Ой, простите!

— Ничего, — пробормотала я. — Представляю, как ящерица потирала лапы, думая, что скоро заполучит столько еды. Моего мяса хватило бы не только ей, но и всем ее сородичам на долгую сытную жизнь. Да, вот и потеряна еще одна иллюзия. Эля, оказывается, любила меня как будущий деликатес.

— Вы обязательно приезжайте к Гензе, — сменила тему Маша.

— Непременно, — пообещала я и ушла.

Но все вышеописанное произойдет еще не скоро. А в тот день, когда я, узнав правду об Эрике, приехала домой, меня ждал сюрприз: на кухне сидел Гри, вернувшийся из командировки.

Жизнь сразу показалась мне прекрасной. Я кинулась к плите, но была остановлена мужем.

— Лучше пойдем в ресторан, — предложил он.

— А как же моя диета? — тихо спросила я.

— Ерунда! — уверенно заявил Гри.

— Вовсе нет, — не сдавала я своих позиций. — Моя самая заветная мечта — иметь идеальное тело. Больше всего на свете я хочу стать стройной, поэтому рестораном придется пожертвовать.

Гри кашлянул.

— Тебе никогда не приходило в голову, что идеального тела не бывает? Очень часто у нас вызывает самые добрые чувства некто абсолютно несовершенный внешне.

— Например? — спросила я. — Квазимодо в данной ситуации можно не вспоминать. А кроме милого горбуна, никто не приходит на ум.

— Пятачок! — радостно объявил Гри. — Симпатичный, очаровательный, добрый, самый замечательный друг на свете! Вот у кого идеальное тело, — засмеялся Гри. — Танюш, извини за банальность, но не во внешности дело. Эй, ты куда помчалась?

— К кастрюле, хочу сварить тебе суп, — прошептала я, чтобы не разрыдаться от умиления на глазах у Гри.

— Отлично, вернемся к началу нашего разговора, — улыбнулся муж, — ну, давай заново. Дорогая, лучше пойдем в ресторан! И ни слова о дурацких диетах.

Я изменила траекторию бега, понеслась в ванную, чтобы привести себя в порядок, и крикнула по дороге:

— Увы, зарплата завтра, денег хватит только на скромное кафе!

Гри не успел ответить, из прихожей донесся звонок. Муж вышел в холл, и я услышала нервный женский голос:

— Немедленно ее позовите!

— Кого?

— Жрицу вуду! Мы договорились, она дала мне свой адрес!

Надев халат, я вышла к двери. В прихожей стояла стройная девушка типа Марты Карц — красиво завитые локоны, безупречный макияж, сверкающие украшения, почти идеальная фигура, отшлифованная фитнесом, мини-платье с кожаным поясом, туфли и сумка, которая стоит, как подлинная египетская мумия; наивный взгляд небесно-голубых глаз и аромат духов по тысяче долларов за каплю. Впечатление портил лишь простой кейс, стоявший на полу возле ног красотки.

— Привет! — сказала я.

— Вау! — завопила блондинка. — Я заказывала превращение свекрови в жабу, но банк сразу миллион баксов в мелких купюрах не дал, только сейчас все получила! Пересчитывать будете?

Блондинка присела и открыла кейс, мы с Гри уставились на пачки долларов.

— Помнится, кто-то жаловался, что у него денег осталось лишь на скромное кафе, — ожил первым муж.

— Когда она превратится в жабу? Мне отдадут лягушенцию? Где ее нужно держать? Можно в лесу выпустить? Что мужу сказать, куда его долбанутая мамочка подевалась? Это навсегда? Или она может расколдоваться? — без устали сыпала вопросами девица.

Я так и не могла обрести дар речи, а Гри с невероятным интересом смотрел на гостью.

— Вы хотите превратить свекровь в жабу?

— Ой, точно! — захлопала в ладоши идиотка.

— И вам на это не жаль миллиона долларов? — уточнил мой муж.

— Конечно, нет, — фыркнула заказчица. — Но

я хочу иметь гарантии. Меня мама предупредила: она слышала, что был случай, когда Иван подстрелил жабу, а она — бамс! И снова человеком стала.

— Пошел Иван-дурак к царю свататься за его дочь, да государь вон Ваньку выгнал, и жил после этого Иван долго и счастливо... — пропел Гри. — Значит, ваша мама в курсе вашей затеи, одобряет ее и велела доченьке гарантии потребовать?

— Да! — ажитированно воскликнуло чудо в бриллиантах.

Гри наклонился и зашептал что-то на ухо гостье.

— Ой! — заголосила та. — Правда? Адресок дадите?

Супруг приложил палец к губам:

— Тсс. Это же секрет. Сейчас напишу.

Когда сумасшедшая девица, схватив записку, захлопнула чемодан и испарилась, я налетела на Гри.

— Куда ты отправил дурочку с миллионом?

— К Коробкову в офис, — спокойно пояснил муж. — Ему вечно деньги на всякие технические феньки нужны. Я верю в Димона, он что-нибудь придумает. В конце концов сделает свекровь жабой на недельку и...

Не договорив, Гри рухнул на стул и захохотал.

— Вот и не верь после этого анекдотам про блондинок, — вздохнула я. — Кому рассказать — не поверят.

Гри вытер ладонью выступившие от смеха слезы.

— Девушка-блондинка — это караул, жена-блондинка — еще хуже, но круче всего блондинка-теща. Ладно, раз мы не взяли миллион долларов за колдовство, то сейчас отправимся не в ресторан, а в пиццерию.

И мы пошли.

Не следует ждать, что слон сможет летать, как орел, и не надейтесь на то, что крокодил станет питаться, как кролик. Если не предъявлять сверхъестественных требований к слону и крокодилу, с ними можно даже подружиться. Вот только в первом случае вам надо будет стать вегетарианцем, а во втором придется жевать сырое мясо. Никогда не требуйте от людей стать такими, какими вы хотите их видеть, никто не изменится.

Донцова Д.

Д 67   Идеальное тело Пятачка : роман / Дарья Донцова. — М. : Эксмо, 2009. — 384 с. — (Иронический детектив).

Таня Сергеева в шоке — у нее даже кошки никогда не было, а нужно снимать стресс у карликового кролика размером с медведя! Таковы ее новые обязанности зоопсихолога: следы пропавшей девушки, которую разыскивала Татьяна, вели в особняк бизнесмена Германа Кнабе, вот она и устроилась туда на эту оригинальную должность. Зато теперь Татьяна — своя в доме, перед ней открыты все двери. А тайн в усадьбе выше крыши: бродит и звенит бубенчиками призрак, бесследно исчезают горничные, непонятно куда ведет тайный ход. Необследованным осталось только подземелье, но Таня узнала, на какой камень нужно нажать, чтобы открылся лаз, и бесстрашно направилась прямиком в неизвестность!..

УДК 82-3
ББК 84(2Рос-Рус)6-4

ISBN 978-5-699-36548-7

Оформление серии *В. Щербакова*

Литературно-художественное издание
ИРОНИЧЕСКИЙ ДЕТЕКТИВ

Дарья Донцова

ИДЕАЛЬНОЕ ТЕЛО ПЯТАЧКА

Ответственный редактор *О. Рубис*
Редакторы *И. Шведова, Т. Семенова*
Художественный редактор *В. Щербаков*
Технический редактор *О. Куликова*
Компьютерная верстка *В. Фирстов*
Корректор *З. Харитонова*

Иллюстрация на переплете *В. Остапенко*

ООО «Издательство «Эксмо»
127299, Москва, ул. Клары Цеткин, д. 18/5. Тел. 411-68-86, 956-39-21.
Home page: **www.eksmo.ru**   E-mail: **info@eksmo.ru**

Подписано в печать 30.06.2009. Формат 84×108¹/₃₂.
Гарнитура «Таймс». Печать офсетная. Бумага газ. Усл. печ. л. 20,16.
Тираж 250 000 экз. (1-й завод — 105 100 экз.). Заказ № 6984.

Отпечатано в полном соответствии
с качеством предоставленных диапозитивов
в ОАО «Можайский полиграфический комбинат».
143200, г. Можайск, ул. Мира, 93.

Дарья ДОНЦОВА

С момента выхода моей автобиографии прошло три года. И я решила поделиться с читателем тем, что случилось со мной за это время...

Дарья ДОНЦОВА

Записки
безумной оптимистки. Три года спустя

АВТОБИОГРАФИЯ

В год, когда мне исполнится сто лет, я выпущу еще одну книгу, где расскажу абсолютно все, а пока... Жизнь продолжается, в ней случается всякое, хорошее и плохое, неизменным остается лишь мой девиз: "Что бы ни произошло, никогда не сдавайся!"